MICROMÉGAS
ZADIG
CANDIDE

VOLTAIRE

MICROMÉGAS
ZADIG
CANDIDE

Introduction, notes, bibliographie, chronologie
par
René POMEAU

Bibliographie mise à jour
par Chiara GAMBACORTI *(2006)*

GF Flammarion

© Flammarion, Paris, 1994.
Édition mise à jour en 2006.
ISBN : 978-2-0807-1293-6

INTRODUCTION

Micromégas, Zadig, Candide : pourquoi trois titres seulement ? Et pourquoi ceux-là ?

On sait l'ampleur de l'œuvre voltairienne. Les anciennes éditions des œuvres complètes, par catégories, avaient un avantage : d'avance on connaissait les secteurs où l'on renoncerait à s'aventurer. Depuis longtemps, entre tous les genres pratiqués par un écrivain prolifique, les lecteurs privilégient ce qu'il est convenu d'appeler ses « romans et contes ». Une telle section n'est pas elle-même si brève. L'édition, dans la collection GF, ne totalise pas moins de sept cents pages. Encore conviendrait-il d'y adjoindre, comme vient de le montrer Sylvain Menant, les quinze contes en vers, injustement dissociés des récits en prose. Voltaire, s'agissant précisément de cette sorte d'œuvre — soit prose soit vers — formule un précepte : « il faut être très court et un peu salé ». « Un peu salé » : nous faisons confiance à l'auteur de *La Pucelle*. Mais « très court » ? Nous rappelant son conseil, nous avons choisi dans le vaste corpus narratif les trois contes du présent volume. Les raisons de cette sélection ? Les contes, au fil de la production voltairienne, apparaissent par séquences chronologiques : 1739-1759, 1764-1768, 1774-1775. *Micromégas* se situe pour l'essentiel (nous y reviendrons) au début de la première période. *Zadig* en son milieu (1747), *Candide* en sa fin (1759). Dans ces textes, comme dans ceux qui

les accompagnent, deux thèmes s'entrelacent : le « philosophe » dans la société et devant le cosmos, le bonheur en liaison avec la « philosophie ». Cependant Voltaire renouvelle sans cesse ses formules. Trois protagonistes, nommés au titre. Mais l'un est un être cosmique ; l'autre appartient à l'ancien Orient ; le troisième se trouve en proie aux vicissitudes du monde contemporain. D'autres variantes du récit tiennent à la présence du narrateur, plus marquée soit par l'occurrence du « je » dans le texte, soit par l'invention d'un ou de plusieurs personnages-auteurs, masques derrière lesquels Voltaire se plaît à se dissimuler. Ces attributions fictives n'ont pourtant jamais trompé personne. Son esprit y est trop présent, alliant indissolublement la critique incisive et les fantaisies d'une imagination qui surprend et déconcerte. Nous allons suivre ces constantes, toujours changeantes, dans les œuvres ici présentées.

Le sujet de *Micromégas*, autant qu'on sache, remonte à 1739 : ce serait ainsi le premier des contes de Voltaire[1]. Le philosophe vit retiré à Cirey, en compagnie de Mme Du Châtelet. De ce quasi-exil, il maintient le contact par ses lettres. Parmi ses correspondants un personnage de premier plan : Frédéric, prince héritier, qui dans quelques mois deviendra roi de Prusse et l'une des figures les plus marquantes de son siècle. Depuis que Frédéric en a pris l'initiative, les lettres s'échangent à un rythme soutenu entre le prince et le philosophe, prodiguant flatteries et discussions philosophiques. Frédéric veut lire tout ce qui s'écrit à Cirey. Or Voltaire, vers le 20 juin 1739, au retour d'un voyage à Bruxelles, envoie au prince « une petite rela-

1. Jacques Van den Heuvel accorde la primauté au *Songe de Platon* : quoique publié en 1756, ce texte se rapporte sans aucun doute aux préoccupations de Voltaire en 1737. Mais ces trois pages sont-elles un conte ? Les réflexions et un bref dialogue qu'elles comportent ne se développent pas en un récit à épisodes multiples.

tion », « non pas de [son] voyage, mais de celui de monsieur le baron de Gangan ». « C'est, continue-t-il une fadaise philosophique qui ne doit être lue que comme on se délasse d'un travail sérieux avec les bouffonneries d'Arlequin[2]. » Le manuscrit de ce *Gangan* est perdu. Sur son contenu on ne sait que ce qu'en dit Frédéric dans sa réponse : « Il m'a beaucoup amusé, ce voyageur céleste ; et j'ai remarqué en lui quelque satire et quelque malice qui lui donne beaucoup de ressemblance avec les habitants de notre globe, mais qu'il ménage si bien qu'on voit en lui un jugement plus mûr et une imagination plus vive qu'en tout autre être pensant. » Il relève « dans ce voyage un article » flatteur pour lui. Il ironise : « Je m'étonne qu'en un ouvrage où vous rabaissez la vanité ridicule des mortels, [...] vous vouliez nourrir mon amour-propre[3]. »

Il apparaît que *Gangan* fut une première version de *Micromégas*. En effet dans le conte qui paraîtra en 1752, maintes allusions visent l'actualité de 1737-1739 : ainsi la référence dans le chapitre septième à la guerre qui opposa (1736-1739) les Russes, alliés à l'Autriche, aux armées du Sultan ottoman. On remarquera surtout, dans la lettre d'envoi (D2033), la mention d'un « travail sérieux », dont on « se délasse par des bouffonneries d'Arlequin ». Le tempérament ludique de Voltaire, après l'effort qu'exige un grand ouvrage, a besoin de s'égayer par ces sortes de récréations : souvent elles prennent la forme d'un conte. Précisément, dans les mois précédents, le philosophe s'est astreint à composer un livre combien « sérieux » : les *Eléments de la philosophie de Newton* (1738). Les découvertes du savant anglais ne pénétraient que difficilement en France. Beaucoup, parmi les plus compétents, refusaient d'admettre la gravitation universelle,

2. D2033 : nous renvoyons, ici et dans la suite, aux numéros des lettres, dans l'édition de la *Correspondance* de Voltaire, *Œuvres complètes*, en cours de publication à la Voltaire Foundation d'Oxford (OC).

3. D2042, 7 juillet 1739.

préférant s'en tenir à la cosmologie cartésienne qui expliquait le mouvement des corps célestes par l'impulsion de « tourbillons ». Voltaire avait entrepris de diffuser la science newtonienne, base de sa propre philosophie. Il l'avait exposée, mais non sans erreurs, dans ses *Lettres philosophiques*. Il reprit la question à Cirey, encouragé par Mme Du Châtelet. Ses *Eléments* de 1738 constituent un solide ouvrage de vulgarisation. Il s'y livre aux démonstrations et aux calculs qu'exige l'exposé des lois de l'attraction et de l'optique de Newton. Dans sa tâche, il est aidé par une de ses relations, ami également de Mme Du Châtelet : Maupertuis, qui n'est pas, lui, un amateur en matière de science. Les idées de Newton étaient susceptibles d'une vérification expérimentale. Selon la théorie de la gravitation, la terre devait être un sphéroïde légèrement aplati aux pôles. Afin d'établir que telle était bien la « figure » de notre planète, Maupertuis avait conduit en 1735-1736 une expédition de savants en Laponie : ils y mesurèrent un degré du méridien. Simultanément, La Condamine allait procéder à la même opération au Pérou. On suivit attentivement à Cirey l'expédition de Maupertuis. Voltaire la rapporta dans ses *Eléments de la philosophie de Newton*, et en souligna l'importance scientifique [4]. C'est alors, peut-on supposer, qu'il en fit un épisode de *Gangan* qui passera dans *Micromégas* : le lecteur n'avait aucune peine à identifier, à la fin du chapitre quatrième, la « volée de philosophes » qui « revenait du cercle polaire » et fit effectivement naufrage sur les côtes de Botnie. Autre identification non moins facile : dans le « nain de Saturne », compagnon de Micromégas, on reconnaissait Fontenelle, petit vieillard vif, en matière de science souvent imprudent par vivacité, galant aussi. Non seulement le conte rappelle qu'il « faisait passablement de petits vers et de grands calculs », mais il fait comparaître une de ses maîtresses, « une jolie petite brune », et il évoque une de ses mésaventures, où « la nature fut

4. OC, t. 15, p. 471.

prise sur le fait ». Fontenelle pratiquait aussi la vulgari-
sation scientifique, mais sur le mode badin. Ses *Entre-
tiens sur la pluralité des mondes* le mettaient en scène
lui-même, expliquant, par une nuit claire, le système
céleste (celui des tourbillons cartésiens) à une jeune
marquise, blonde celle-là. Voltaire jugeait ce mélange
des genres attentatoire à la dignité de la science. Préfa-
çant en mai 1738 le très sérieux ouvrage de Mme Du
Châtelet (marquise, elle aussi), les *Institutions de phy-
sique*, il avait écrit : « Ce n'est point ici une marquise,
ni une philosophe imaginaire »... Fontenelle s'était
fâché. A la vulgarisation enrubannée (dont relève aussi
Le Newtonianisme pour les dames, 1738, d'un familier
de Cirey, Algarotti), Voltaire oppose la clarté, sans
enjolivures déplacées, de ses *Eléments de la philosophie
de Newton*. *Micromégas* fait écho à cette querelle : « Je
ne veux pas qu'on me plaise, [...] je veux qu'on m'ins-
truise » répond le « Sirien » au « nain de Saturne » (cha-
pitre second). Ce qui nous ramène encore à l'actualité
de 1738-1739.

 Mais *Micromégas* ne paraîtra qu'en 1752. Que
s'est-il passé dans l'intervalle ? La carrière de Voltaire
courtisan — poète quasi officiel, académicien, histo-
riographe de France, « gentilhomme ordinaire de la
chambre du roi » — s'est soldée par un échec. Après la
mort de Mme Du Châtelet, il cède aux pressions insis-
tantes de Frédéric II. Il arrive à Berlin en juillet 1750.
A la fin de cette année ou au début de 1751, *Gangan*
est devenu *Micromégas*. Un M. d'Ammon, chambellan
prussien, va se rendre à Paris, où il négociera des
accords commerciaux. Son départ, prévu pour
décembre 1750, est retardé. Il quitte enfin Berlin en
février 1751. Voltaire l'a chargé d'un « gros paquet »
pour l'édition de ses œuvres par Lambert (D4404) :
dans le lot un manuscrit de *Micromégas*. Sur les chan-
gements apportés au conte de 1739, nous ne savons
qu'une chose : l'« article » à la louange de Frédéric a
été retranché. On peut supposer qu'en 1739 le prince

royal s'y trouvait loué pour la philosophie pacifiste de son *Anti-Machiavel*. Le roi s'était avéré depuis lors un redoutable chef de guerre et conquérant : pareil éloge n'aurait pas manqué d'attirer les foudres de Sa Majesté sur le chambellan Voltaire, déjà compromis dans plusieurs affaires dont celle du juif Hirschel. D'autres transformations ont-elles accompagné le changement du nom de Gangan en celui, plus parlant, de Micromégas ? Nous l'ignorons.

Nous savons en revanche qu'à son arrivée d'Ammon a remis le manuscrit à Lambert. Pourtant *Micromégas* ne figure pas dans les onze volumes des *Œuvres* de Voltaire que l'éditeur parisien publie en avril-mai 1751. Le conte n'est imprimé qu'environ un an plus tard, en trois éditions : l'une portant le lieu de Londres, sans date ; les deux autres datées de Londres 1752, l'une d'entre elles comportant avec *Micromégas* l'*Histoire des croisades*, fragment du futur *Essai sur les mœurs*. Ce sont les trois éditions sur lesquelles l'éminent voltairiste Ira O. Wade se fonda pour établir son édition critique en 1950. Depuis cette date, un chercheur allemand, Martin Fontius, dans son livre *Voltaire in Berlin*, Berlin (R.D.A.) 1966, a apporté sur la publication de *Micromégas* d'importantes découvertes, généralement ignorées des éditeurs français ultérieurs de ce texte.

Les trois éditions de 1752 ont été publiées presque en même temps, vers le mois de mars, non pas à Londres, mais en Allemagne. Deux ont été données par Walther, l'éditeur de Dresde à qui Voltaire confie habituellement la publication de ses œuvres : il a dû lui faire parvenir un manuscrit du conte. Pourtant c'est une autre édition qu'il faut considérer comme l'originale : celle que donnent, à Gotha, les éditeurs Mevius et Dietrich, en y insérant l'*Histoire des croisades*. Ce *Micromégas* est en effet celui que Voltaire avait confié à d'Ammon pour Lambert. Walther, irrité de la concurrence, a intenté un procès à Mevius et Dietrich. Martin Fontius en a étudié le dossier, ce qui lui a permis de tirer les choses au clair.

Une édition de *Micromégas* avait effectivement été imprimée à Paris en 1751. Mais Fontenelle, averti du rôle comique qu'il jouait dans le conte, porta plainte. Malesherbes, directeur de la librairie, intervint : des égards étaient dus à « un homme plus que nonagénaire » (Fontenelle a quatre-vingt-quatorze ans [5]). Voltaire préféra renoncer à donner *Micromégas* dans l'édition Lambert de ses œuvres. Mais un autre libraire parisien, Grangé, se procura le manuscrit (probablement en l'achetant à Lambert). Il tira une édition subreptice, qui se trouve être la première qui ait été imprimée, sinon diffusée : car Fontenelle alerté la fait saisir, de sorte que nous n'en connaissons aujourd'hui aucun exemplaire. Précaution vaine cependant : c'est d'après un volume de l'édition Grangé, ayant échappé à la destruction et secrètement porté à Gotha, que Mevius et Dietrich publient leur *Micromégas*.

Beaucoup de contes de Voltaire paraissent ainsi à l'issue de cheminements tortueux, en partie souterrains. Il en sera de même de *Zadig* et de *Candide*.

Micromégas porte en sous-titre « Histoire philosophique ». Cette philosophie est celle qui vient d'inspirer les *Eléments de la philosophie de Newton*. Elle s'affirme dans le dialogue des géants cosmiques avec les hommes. Ceux-ci, « mites » philosophiques, ont mesuré avec exactitude la taille de leurs visiteurs. Aux questions d'astronomie, de physique ils répondent du tac au tac sans la moindre erreur. S'agit-il d'observation et de calcul, ils en remontreraient à leurs interlocuteurs. « Nous disséquons des mouches, leur répondent-ils, nous mesurons des lignes, nous assemblons des nombres. » Mais le philosophe ajoute : « Nous sommes d'accord sur deux ou trois points que nous entendons, et nous disputons sur deux ou trois mille que nous n'entendons pas » (chapitre septième). La dispute en effet ne va pas tarder à surgir sur l'inintelligible. Micromégas leur demande « ce que c'est que leur âme ». Cacophonie aussitôt, et concert

5. D4542, Malesherbes à Voltaire, 7 août 1751.

d'absurdités, mis à part peut-être ce que dit sur le sujet le « petit partisan de Locke ». La conclusion s'impose : la raison de l'homme peut atteindre quelque certitude dans le domaine de l'observation et du calcul. Hors de là, ce ne sont que divagations. Et conduites aberrantes. Ainsi lorsque la voix tonitruante de Micromégas répand la panique sur le pont du bateau, l'aumônier récite les prières des exorcismes, les matelots jurent, quelques raisonneurs font « un système ». Seul un géomètre garde sang-froid et bon sens : il s'avance, « pinnules » à la main, puis prend les dimensions du géant. Lorsque Micromégas, à la fin, remet aux « petites mites » un « beau livre de philosophie », où ils verront « le bout des choses », le précieux volume porté à l'Académie des sciences de Paris se trouve être « tout blanc ». Il est donné à l'être humain d'éclairer par ses facultés rationnelles un mince faisceau du réel. Tout autour s'étend l'immensité de l'inconnaissable.

La physique n'est pourtant pas, au dix-huitième siècle, absolument séparée de la métaphysique. Des liens subsistent de l'une à l'autre, à tel point que les *Eléments* mêmes de Voltaire s'ouvrent par une « Première partie métaphysique », traitant de Dieu, de la liberté, et autres questions du même ordre. Certain jour, on s'égaya à Cirey d'un ouvrage de l'illustre docteur allemand Christianus Wolffius, mêlant rêveries métaphysiques et rêveries scientifiques. Mme de Graffigny, qui séjourna au château en décembre 1738 et janvier 1739, fut témoin de la scène. « Ce matin, rapporte-t-elle dans une lettre, la dame de céans a lu un calcul géométrique [...] qui prétend démontrer que les habitants de Jupiter sont de la même taille qu'était le roi Og, dont l'Ecriture parle. » Le calcul se fonde sur la dimension des yeux par rapport à la distance du soleil à la terre, comparée à l'éloignement du soleil à Jupiter [6]. Il en résultait, selon Wolff, qu'un Jupitérien

6. *Correspondance de Madame de Graffigny*, The Voltaire Foundation, Oxford, 1985, t. I, p. 211.

avait à peu près la taille de ce roi Og de l'Ancien
Testament dont on peut conjecturer les mensurations
d'après la longueur de son lit, indiquée par le *Deutéro-
nome*. On s'est « fort diverti », notamment de ce
recours saugrenu au roi Og[7]. Mme Du Châtelet avait
lu ou parcouru intrépidement les six tomes latins de
Christianus Wolffius, *Elementa matheseos universae*.
Elle tenait entre ses mains les pages du tome III où cet
auteur diffus exposait ses supputations[8]. Un auteur
moins grave, mais plus sérieux, Cassini, avait attiré
l'attention de l'Académie des sciences sur la « gran-
deur énorme » et la « prodigieuse distance » de certains
corps célestes. Il nommait à titre d'exemple Sirius[9].
Voltaire connaît ces spéculations sur l'infiniment
grand. Il sait aussi que la science vient de faire des
découvertes sur l'infiniment petit, selon l'antithèse
pascalienne. Grâce au microscope, Leuwenhoek et
Hartsoeker ont vu des êtres minuscules : microbes,
bactéries, spermatozoïdes... Rien n'est donc grand ou
petit en soi : thème de la relativité que résume le nom
même de Micromégas. Des considérations ridicules de
Wolff, Voltaire retient celle-ci, qui paraît sensée : « on
pourrait connaître [...] les proportions des habitants
des autres planètes ». Mais son esprit ludique s'empare
de la suggestion pour imaginer une fable, dans le goût
de Cyrano ou de Swift. Déjà dans une première ver-
sion de sa treizième *Lettre philosophique*, il supposait
qu'il existe « dans d'autres mondes d'autres animaux
qui jouissent de vingt ou trente sens, et que d'autres
espèces, encore plus parfaites, ont des sens à
l'infini[10] ». Ces « autres animaux », il va les mettre en
scène dans *Micromégas*.

7. *Deutéronome*, III, 11 : « Og, roi de Basan, était resté seul de la
race des géants. On montre encore son lit de fer dans Rabbath [...] :
il a neuf coudées de long et quatre de large » (soit quatre mètres et
demi et deux mètres, la coudée étant d'environ cinquante centi-
mètres).
 8. Ira O. Wade, dans son édition de *Micromégas*, p. 57-58, cite
le passage intégralement.
 9. Texte dans P.-G. Castex, ouvrage cité (voir la Bibliogra-
phie), p. 19-20.
 10. *Lettres philosophiques*, éd. Lanson, Paris, Marcel Didier,
1964, t. II, p. 198.

C'est donc une histoire d'extra-terrestres qu'il va
conter. Mais combien elle diffère de nos romans ou
films de science-fiction ! Dans Sirius, un lecteur, sur-
tout du dix-huitième siècle, ne se sent pas vraiment
dépaysé. Les habitants de cette étoile si lointaine res-
semblent en tout aux hommes. Micromégas est même
désigné comme « un jeune homme de beaucoup
d'esprit ». Le « Sirien » et le « Saturnien » ne diffèrent
de nous que par la taille (trente-neuf et deux kilo-
mètres), la longévité (quinze mille ans pour le Satur-
nien, et sept fois plus pour Micromégas), le nombre
des sens : le Sirien en a « près de mille » et l'habitant de
Saturne soixante-douze seulement. Mais on se
demande à quoi tant de sens peuvent servir. Dans le
récit les géants cosmiques ne font usage que des cinq
dont bénéficie l'homme. Voltaire ne se donne pas la
peine, comme nos auteurs, de peupler l'espace de
créatures bizarres, d'ailleurs en définitive plus ou
moins humanoïdes. Il transfère à l'infini lointain du
cosmos l'effet plaisant de « l'Orient philosophique » de
son temps, où l'on retrouve — ce sera le cas de *Zadig*
— les vices et les abus de la société française. Dans
Sirius, il existe une cour, des femmes qui influent sur
l'opinion, même des puces et des colimaçons. Mais
surtout un « muphti », « grand vétillard et fort igno-
rant » : ce saint personnage fait condamner un livre de
science qu'a écrit Micromégas. Aussi le jeune homme
décide-t-il de voyager, mais « de planète en planète ».
Par quel véhicule ? Voltaire souligne l'étonnement de
ses lecteurs, habitués à se déplacer « en chaise de poste
ou en berline ». Le nôtre est plus grand encore. Point
de ces vaisseaux spatiaux que nous montrent nos
écrans de cinéma ou de télévision. La technologie du
voyage cosmique est dans *Micromégas* réduite à rien.
Le Sirien utilise les forces gravitationnelles. « Tantôt à
l'aide d'un rayon de soleil, tantôt par la commodité
d'une comète », il « voltige », « de globe en globe ».
Quand il s'est adjoint le « nain de Saturne », tous deux
« s'élancent » sur une comète qui passait par là, « avec
leurs domestiques et leurs instruments » scientifiques.

Ces voyageurs si semblables à l'homme sont apparemment insensibles aux effets du vide sidéral (absence d'air respirable, froid). Nul besoin donc de leur inventer un habitacle protecteur. Est-ce lié à l'absence de toute technologie ? Nul conflit dans cet univers cosmique de Voltaire, aucune « guerre des étoiles ». C'est sur terre seulement que des armées se massacrent. Les voyageurs célestes sont bien étonnés et indignés d'apprendre que sur notre misérable globe « cent mille fous » en tuent cent mille autres, et qu'on en use ainsi « de temps immémorial » (chapitre VII).

La paix des mondes extraterrestres n'est pas la plus incroyable des choses que raconte *Micromégas*. Il était nécessaire d'accréditer le récit. Le texte fait donc parler un témoin, à la première personne. Ce « je », dès la première phrase, annonce qu'il a « eu l'honneur de connaître » l'habitant de Sirius, « dans le dernier voyage qu'il fit sur notre petite fourmilière[11] ». « Je » doit donc aux confidences de Micromégas tout ce qu'il rapporte sur les intrigues à la cour de Sirius, sur la rencontre avec le nain de Saturne, sur le premier contact avec la terre, sur le dialogue avec les hommes, sur le vaisseau des savants tombant « dans une poche de la culotte du Saturnien »... Ce « je » reste constamment présent dans le texte, comme garant. C'est lui qui multiplie les réflexions d'auteur : à savoir que le nom de Micromégas « convient fort à tous les grands » (chapitre I), « qu'on va bien plus à son aise quand on tourne sur son axe que quand on marche sur ses pieds ». Variante du « je », le « nous » : « nous autres, sur notre petit tas de boue, nous ne concevons rien au-delà de nos usages » (chapitre I), la première personne du pluriel impliquant l'auditeur ou le lecteur. Les interventions du narrateur suggèrent une

11. Micromégas avait donc fait sur la terre d'autres voyages avant celui-ci. Ce qui est en contradiction avec ce qui suit : il ressort que le Sirien et le Saturnien découvrent le globe terrestre pour la première fois. Cette phrase paraît être une survivance d'une version antérieure : Gangan aurait rendu plusieurs visites à « notre petite fourmilière ».

personnalité. Celui-ci s'avère être un Français cultivé.
Il sait que la musique de Lulli fait « rire » un musicien
italien « quand il vient en France » (chapitre I). Il a des
compétences scientifiques : il a lu les rêveries astrono-
miques de « l'illustre vicaire Derham ». Il connaît le
père Castel : si « nos voyageurs » ont découvert deux
lunes tournant autour de la planète Mars, il « sait
bien » que le jésuite « écrira, et même assez plaisam-
ment contre l'existence de deux lunes ». Il est même
érudit, fureteur de bibliothèques : dans celle de
« l'illustre archevêque de... » il a lu certain manuscrit,
interdit de publication par « messieurs les inquisi-
teurs » (chapitre III). Il a voyagé, lui aussi, mais en
Prusse : il a remarqué la très haute taille des gardes du
roi (chapitre IV). Il connaît « le docteur Swift » et sa
liberté de langage que lui, Français bien élevé, se garde
bien d'imiter (chapitre VI). Il a, sur les abeilles, lu
Virgile, Swammerdam, Réaumur,... Autant de traits
qui, pour nous, dans ce conteur anonyme, décèlent
Voltaire. Ce « je » très insistant, plus qu'il ne le sera
dans aucun autre conte voltairien, ne prend pas
cependant la consistance d'un personnage, ayant un
nom, fiction surajoutée à celle du récit. En cela, *Zadig*
et *Candide* vont différer de *Micromégas*.

Zadig s'intitula d'abord *Memnon*. Au mois de juil-
let 1747 paraît un mince in-12, sans nom d'auteur,
Memnon, histoire orientale. Il avait été imprimé à Ams-
terdam. La publication du conte va s'avérer aussi
mouvementée que celle de *Micromégas*. Comment
faire passer l'édition — quelques centaines d'exem-
plaires — de Hollande en France ? Ces régions sont en
guerre depuis 1741. Les opérations continuent dans
ces parages. Par chance, Voltaire connaît le ministre,
le comte d'Argenson, dont dépendent les armées fran-
çaises : il fut son condisciple au collège de Louis-le-
Grand. Autre chance : les troupes du roi ont remporté
une victoire à Lauffeldt (2 juillet 1747). Voltaire a fait

tenir à d'Argenson un exemplaire de *Memnon*. Il lui
adresse ses félicitations en conformité avec la fiction :
« L'ange Jesrad a porté jusqu'à Memnon la nouvelle de
vos brillants succès. » Suivent des compliments en
style oriental. Puis il en vient à l'objet principal : le
ministre accepterait-il de faire passer en France, caché
dans son bagage, un « gros paquet » de *Memnon*[12] ?
On ne sait si d'Argenson se prêta à la manœuvre. Mais
il semble que ce *Memnon* demeura à peu près inconnu
du public français.

L'auteur n'est pas d'ailleurs très satisfait de son
texte. Il le reprend pour le refaire. Il change le nom,
médiocrement oriental, de Memnon en celui de Zadig,
autrement parlant (soit qu'il procède de l'hébreu ou
de l'arabe), et affichant cette initiale Z, propre à l'ono-
mastique de l'Orient : Zaïre, Zulime... Outre de nom-
breuses corrections de détail, trois chapitres nouveaux
sont rédigés (« Le souper », « Les rendez-vous », « Le
pêcheur »). Le travail était sans doute commencé
lorsqu'à l'automne de 1747 éclate un scandale à Fon-
tainebleau, où la cour passe quelques semaines pour la
chasse du roi. Mme Du Châtelet joue à la table de la
reine. Elle perd des sommes énormes sous les yeux de
Voltaire, qui voudrait l'arrêter dans sa frénésie. Il finit
par laisser échapper : « Vous ne voyez donc pas que
vous jouez avec des fripons. » Il le dit en anglais, mais
ces dangereuses paroles sont comprises. La nuit sui-
vante tous deux doivent prendre la route de Paris.
Tandis que Mme Du Châtelet continue sur la capi-
tale, Voltaire va se réfugier dans le château de Sceaux,
chez la duchesse du Maine. Il se cache pendant le jour
dans une chambre du second étage. Tard dans la
soirée, il descend souper chez la princesse. Puis il lui
fait la lecture[13]. Il lui lit ainsi des chapitres de *Memnon*
en passe de devenir *Zadig*.

12. D2033, « A Paris, le 4 de la pleine lune », que Th. Besterman
interprète comme le 4 juillet 1747. Mais le quatrième jour de la
pleine lune en juillet 1747 tombait le 24.

13. Nous le savons par Longchamp, valet et copiste de Voltaire,
qui cependant dans ses *Mémoires*, non toujours fiables (Paris,
1826), se trompe sur l'année de l'incident.

L'alerte passée, Voltaire peut reparaître. On le retrouve l'année suivante à la cour de Lorraine. Dans les résidences de Commercy, de Lunéville, il lit des passages du nouveau texte à quelques privilégiés. On les juge « charmants », on le presse « de n'en pas priver le public ». Il se défend mais finit par promettre qu'il fera imprimer *Zadig* à son retour à Paris[14].

Il tient parole. Mais il veut éviter à la fois le piratage et une diffusion inopportune de son ouvrage. Pour rester maître de l'opération il invente un étonnant subterfuge. A l'éditeur parisien Prault, il remet la première partie du manuscrit : qu'on l'imprime en attendant la suite. En même temps, il confie à un autre libraire, Machuel, la seconde partie : qu'il l'imprime aussi, en attendant le début que Voltaire serait en train de revoir. Mais il a fait en sorte que les deux impressions puissent se raccorder. Le travail terminé, il refuse de livrer de part et d'autre la partie manquante. Prault et Machuel durent se résigner à lui vendre ce qu'ils avaient imprimé. Il fit alors réunir les cahiers en un seul volume : ce qui donna deux cents exemplaires, distribués par ses soins, sous enveloppe, à ses amis parisiens. On a effectivement retrouvé une édition de *Zadig* procédant de deux impressions différentes. Elle s'intitule *Zadig ou la destinée, histoire orientale*.

Car, en changeant de titre, le conte est resté une « histoire orientale ». L'Orient occupe alors la pensée de Voltaire. Il a commencé des recherches en vue de son *Histoire générale* qui deviendra l'*Essai sur les mœurs*. Les premiers chapitres porteront sur la Chine, l'Inde, le monde arabe. Grâce à l'Anglais Hyde, et à son ouvrage en latin, *Veterum Persarum et Parthorum et Medorum religionis historia*, il découvre l'antique religion iranienne de Zoroastre, fondée sur l'antagonisme des deux principes du Bien et du Mal. Il donnera dans son conte au personnage du « méchant », autrement

14. Longchamp situe ces lectures à la cour de Sceaux. Nous pensons, comme Georges Ascoli (édition critique, p. IX), qu'elles furent plutôt faites à la cour de Lorraine.

dit « l'Envieux », le nom (approximatif) du principe du Mal : Arimaze. Historien, mais aussi dramaturge, il a en chantier une tragédie orientale, *Sémiramis*, qui lui donne beaucoup de soucis. Il veut y faire apparaître, comme dans les drames de Shakespeare, un fantôme. L'action se situe comme celle de *Zadig* à Babylone. Il imagine un décor très « couleur locale », irréalisable en fait à cette époque où la scène du Théâtre-Français est occupée par des rangs serrés de spectateurs (qui vont, à la première, gâter l'apparition du fantôme). Il rêve de « jardins en terrasse » étagés au-dessus du palais de Sémiramis ; sur l'avant de la scène, à droite, un « temple des mages », à gauche un mausolée « orné d'obélisques ». Dans *Zadig* pourtant le palais de Moabdar n'est guère « babylonien ». Le texte du conte, fort peu descriptif, suggère plutôt quelque chose d'analogue à Versailles. Le rapport entre les deux œuvres, concomitantes quant à la rédaction, se situe sur un autre plan. Le travail de la tragédie, en cinq actes et en alexandrins, la plus contraignante des formes, et aussi les arides recherches de l'historien, toute cette contention d'esprit crée un besoin de récréation. Ici encore se manifeste une aspiration au jeu : invention libre, fantaisie folle, malice criblant de traits les gens qu'il déteste. Comme *Gangan-Micromégas* après les *Eléments de la philosophie de Newton*, *Memnon-Zadig* permet à Voltaire de respirer tandis qu'il peine sur sa *Sémiramis*. Il se met en scène, mais sous les traits du poète persan Sadi. Il dédie son conte non à la marquise de Pompadour (qu'on reconnaît pourtant) mais à « la sultane Sheraa ». Il invente un auteur perdu dans la nuit des temps orientaux : un « ancien sage », qui le rédigea en chaldéen. On le traduisit en arabe, au temps « où les Arabes et les Persans commençaient à écrire des mille et une nuits, des mille et un jours, etc. » Le voilà, heureusement, en version française. Dans un Orient si reculé tout se mêle un peu, de sorte qu'on n'est guère étonné, à un certain moment, de rencontrer des supplices russes (le knout, la Sibérie). Souvent on a même l'impression

que les choses se passent en un pays tout semblable à la France, notamment par la liberté dont jouissent les femmes. A cet égard, les *Lettres persanes* de Montesquieu étaient plus authentiquement orientales.

Le sous-titre pourtant annonce un thème typiquement oriental : « La Destinée ». Le « c'était écrit ». Le récit d'ailleurs à un moment crucial fera paraître le livre où « les Destinées » sont inscrites : c'est du moins ce que prétend un ermite folklorique à longue barbe blanche. Mais le thème mettra quelque temps à émerger. Au cours des premiers chapitres, c'est de bonheur qu'il est question.

Les lignes initiales présentent un héros paré de toutes les qualités. Zadig a « un beau naturel fortifié par l'éducation ». Il est jeune, riche, en parfaite santé. Il se conduit avec sagesse dans le monde. Son esprit juste a été développé par les sciences qu'il cultive. Avec tant de perfections, Zadig croit donc qu'il pourrait être heureux.

Il ne le sera pas, et d'abord par la faute des femmes. Voltaire a rêvé d'imposer au théâtre en France le genre impossible d'une tragédie sans rôle féminin. Son *Micromégas* propose presque un cas de conte sans femme, n'était la scène que vient faire « une jolie petite brune » à son amant le Saturnien, en partance pour le cosmos (chapitre III). Mais point de femme dans l'équipage extraterrestre de Micromégas (à la différence de ce qui se pratique dans nos sciences-fictions), ni parmi « la volée de philosophes » sur la Baltique (si l'on fait abstraction des deux filles laponnes). Le récit de *Zadig* au contraire multiplic ces êtres charmants, qui s'avèrent vite malfaisants, avec une seule exception, on le verra. Au moment de *Memnon-Zadig*, des mésaventures étaient venues raviver chez Voltaire l'antiféminisme traditionnel. Sa liaison avec Mme Du Châtelet souffrait de la lassitude des vieux couples. Insatisfaite d'un amant souvent défaillant, l'ardente Emilie cherche ailleurs. Voltaire aussi. Mais sa nièce affriolante, Mme Denis, le trompe, il le sait, sans pouvoir se détacher d'elle. Zadig, double idéal de l'auteur, en essuyant les mêmes déboires, montrera plus de détermination.

Il se fait une raison lorsque Sémire l'abandonne vilainement, par crainte que, pour l'avoir défendue, il ne devienne borgne. Ensuite Azora, qu'il épouse, s'avère volage. Il n'hésite pas à la répudier. Il n'a pas seulement à pâtir des femmes. Il s'attire de méchantes affaires par son don d'observation et par son aptitude à raisonner sur ce qu'il a vu. « Qu'il est difficile d'être heureux dans cette vie ! » (chapitre III). Puis c'est l'archimage Yébor qui lui cherche querelle à propos des griffons, ces animaux à l'existence problématique. Une affaire de tablettes brisées lui vaut enfin une condamnation à mort. Il marchait déjà au supplice lorsqu'un merveilleux hasard le disculpe, et lui gagne la faveur du roi et celle de la reine. Voici Zadig premier ministre. En ce poste éminent il administre l'Etat avec une parfaite sagesse. Il est heureux alors et d'un bonheur qui implique celui de la société. Première esquisse d'un thème de la félicité publique, appelé à reparaître par la suite. Mais ce bonheur est menacé. Malgré lui, malgré elle, une passion amoureuse prend naissance entre la reine Astarté et le premier ministre. Des envieux le perdent auprès du roi. Le voici donc en fuite vers l'Egypte, où il tombe en esclavage, pendant qu'Astarté disparaît, cachée dans une statue colossale du temple d'Orosmade... La sagesse de Zadig, reconnue par un maître de bonne volonté nommé Sétoc, lui vaut heureusement de recouvrer assez vite sa liberté.

Diverses pérégrinations le persuadent que la destinée réserve plutôt ses faveurs à des forbans, tel l'odieux Orcan, ou le brigand Arbogad. Mais ses malheurs vont-ils prendre fin ? Il retrouve Astarté. Babylone avait sombré dans un chaos sanglant, par la folie de Moabdar, sensuellement asservi aux caprices de la belle Missouf. Or Moabdar ayant été tué, le royaume va sortir de l'anarchie par l'élection d'un nouveau souverain. Le choix se fera entre des concurrents anonymes, dans un concours en forme de tournoi, devant le peuple assemblé. Zadig remporte l'épreuve physique des combats, dissimulé sous une armure

blanche. Hélas ! pendant la nuit, un compétiteur, le ridicule Itobad, lui vole sa prestigieuse armure et va se déclarer vainqueur. Zadig ayant revêtu la vilaine armure verte de son voleur est hué par la foule. Alors désespéré, il erre au bord de l'Euphrate, « persuadé que son étoile le destinait à être malheureux sans ressource ». « Les sciences, les mœurs, le courage, n'ont donc jamais servi qu'à mon infortune », soupire-t-il. Il en vient à murmurer non pas contre « la Destinée », mais contre « la Providence » : le mot apparaît ici (chapitre XVII).

C'est le tournant du récit. Cette providence, mise en accusation, se montre à lui en personne physique. Elle a revêtu l'apparence d'un « ermite », à longue barbe blanche. Le vieillard porte un livre : celui des destinées. L'avenir de chacun y est inscrit, mais en caractères que Zadig ne peut déchiffrer. Notre héros va accompagner l'ermite pendant quelques jours. Il promet de le suivre, si surprenantes que lui paraissent les actions de son guide. Le bon vieillard en effet se livre à d'étranges conduites. La dernière est même scandaleusement révoltante. Une veuve a fort bien accueilli les deux voyageurs. Le lendemain, son neveu, un jeune homme de quatorze ans, les raccompagne. Arrivé sur le bord d'un torrent, l'ermite agrippe le garçon par les cheveux, et le précipite dans les flots, où il se noie. Zadig alors ne peut retenir son indignation : « O monstre ! » L'ermite se justifie. L'enfant, s'il avait vécu, aurait assassiné sa tante « dans un an », et Zadig dans deux. Parlant ainsi, le vieillard se métamorphose. « Quatre belles ailes » couvrent « un corps majestueux et resplendissant de lumière ». Il n'est autre qu'un « ange divin », envoyé tout spécialement à Zadig pour l'éclairer. Cet ange Jesrad, en un petit sermon, justifie la Providence. Dans l'immense univers « l'Etre suprême » a créé des millions de mondes. En chacun, un certain « ordre de sagesse » préside à « l'enchaînement des événements ». Le bien se mêle au mal, de telle sorte qu'« il n'y a point de mal dont il ne naisse un bien ». Le hasard ? Une illusion des « faibles

mortels » : « Tout est épreuve, ou punition, ou
récompense, ou prévoyance. » Zadig n'est pas
convaincu par ces belles affirmations. Il oppose ses
« mais »... Jesrad cependant coupe court, par une
injonction : « Cesse de disputer contre ce qu'il faut
adorer. » Et en parlant ainsi l'ange prend son vol « vers
la dixième sphère ». Zadig, comme on le lui prescrit,
ne peut donc qu'« adorer », « à genoux », et « se sou-
mettre ».

Retourné à Babylone, il parvint sans peine à
confondre l'imposteur Itobad. Il gagna l'épreuve des
énigmes. « Il fut roi et fut heureux », ayant épousé la
reine Astarté. Alors dans cet empire, « gouverné par la
justice et par l'amour », commença une ère de félicité :
paix, gloire, abondance, « le plus beau siècle de la
terre ». « On bénissait Zadig, et Zadig bénissait le
ciel » : tels sont les derniers mots du conte.

Que signifie en définitive ce récit ? Sous-titré « la
Destinée », tournerait-il à l'apologie de la Providence ?
Faut-il en chercher le sens ultime dans les propos
oraculaires de l'ange Jesrad, visiblement inspirés de
Leibniz — ce Leibniz auquel adhère Mme Du Châte-
let, au moment où Voltaire rédige *Zadig* ? C'est l'inter-
prétation que propose Jacques Van den Heuvel, dans
de brillantes analyses[15]. L'ange paraît en effet annon-
cer l'heureux dénouement. Tant d'épreuves trouvent
finalement leur compensation. Jesrad ne l'avait-il pas
dit ? « Il n'y a point de mal dont il ne naisse un bien. »
L'« enchaînement des événements » fait qu'une suc-
cession de malheurs produit le bonheur final de nos
héros. N'est-ce point là un « ordre de sagesse », voulu
par l'Etre suprême, et non point une suite de hasards,
comme l'imaginent de « faibles mortels » ? Parvenu au
sommet de la félicité, Zadig n'a-t-il pas raison de se
remémorer « ce que lui avait dit l'ange Jesrad » ?

A vrai dire, si ingénieuse qu'elle soit, la démonstra-

15. Dans son livre *Voltaire dans ses contes*, Paris, A. Colin, et
dans la notice de son édition, *Voltaire, romans et contes*, Bibliothèque
de la Pléiade, Paris, 1979, p. 742-745.

tion suscite chez le lecteur des « mais », analogues à
ceux de Zadig lui-même. Péremptoires, les déclara-
tions de l'« ange divin » ne sont pas toujours convain-
cantes. Il est au moins un « mais » auquel l'envoyé du
ciel n'a su répondre que bien faiblement. Il s'agit du
jeune neveu, mis à mort pour l'empêcher de tuer sa
tante et Zadig lui-même. A l'âge de quatorze ans, son
cas n'était certainement pas désespéré. Ne valait-il pas
mieux, objecte Zadig, corriger cet enfant, par une
bonne éducation, plutôt que de le noyer ? Jesrad pré-
tend qu'alors il aurait été lui-même assassiné, avec sa
femme et son fils. Mais qu'en sait-il ? Le livre de
l'avenir est indéchiffrable. Où irait-on, si l'on se met-
tait à tuer les gens pour leur éviter les aléas de l'exis-
tence ? Surtout les oracles de Jesrad contredisent
l'allure même du récit où se manifeste, non la sagesse
de la Providence, mais la gratuité d'une Destinée
capricieuse. Tant de hasards d'ailleurs, toujours
imprévisibles, tiennent le lecteur en haleine. Est-ce,
par exemple, en vertu d'une providence particulière
que Zadig, ayant depuis longtemps perdu Astarté, la
retrouve soudain au bord d'un ruisseau, au moment
précis où elle trace sur le sable les lettres de son nom ?
Il la rachète au seigneur Ogul, la renvoie à Babylone,
guérit l'obèse en le faisant jouer au ballon. Jaloux, les
apothicaires d'Ogul vont empoisonner un si dange-
reux concurrent au cours d'un grand dîner. Le mets
fatal devait être présenté au second service. Mais
Zadig reçoit un message d'Astarté au premier, et part
sur-le-champ. Que penser de l'événement ? Pour
l'expliquer, le récit fait appel au « grand Zoroastre ».
Or que dit le sage fondateur de la religion des mages ?
Qu'une providence particulière veillait sur notre
héros ? Non pas, mais ceci : « Quand on est aimé
d'une belle femme, on se tire toujours d'affaire dans ce
monde » (chapitre XVI). Le « grand Zoroastre » se
situe à un niveau de sagesse narquoise, beaucoup plus
crédible que les sublimes considérations de Jesrad.
Astarté s'est hâtée d'appeler l'homme qu'elle aime, et
Zadig, tout aussi épris, est parti sans attendre la fin du

repas. Le conte de 1747 manifeste sans doute, chez Voltaire, la discordance entre, d'une part, une philosophie postulant l'ordre cosmique et, d'autre part, une vision spontanée des choses, n'y discernant que chaos et petitesse. C'est ce qu'a éprouvé Zadig, courant de nuit à dos de chameau, vers l'Egypte, sous la voûte étoilée. Il contemple au-dessus de sa tête « l'ordre immuable » des « vastes globes de lumière ». Mais il voit en contraste ici-bas « les hommes tels qu'ils sont en effet, des insectes se dévorant les uns les autres sur un petit atome de boue » (chapitre IX).

Aussi le dénouement se détache-t-il comme un *happy end* irréaliste. C'est une loi du genre — Jacques Van den Heuvel l'indique — : à la fin du conte on procède à une sorte de distribution des prix, entre les partenaires sympathiques de l'action. Tout est pour le mieux dans le meilleur des mondes, provisoirement. Car cela durera-t-il ? La fin du récit est-elle une « fin de l'Histoire », établissant un bon ordre immuable ? On ne peut le croire. « Le plus beau siècle de la terre » n'a qu'un temps : l'auteur, comme les lecteurs du *Siècle de Louis XIV* le savent bien. Des grains de sable vont s'introduire dans un si bel ordre, comme ils ont déréglé le cours heureux du ministère de Zadig sous le règne de Moabdar. Et l'amour parfait des deux amants royaux sera-t-il éternel ? Après « la lune de miel », viendra inévitablement « la lune de l'absinthe ». Telle est la triste réalité, comme l'atteste, non seulement « le livre du *Zend* », mais l'expérience banale de la vie (chapitre III).

Après *Zadig* le problème du bonheur reste donc posé. Voltaire y reviendra, notamment dans *Candide*.

Au cours des douze années qui séparent les deux contes, beaucoup d'événements se sont produits, dans la vie de Voltaire et autour de lui. Mme Du Châtelet était décédée le 10 septembre 1749. Malgré des infidélités réciproques, elle était restée pour son ami la

confidente de son esprit, la conseillère avisée.
Mme Denis ne saurait la remplacer. Désemparé, mal
vu de Louis XV, souffrant au théâtre de la désaffec-
tion de son public, Voltaire accepte, après bien des
hésitations, l'invitation de Frédéric II de se rendre à
Berlin. Il comptait d'abord n'y passer que quelques
mois. Mais il s'aperçoit que les voies du retour lui sont
coupées. Naguère ami du prince philosophe, en quel-
que sorte sur un pied d'égalité, il est passé maintenant
à son service, en tant que chambellan : haute dignité,
mais qui le soumet à l'humeur souvent difficile du
souverain. Plusieurs querelles enveniment leurs rap-
ports. La rupture viendra, à l'automne 1752, de
l'affaire König. Voltaire défend le droit de ce savant de
penser et d'écrire en opposition avec Maupertuis,
tyrannique président de l'Académie de Berlin. Frédé-
ric II ayant pris parti pour celui dont il a fait un haut
fonctionnaire de l'Etat, Voltaire quitte définitivement
la Prusse (mars 1753). Il revient vers la France par
Leipzig, Gotha, Cassel. Un traquenard, discrètement
agencé par Frédéric, l'attend à Francfort. Pendant un
mois l'ex-chambellan est retenu prisonnier, exposé
aux brimades du représentant local de la Prusse, aidé
d'acolytes avides. Enfin libéré, il apprend que
Louis XV lui interdit d'approcher de Paris. Après plu-
sieurs mois passés en Alsace, il gagne, par Lyon,
Genève et Lausanne.

Une donnée alors se développe dans ses contes : le
voyage aventureux, semé d'embûches. Certes *Gan-
gan-Micromégas* racontait un voyage, mais voyage cos-
mique, relaté d'ailleurs en termes généraux. Après leur
rencontre avec les hommes, Micromégas et son
compagnon étaient demeurés sur place, au fond du
golfe de Botnie. Zadig s'était rendu de Babylone en
Egypte et en Arabie : déplacement d'ampleur limitée,
qui reste à l'intérieur de cet « Orient philosophique »
du XVIIIe siècle. Au contraire, au terme de ses pérégri-
nations en 1754, Voltaire a broché un récit acide et
désolant qui est un tour du monde : l'*Histoire des
voyages de Scarmentado*. Le héros traverse continents

et océans, échappant de justesse, à chaque étape, aux pires malheurs. Il finira par se fixer dans ses « pénates ». Il se contentera d'un médiocre bonheur : « Je me mariai chez moi, je fus cocu, et je vis que c'était l'état le plus doux de la vie. » Telle est la conclusion de ces *Voyages* d'un pauvre diable.

Scarmentado peut être tenu pour une première esquisse de *Candide*. A ceci près qu'il y manque la philosophie : *Candide* est sous-titré : « ou l'optimisme ». Le mot, alors néologique, que le secrétaire de Voltaire ne sait pas écrire, renvoie à la théorie du « tout est bien », exposée dans la *Théodicée* de Leibniz, et vulgarisée par le poème de Pope, *Essay on man*. Il s'en faut en effet que le débat soit clos. Une catastrophe naturelle le relance à l'automne de 1755. Comment croire l'ange Jesrad prétendant qu'« il n'y a point de mal dont il ne naisse un bien » ? Quel « bien » est donc né du cataclysme survenu à Lisbonne le 1ᵉʳ novembre 1755 ? Ce jour-là, un violent séisme a détruit la capitale portugaise. Le désastre fut évalué d'abord à 100 000 morts, chiffre ramené ensuite à 25 000 ou 30 000, ce qui, certes, reste considérable. L'ébranlement principal fut suivi de secousses secondaires. L'une fut ressentie à Genève même. Une carafe tomba de la table de Voltaire, à l'heure du déjeuner. On ne connaissait alors aucune explication scientifique du phénomène, ou bien l'on avançait d'invraisemblables hypothèses, comme celle de Pangloss dans le conte : la « traînée de soufre » souterraine « depuis Lima jusqu'à Lisbonne » (chapitre V). On ignorait la théorie tectonique qui s'imposera au XXᵉ siècle : la plaque Afrique remontant vers l'Europe, et faisant du Maghreb, de la péninsule ibérique et des Pyrénées une zone sismique. Au dix-huitième siècle, un providentialisme sommaire admirait au contraire l'heureuse disposition des continents, des montagnes, des mers, assurant une bonne irrigation des terres fertiles. On admettait que cette belle machine était restée immuable depuis l'origine des temps. Voltaire lui-même a écrit une dissertation sur les *Changements* survenus dans le globe terrestre,

pour nier ces changements. En 1755, ce ne sont donc pas des causes physiques, mais une cause surnaturelle, la Providence, qu'on tient responsable du désastre de Lisbonne. Une circonstance trouble les esprits. En ce 1er novembre, jour de la Toussaint, les ménagères avaient mis sur le feu leurs repas de midi. Puis elles étaient allées à la messe. Or, c'est précisément au moment où elles étaient à l'église, que le tremblement de terre renversa leurs maisons, répandit les flammes des foyers, allumant dans toute la ville un incendie impossible à maîtriser, qui fit plus de victimes que le séisme lui-même. La famille royale, prise de panique, s'était enfuie en carrosse dans la campagne, où elle restera plusieurs jours.

L'événement semblait donc mettre en cause la Providence. D'où le désarroi d'esprits habitués à faire confiance à la Bonté suprême. Voltaire, selon ce qui était alors une des missions du poète, orchestra l'émotion générale en une grande composition en alexandrins, le *Poème sur le désastre de Lisbonne*. Par des vers vigoureux, il dénonce le scandale métaphysique :

> Mais comment concevoir un Dieu, la bonté même,
> Qui prodigua ses biens à ses enfants qu'il aime,
> Et qui versa sur eux les maux à pleines mains ?

Il laisse sans réponse l'interrogation. Par là il excite l'indignation de ceux qui tentent de justifier la Providence. Dans son salon des Délices, comme à Lausanne en sa maison de Montriond, la question est discutée devant des auditoires de pieux calvinistes. Le *Désastre de Lisbonne* attirera une autre réponse, remarquable : celle de Rousseau. A la date du 18 août 1756, Jean-Jacques adresse à Voltaire une longue lettre : il y affirme fortement sa foi en la Providence. Dans sa réponse, Voltaire élude la discussion. Rousseau croira que son interlocuteur a répondu par *Candide*, qu'il déclare pourtant n'avoir pas lu.

Et voici que, peu après le désastre de Lisbonne, un autre fléau s'abat sur l'Europe : la guerre de Sept Ans. Entre les guerres de Louis XIV au début du siècle et celles de la Révolution et de l'Empire, le XVIIIe siècle

en sa période centrale vit se développer un conflit
d'une vingtaine d'années, en deux phases. D'abord la
guerre de Succession d'Autriche (1741-1748), oppo-
sant à la jeune impératrice Marie-Thérèse appuyée
par l'Angleterre, la France de Louis XV et cet allié à
éclipses que fut Frédéric II. Après Fontenoy, victoire
brillante mais sans lendemain, l'issue resta indécise.
Voltaire, alors historiographe de France, a rédigé la
chronique des opérations. Il a cru que le dénouement
du conflit, sans vainqueurs ni vaincus (traité d'Aix-la-
Chapelle, 1748) établirait en Europe une longue pé-
riode de paix. Les causes du conflit demeuraient
cependant : ambitions territoriales de Marie-Thérèse,
qui veut reconquérir la Silésie, et du roi de Prusse
Frédéric qui entend bien la conserver ; surtout rivalités
commerciales et coloniales au Canada, en Inde, entre
la France et l'Angleterre. La guerre se rallume donc en
1756, pour sept années, jusqu'en 1763. Les deux
antagonistes principaux, Français et Anglais, restent
les mêmes. Parmi les autres, s'opère un renversement
des alliances : l'Autriche de Marie-Thérèse est deve-
nue l'alliée de la France. La Prusse de Frédéric II est
désormais sur le continent le principal allié de l'Angle-
terre. La Russie de la tsarine francophile Elisabeth
Petrovna apporte à la France et à l'Autriche l'appui de
ses gros bataillons, qui aurait dû être déterminant.

De Genève et de Lausanne, Voltaire observe atten-
tivement les péripéties des combats. La guerre débute
par un brillant succès de son ami le maréchal de
Richelieu : celui-ci, appuyé par la flotte de La Galis-
sonnière, prend aux Anglais, dans les îles Baléares,
Port-Mahon. L'amiral Byng, condamné et exécuté
pour s'être laissé vaincre par les Français, paraîtra
dans un épisode de *Candide*. Richelieu ensuite, chargé
d'un commandement en Allemagne, se fera honteuse-
ment battre au Hanovre, pour s'être surtout occupé de
piller méthodiquement le pays.

Voltaire suit particulièrement les opérations en terre
germanique. Il a renoué avec Frédéric, mais par cor-
respondance. Les deux hommes ne peuvent ni se

passer l'un de l'autre, ni vivre ensemble. Aussi la relation n'est-elle possible entre eux que par voie épistolaire : sous cette forme elle est solide et durera (avec quelques interruptions) jusqu'à la mort de Voltaire. Frédéric aurait dû se trouver dans une situation militaire critique. Si les armées françaises, autrichiennes et russes s'entendaient pour converger contre lui, il serait écrasé. Il sera sauvé en fait par les désaccords des alliés. Toutefois, après la défaite de Kollin (18 juin 1757), il est sur le point de succomber. Sa position paraît si désespérée qu'il est tenté de mettre fin à ses jours. Il l'écrit à Voltaire. Du moins veut-il « mourir en roi », en combattant à la tête de ses troupes. Voltaire, alarmé, tente d'obtenir en sa faveur une paix séparée. Il s'entremet, par des négociations secrètes, entre la sœur de Frédéric, Wilhelmine, épouse du margrave de Bayreuth, et le cardinal de Tencin à Versailles. Mais soudain Frédéric se met hors de danger par un exploit. A Rossbach, le 5 novembre 1757, ses 25 000 Prussiens, troupe endurante et manœuvrière, commandée par un stratège de génie, encerclent et exterminent les 50 000 Français de Soubise, mal entraînés, conduits au désastre par un chef incapable. La négociation secrète de Voltaire est interrompue.

Les opérations se déroulaient donc dans cette Allemagne, depuis Leibniz terre d'élection de l'optimisme philosophique. Voltaire se tient informé des pillages, incendies, massacres qu'y perpètrent quatre armées en campagne et même cinq (si l'on tient compte des Anglo-Hanovriens). Quel démenti à Leibniz ! Et pourtant, en dépit de tout, une correspondante allemande de Voltaire maintient contre lui que « le tout est bien » : c'est Louise-Dorothée, duchesse de Saxe-Gotha. La princesse avait accueilli pendant plus d'un mois en son château le philosophe évadé de Prusse (mai 1753). Sa petite principauté, en 1757, est ravagée par les troupes de passage : Français, Croates... Les princes, ruinés, sont réduits à solliciter par l'intermédiaire de Voltaire, un gros emprunt. Et la duchesse a la douleur de perdre un fils. Pourtant, envers et

contre tout, Louise-Dorothée reste convaincue que ce monde est le meilleur possible. Elle a lu « avec un frémissement inexprimable » le *Poème sur le désastre de Lisbonne* : « admirable tableau », mais elle a regretté de n'y point trouver « les voies de la divine et sage Providence rétablies et décelées ». Elle répète à Voltaire qu'elle a « le tic d'aimer, d'idolâtrer la Providence ». Elle lui explique « qu'une chose peut être mauvaise à certains égards, par partie, pour tel ou tel individu, et être bonne dans son ensemble, pour le but général ». Le philosophe dans ses réponses raille doucement cet entêtement héroïque. Il concède qu'assurément la duchesse est « la meilleure des princesses possibles ». Il suit en imagination, sur les routes d'Allemagne, ses lettres fort exposées au risque d'être capturées et ouvertes par des soudards. Il s'adresse alors aux intercepteurs :

> « A tous croates, pandours, houzards qui ces présentes liront, salut et peu de butin. Pandours et croates, laissez passer cette lettre à son altesse sérénissime madame la duchesse de Saxe-Gotha, qui est aussi aimable, aussi bienfaisante, aussi noble, aussi douce, aussi éclairée, que vous êtes ignorants, durs, pillards et sanguinaires. »

Le message porte la date du 4 janvier 1758. C'est le moment de *Candide*.

Voltaire est alors installé dans sa nouvelle maison du Grand-Chêne, à Lausanne [16]. Du haut de la ville, il domine un magnifique paysage. Devant lui, le lac ; au-delà, la chaîne des Alpes. Tout est couvert de neige. Il contemple un panorama dégageant une impression de froid intense. Le grand frileux qu'il est réagit. Dans ses appartements, les poêles entretiennent une chaleur d'étuve. A tel point que les mouches se réveillent et bourdonnent. « Il y a toujours quelque mouche qui vous pique. » Est-ce l'effet du contraste

16. Sur la genèse et la publication de *Candide*, on trouvera les références et des précisions dans mon édition critique, *Œuvres complètes de Voltaire*, t. 48, Oxford, 1980, p. 27-62.

thermique ? Il a « le sang allumé », et il est « de loisir »,
comme il le dira plus tard. *Candide* ne procède pas
d'une réflexion philosophique, mais de ce « sang
allumé ». Le récit jaillit d'un état d'humeur. L'excita-
tion produit l'invention de ces épisodes menés à vive
allure, tracés d'une plume incisive. D'après les échos
de la correspondance, c'est en janvier 1758 qu'il met
sur le papier les premières lignes du conte. Il va dire
son fait à un optimisme qui l'exaspère. Il mobilise
donc les raisonnements ressassés depuis tant d'années.
Il broche des scènes à partir de la considérable érudi-
tion rassemblée pour son grand ouvrage historique,
l'*Essai sur les mœurs*. On sait par exemple qu'il est
simultanément occupé du chapitre sur le Paraguai. On
verra comment ce Paraguai des jésuites va s'animer en
une péripétie dramatique dans l'histoire de Candide.

Est-ce à dire que Voltaire improvise au hasard ? Il
fut homme de théâtre bien avant de devenir conteur.
Or la création d'une tragédie ou d'une comédie exige
qu'on parte d'abord d'une vue d'ensemble. Nous
avons des raisons de croire qu'il procédait de même en
composant ses contes et romans. Initialement il ima-
gine un canevas. Dans un cas au moins ce texte
primitif nous est parvenu. On a retrouvé dans ses
papiers une esquisse de *L'Ingénu* en quelques lignes,
d'ailleurs assez différente du récit définitif. On peut
présumer qu'il en fut ainsi de *Candide*. Un indice :
parmi les échos du texte dans la correspondance de
janvier 1758, l'un appartient à la « Conclusion », der-
nier chapitre du roman. Voltaire a dû concevoir
d'abord une histoire en mouvement : un voyage aller
du héros, de la Westphalie jusqu'à Eldorado, équilibré
par le retour, d'Eldorado au « jardin » près de
Constantinople. Ainsi le récit parcourait trois étapes
du bonheur : ce paradis enfantin qu'était pour le jeune
Candide le misérable château de Thunder-ten-
tronckh, paradis bien vite perdu comme tous les para-
dis de l'enfance ; puis le paradis utopique, le meilleur
des mondes inaccessible d'Eldorado ; enfin le bon-
heur, médiocre mais réaliste, du « jardin ». *Zadig* déjà

établissait un lien entre le « tout est bien » et le bon-
heur, personnel et social. Dans *Candide* la relation est
plus nette et plus crédible. Un monde semé
d'embûches, ravagé par les fléaux, ne permet pas
d'aspirer à une félicité suprême. L'homme sage se
contentera d'une existence agréablement supportable,
créée par son propre effort.

Le schéma général étant une fois défini, les épisodes
s'y succèdent sous forme de chapitres. Chacun est
délimité par un début à effet et par une clausule
indiquant un point final provisoire. L'une et l'autre
s'enchaînent dans le passage d'un chapitre à l'autre.
Ainsi Candide ayant été chassé de Thunder-ten-
tronckh, le trait conclusif « Et tout fut consterné dans
le plus beau et le plus agréable des châteaux pos-
sibles », se relie à l'initial du chapitre suivant : « Can-
dide, chassé du paradis terrestre, marcha long-
temps »... Par le jeu des clausules et des incipit, auquel
Voltaire excelle, le récit se trouve dynamisé, jusqu'au
magistral finale du conte.

Une telle disposition, unitaire et multiple à la fois,
assure une grande souplesse à la rédaction de l'œuvre.
Elle se prête, au cours des révisions, à des additions et
des retranchements d'épisodes : on l'a vu dans *Zadig*.
Voltaire y recourra aussi dans *Candide*. En outre, il est
possible à l'auteur de composer par phases intermit-
tentes, étalées dans le temps. Et de fait, au printemps
de 1758, Voltaire abandonne provisoirement le récit
ébauché. Il est requis par d'autres soucis (le scandale
de l'article « Genève » de l'*Encyclopédie*) et par les
spectacles d'amateurs qu'il monte au théâtre lausan-
nois de Monplaisir. Cependant lorsqu'il part, au début
de juillet, pour un voyage en Allemagne, il demande à
son secrétaire Wagnière de placer dans ses porte-
feuilles les brouillons commencés.

Il se rendait auprès de Charles-Théodore, Electeur-
Palatin, en la résidence de celui-ci à Schwetzingen,
près de Mannheim. Le prince était son ami et son
débiteur. Voltaire lui avait prêté, un an plus tôt, la
somme de 130 000 livres, soit plus de 13 millions de

nos francs. Visite en principe protocolaire : il allait remercier Son Altesse d'avoir bien voulu accepter son argent. Il allait en réalité s'assurer que l'échéance des intérêts, en juillet 1758, serait bien honorée. L'Electeur s'enfonce dans le déficit. Il sollicite un nouveau prêt de 500 000 livres (plus de 50 millions de nos francs). Prudemment, Voltaire l'orientera vers d'autres bailleurs de fonds. Le philosophe devait contribuer aussi aux divertissements de la cour. On joua plusieurs de ses pièces sur le délicieux théâtre rococo de Schwetzingen, récemment édifié par Pigage. Il s'était promis de procurer en outre à Son Altesse le plaisir d'un inédit. A Schwetzingen, son secrétaire Wagnière établit la première copie de *Candide*, à partir des brouillons. Voltaire en fit des lectures à Charles-Théodore et ses intimes. Il est remarquable que la primeur des trois contes ait été accordée à des princes : *Gangan* envoyé à Frédéric de Prusse, *Zadig* lu à la duchesse du Maine et *Candide* à l'Electeur-Palatin.

Au bout d'un mois, Voltaire est reparti, emportant son manuscrit encore inachevé. Il apparut alors que son voyage n'avait pas pour seul objet une visite à Charles-Théodore. A l'aller, il s'était enquis de plusieurs châteaux, qui étaient à vendre en Lorraine. Il songe à s'établir en ce duché, administré à titre viager par le beau-père de Louis XV, l'ancien roi de Pologne Stanislas Leszczynski. Ne lui serait-il pas possible, à partir de là, de revenir à Paris pour des séjours plus ou moins longs ? Il compte sur l'appui à Versailles de son ancien ami Bernis, devenu principal ministre, de Mme de Pompadour, et de quelques autres. Il revient donc du Palatinat par petites étapes. Il s'attarde quelque peu à Soleure, en Suisse, où réside l'ambassadeur de France auprès de la république de Berne. Il attend un signe de Versailles. Mais rien ne vient. Ayant enfin regagné Genève (27 ou 28 août), il y trouve une lettre de Bernis : « Je suis très aise, lui écrit le ministre, de vous voir de retour dans vos Délices. J'imagine que votre santé s'en trouvera bien. » Manifestement,

Louis XV persistait à lui interdire Paris et Versailles, comme le roi ne cessera de le faire jusqu'à sa mort en 1774.

Déçu, Voltaire prend ses dispositions pour s'installer dans un quasi-exil. Il commence des démarches pour l'achat des châteaux de Ferney et de Tourney, en territoire français, mais sur la frontière. Il ne quitte pas ses Délices genevoises. Il tient cependant à prendre ses distances avec les autorités, surtout ecclésiastiques, de la République, qui lui ont cherché noise pour l'article « Genève » de l'*Encyclopédie* et pour ses représentations théâtrales. Ce repli a-t-il son écho dans le dernier chapitre de *Candide* ? Voltaire va-t-il ressembler à ce bon vieillard turc qui se vante de n'avoir « jamais su le nom d'aucun muphti [prélat], ni d'aucun vizir [ministre] » et de ne s'informer « jamais de ce qu'on fait à Constantinople [Paris] » ? Mais on aurait tort d'interpréter la formule finale, « il faut cultiver notre jardin », comme un précepte d'enfermement en un lieu clos, hors du monde. La leçon dernière du conte est plus complexe qu'il ne semble. L'accent est mis sur le travail (« travaillons sans raisonner »), et sur l'impératif : « il faut cultiver » ce jardin. Au reste, Voltaire lui-même ne cessera pas non seulement de « s'informer de ce qui se passe » à Paris et ailleurs, mais d'y intervenir. Il va dans quelques mois reprendre avec Choiseul des tractations secrètes, en vue d'une paix séparée avec Frédéric II. Plus tard, il appuiera la réforme des parlements par le chancelier Maupeou, puis l'entreprise de Turgot. Il est évident enfin que les grandes affaires judiciaires qu'il lancera et conduira ne sont pas le fait d'un homme retiré du monde. D'ailleurs dans *Candide* même il va introduire un épisode, celui de l'esclave noir, qui prouve bien qu'il ne se désintéresse nullement des scandales qui affligent l'humanité.

En octobre 1758, il termine *Candide*. Il s'enferme dans son cabinet avec Wagnière, pendant plusieurs jours et dicte le texte complet de son œuvre. Ce manuscrit nous est parvenu. Voltaire l'a adressé à son

ami le duc de La Vallière ; il passera après la mort du duc à la Bibliothèque de l'Arsenal, où il fut retrouvé par Ira O. Wade. Document riche d'enseignements, notamment par ses différences avec le texte imprimé. On y remarque d'abord l'absence de l'épisode de l'esclave noir mutilé d'un bras et d'une jambe, que Candide et Cacambo rencontrent aux portes de Surinam. En lisant à la fin d'octobre, dans le livre d'Helvétius *De l'Esprit*, une longue note sur la traite des Noirs d'Afrique, vers les plantations de canne à sucre du Nouveau Monde, Voltaire s'aperçut qu'il avait oublié l'un des pires fléaux de ce « meilleur des mondes » : omission vite réparée.

Autre particularité : le manuscrit comporte deux chapitres XXII, sur Candide à Paris. Et la matérialité du texte permet de supposer l'existence d'une version archaïque du même chapitre dont il ne subsiste que quelques lignes. En effet, avec le séjour parisien de son héros, Voltaire rencontrait un problème difficile. Quelques traits avaient suffi pour évoquer une ville de Hollande, ou Lisbonne, ou Buenos-Ayres. Mais Candide demeurant quelques semaines (semble-t-il) dans une ville aussi connue des lecteurs que Paris, Voltaire se trouvait aux prises avec les exigences du roman réaliste. Afin de mettre au point une évocation suffisamment concrète de la capitale française, il va procéder par retranchements et additions, sans obtenir pourtant pour cette partie l'approbation du duc de La Vallière qui continuera à la trouver « faible ».

Candide sort des presses genevoises de Gabriel Cramer le 15 janvier 1759. Ce jour-là l'imprimeur-éditeur expédie 1 000 exemplaires au libraire Robin à Paris, le lendemain 200 à Marc-Michel Rey à Amsterdam. Afin de dérouter la répression, Voltaire a pris des mesures pour que des éditions de *Candide* apparaissent presque simultanément en plusieurs villes d'Europe : Paris, Amsterdam, Liège, Londres, Lyon, Avignon (alors terre pontificale), peut-être Venise. Les contrefaçons contribuent aussi à la diffusion de ce petit livre très demandé. On connaît au total dix-sept

éditions de *Candide* pour la seule année 1759, qui doivent représenter quelque chose comme 20 000 exemplaires, compte tenu des techniques d'impression de l'époque. Chiffre rarement atteint, au dix-huitième siècle, qui fait de *Candide* l'un des grands succès de l'époque.

La réussite stimule la verve de Voltaire. Il se livre au jeu des démentis (qui sont des confirmations). « Qu'est-ce que c'est, demande-t-il, qu'une brochure intitulée *Candide* qu'on débite, dit-on, avec scandale ? » « Ne pourrai-je parvenir à voir cette infamie ? » Quand il avoue qu'il vient « de lire enfin ce *Candide* », il le déclare une « coïonnerie » : il faut « avoir perdu le sens » pour la lui attribuer. Mais quel est donc l'auteur ? La fabulation voltairienne imagine un roman du roman. Le texte supposait la présence d'un conteur implicite, se manifestant dès les premières lignes : le héros « avait le jugement assez droit, avec l'esprit le plus simple ; c'est, *je crois*, pour cette raison qu'on le nommait Candide ». Mais en cours d'élaboration du manuscrit, ce « je » a pris la consistance d'un personnage : il est le docteur Ralph, un Allemand (malgré la consonance plutôt britannique de son nom). Ce qu'on lit est donc censé être « traduit de l'allemand » : voilà ce que prétendait le titre de l'édition originale. Puis la fable se complique. Après la sortie du livre, l'auteur est un M. Desmal, ou plutôt, deux jours après, le frère de ce Desmal ou Démad : « capitaine dans le régiment de Brunswick », « loustik » de ce régiment. Le docteur Ralph reparaît cependant : il est un « professeur assez connu dans l'Académie de Francfort-sur-l'Oder ». Il a « beaucoup aidé » le capitaine « à faire ce profond ouvrage de philosophie », aussi le capitaine lui en a-t-il abandonné la paternité [17].

Voltaire n'en a pas fini avec *Candide*. En 1761, dans un volume de *Mélanges*, publié par Cramer, il en donne une nouvelle édition « avec, précise le sous-titre, les additions qu'on a trouvées dans la poche du

17. Voir ci-dessous, p. 253, « Lettre au sujet de *Candide* ».

docteur [Ralph] lorsqu'il mourut à Minden l'an de
grâce 1759 ». Ces expressions mettent fin au roman
du roman. De Desmal, Démad et du capitaine, plus
de nouvelles. Quant au docteur Ralph, nous appre-
nons sa mort, à Minden, ville de Westphalie sur le
bord de la Weser où se livra le 1er août 1759 une
sanglante bataille entre Français et Anglais. Ralph
aurait-il été l'une des victimes ? Mais qu'allait donc
faire cet universitaire de Francfort-sur-l'Oder en un tel
lieu ? Nous ne le saurons jamais.

La plus notable des additions de 1761 se lit dans le
chapitre parisien, dont c'est la quatrième version. Vol-
taire introduit dans ce chapitre, que d'aucuns per-
sistent à trouver « faible », l'épisode de la marquise de
Parolignac. Il vient de lire, avec irritation, la *Nouvelle
Héloïse* de Rousseau. Une péripétie l'a particulière-
ment choqué : la visite de Saint-Preux « chez les
catins ». Le héros de Rousseau s'est laissé entraîner
dans un bouge. Il s'est enivré, et a succombé aux
agaceries de sottes « créatures ». Après quoi il juge bon
de raconter sa faute à sa chère Julie, dans une longue
lettre larmoyante. Voltaire pense que c'est là calom-
nier la prostitution parisienne. Qu'il existe de celle-ci,
dans la capitale française, des modalités qui vous ont
une bien autre allure, il va le montrer. Candide est
donc introduit chez une marquise de Parolignac, qui
tient presque un salon littéraire. La demi-mondaine,
en femme du monde, lance la conversation sur les
livres récents, sur les pièces de théâtre. Quand elle
appelle Candide dans son cabinet particulier, les
choses se passent avec élégance. Le jeune homme
ressent bien « quelques remords », mais ensuite il res-
tera discret, à la différence du héros bavard de Jean-
Jacques. Voltaire, à l'adresse de Rousseau, a donné un
« corrigé » d'un épisode romanesque mal venu, comme
il s'est plu à donner des « corrigés » des tragédies de
Crébillon.

Comment Monsieur de Voltaire, immortel auteur
de *La Henriade* et de *Zaïre*, a-t-il pu commettre un
Candide ? Telle fut la réaction de beaucoup de bons

esprits en 1759. L'ouvrage, réussissant auprès d'un
public plus large, sinon populaire, commence à amor-
cer un changement dans la réputation de Voltaire
écrivain. Son respect des grands genres lui avait fait
mépriser romans et contes. Il ne découvrit qu'assez
tard les ressources des narrations hors normes. Il
s'aperçoit alors que l'imagination n'y est pas bridée
par la mise en forme qu'impose, par exemple, une
pièce de théâtre, soit tragédie, soit comédie. L'humeur
peut ici s'exprimer sans guère d'entraves. Et l'auteur a
toute licence de se renouveler, à sa guise, comme
Voltaire y aspire. Ainsi *Micromégas, Zadig, Candide,*
ces trois œuvres maîtresses de la première série, attes-
taient la variété du conte, qu'il s'agisse du sujet philo-
sophique ou de la fiction, ou de la conduite du récit.
Par la suite chaque conte apparaîtra comme innova-
teur : *Le Blanc et le noir,* histoire orientale qui s'avère
aux dernières lignes n'être qu'un rêve tournant au
cauchemar ; *Jeannot et Colin,* conte moral malicieux ;
L'Ingénu, presque un roman de mœurs ; *La Princesse
de Babylone,* dont les prodiges renouvelés des *Mille et
Une Nuits* — griffons, licornes, phénix, oiseaux par-
leurs — nous conduisent à une revue de détail de
l'Europe éclairée et non éclairée ; *L'Homme aux qua-
rante écus,* broché sur une question contemporaine
d'économie politique ; *Les Lettres d'Amabed,* roman
épistolaire, mais entre des épistoliers venus de l'Inde ;
Le Taureau blanc, où Voltaire à force de taquiner, de
tracasser bêtes et gens de l'Ancien Testament, les fait
vivre en un conte biblique. Et que dire de *Pot-pourri,*
texte par « collages », qui est à peine un conte ? Il est
faux qu'il n'existe de conte que voltairien. Mais il est
vrai que la manière de conter de Voltaire n'appartient
qu'à lui et ne peut s'imiter. Tant est personnelle
l'invention comme l'écriture du conteur authentique !
En cette forme, la plus libre qui soit, s'affirme le
meilleur d'un tempérament d'écrivain. Ce que véri-
fient aussi bien, fort éloignés de Voltaire, un Marcel

Aymé ou un Dino Buzzati, pour ne citer que ces deux noms.

« Ce n'est que par les contes qu'on réussit dans le monde », voilà ce qu'un jour déclarera Voltaire — et dans un conte[18]. Il ne croyait pas si bien dire.

René POMEAU.

18. *Le Taureau blanc*, ch. VII.

MICROMÉGAS
ZADIG
CANDIDE

MICROMÉGAS

HISTOIRE PHILOSOPHIQUE

CHAPITRE PREMIER

VOYAGE D'UN HABITANT DU MONDE DE L'ETOILE
SIRIUS DANS LA PLANÈTE DE SATURNE

Dans une de ces planètes qui tournent autour de l'étoile nommée Sirius, il y avait un jeune homme de beaucoup d'esprit, que j'ai eu l'honneur de connaître dans le dernier voyage qu'il fit sur notre petite fourmilière ; il s'appelait Micromégas, nom qui convient fort à tous les grands. Il avait huit lieues de haut : j'entends, par huit lieues, vingt-quatre mille pas géométriques de cinq pieds chacun[1].

Quelques algébristes, gens toujours utiles au public, prendront sur-le-champ la plume, et trouveront que, puisque monsieur Micromégas, habitant du pays de Sirius, a de la tête aux pieds vingt-quatre mille pas, qui font cent vingt mille pieds de roi, et que nous autres, citoyens de la terre, nous n'avons guère que cinq pieds, et que notre globe a neuf mille lieues de tour, ils trouveront, dis-je, qu'il faut absolument que le globe qui l'a produit ait au juste vingt et un million six cent mille fois plus de circonférence que notre petite terre. Rien n'est plus simple et plus ordinaire dans la nature. Les Etats de quelques souverains d'Allemagne ou d'Italie, dont on peut faire le tour en une demi-heure, comparés à l'empire de Turquie, de Moscovie ou de la Chine, ne sont qu'une très faible image des prodigieuses différences que la nature a mises dans tous les êtres.

La taille de Son Excellence étant de la hauteur que j'ai dite, tous nos sculpteurs et tous nos peintres

conviendront sans peine que sa ceinture peut avoir cinquante mille pieds de roi de tour : ce qui fait une très jolie proportion[2].

Quant à son esprit, c'est un des plus cultivés que nous ayons ; il sait beaucoup de choses ; il en a inventé quelques-unes : il n'avait pas encore deux cent cinquante ans, et il étudiait, selon la coutume, au collège des jésuites de sa planète, lorsqu'il devina, par la force de son esprit, plus de cinquante propositions d'Euclide. C'est dix-huit de plus que Blaise Pascal, lequel, après en avoir deviné trente-deux en se jouant, à ce que dit sa sœur[3], devint depuis un géomètre assez médiocre, et un fort mauvais métaphysicien. Vers les quatre cent cinquante ans, au sortir de l'enfance, il disséqua beaucoup de ces petits insectes qui n'ont pas cent pieds de diamètre, et qui se dérobent aux microscopes ordinaires[4]; il en composa un livre fort curieux, mais qui lui fit quelques affaires. Le muphti[5] de son pays, grand vétillard, et fort ignorant, trouva dans son livre des propositions suspectes, malsonnantes, téméraires, hérétiques, sentant l'hérésie, et le poursuivit vivement : il s'agissait de savoir si la forme substantielle des puces de Sirius était de même nature que celle des colimaçons[6]. Micromégas se défendit avec esprit ; il mit les femmes de son côté ; le procès dura deux cent vingt ans. Enfin le muphti fit condamner le livre par des jurisconsultes qui ne l'avaient pas lu, et l'auteur eut ordre de ne paraître à la cour de huit cents années.

Il ne fut que médiocrement affligé d'être banni d'une cour qui n'était remplie que de tracasseries et de petitesses. Il fit une chanson fort plaisante contre le muphti, dont celui-ci ne s'embarrassa guère ; et il se mit à voyager de planète en planète, pour achever de se former *l'esprit et le cœur*, comme l'on dit[7]. Ceux qui ne voyagent qu'en chaise de poste ou en berline seront sans doute étonnés des équipages de là-haut : car nous autres, sur notre petit tas de boue, nous ne concevons rien au-delà de nos usages. Notre voyageur connaissait merveilleusement les lois de la gravitation, et toutes les forces attractives et répulsives. Il s'en servait si à propos que, tantôt à l'aide d'un rayon du soleil,

tantôt par la commodité d'une comète, il allait de globe en globe, lui et les siens, comme un oiseau voltige de branche en branche. Il parcourut la voie lactée en peu de temps, et je suis obligé d'avouer qu'il ne vit jamais, à travers les étoiles dont elle est semée, ce beau ciel empyrée que l'illustre vicaire Derham se vante d'avoir vu au bout de sa lunette[8]. Ce n'est pas que je prétende que Monsieur Derham ait mal vu, à Dieu ne plaise ! mais Micromégas était sur les lieux, c'est un bon observateur, et je ne veux contredire personne. Micromégas, après avoir bien tourné, arriva dans le globe de Saturne. Quelque accoutumé qu'il fût à voir des choses nouvelles, il ne put d'abord, en voyant la petitesse du globe et de ses habitants, se défendre de ce sourire de supériorité qui échappe quelquefois aux plus sages. Car enfin Saturne n'est guère que neuf cents fois plus gros que la terre, et les citoyens de ce pays-là sont des nains qui n'ont que mille toises de haut ou environ[9]. Il s'en moqua un peu d'abord avec ses gens, à peu près comme un musicien italien se met à rire de la musique de Lulli quand il vient en France[10]. Mais comme le Sirien avait un bon esprit, il comprit bien vite qu'un être pensant peut fort bien n'être pas ridicule pour n'avoir que six mille pieds de haut. Il se familiarisa avec les Saturniens, après les avoir étonnés. Il lia une étroite amitié avec le secrétaire de l'Académie de Saturne, homme de beaucoup d'esprit, qui n'avait à la vérité rien inventé, mais qui rendait un fort bon compte des inventions des autres, et qui faisait passablement de petits vers et de grands calculs[11]. Je rapporterai ici, pour la satisfaction des lecteurs, une conversation singulière que Micromégas eut un jour avec M. le secrétaire.

CHAPITRE SECOND

CONVERSATION DE L'HABITANT DE SIRIUS AVEC CELUI DE SATURNE

Après que Son Excellence se fut couchée, et que le secrétaire se fut approché de son visage : « Il faut avouer, dit Micromégas, que la nature est bien variée.

— Oui, dit le Saturnien ; la nature est comme un parterre dont les fleurs... — Ah ! dit l'autre, laissez là votre parterre. — Elle est, reprit le secrétaire, comme une assemblée de blondes et de brunes, dont les parures... — Eh ! qu'ai-je à faire de vos brunes ? dit l'autre[12]. — Elle est donc comme une galerie de peintures dont les traits... — Eh non ! dit le voyageur ; encore une fois, la nature est comme la nature. Pourquoi lui chercher des comparaisons ? — Pour vous plaire, répondit le secrétaire[13]. — Je ne veux point qu'on me plaise, répondit le voyageur ; je veux qu'on m'instruise : commencez d'abord par me dire combien les hommes de votre globe ont de sens. — Nous en avons soixante et douze, dit l'académicien, et nous nous plaignons tous les jours du peu. Notre imagination va au-delà de nos besoins ; nous trouvons qu'avec nos soixante et douze sens, notre anneau, nos cinq lunes, nous sommes trop bornés ; et, malgré toute notre curiosité et le nombre assez grand de passions qui résultent de nos soixante et douze sens, nous avons tout le temps de nous ennuyer. — Je le crois bien, dit Micromégas ; car dans notre globe nous avons près de mille sens, et il nous reste encore je ne sais quel désir vague, je ne sais quelle inquiétude, qui nous avertit sans cesse que nous sommes peu de chose, et qu'il y a des êtres beaucoup plus parfaits. J'ai un peu voyagé ; j'ai vu des mortels fort au-dessous de nous ; j'en ai vu de fort supérieurs ; mais je n'en ai vu aucuns qui n'aient plus de désirs que de vrais besoins, et plus de besoins que de satisfaction. J'arriverai peut-être un jour au pays où il ne manque rien ; mais jusqu'à présent personne ne m'a donné de nouvelles positives de ce pays-là. » Le Saturnien et le Sirien s'épuisèrent alors en conjectures ; mais, après beaucoup de raisonnements fort ingénieux et fort incertains, il en fallut revenir aux faits. « Combien de temps vivez-vous ? dit le Sirien. — Ah ! bien peu, répliqua le petit homme de Saturne. — C'est tout comme chez nous, dit le Sirien ; nous nous plaignons toujours du peu. Il faut que ce soit une loi universelle de la nature.

— Hélas ! nous ne vivons, dit le Saturnien, que cinq cents grandes révolutions du soleil. (Cela revient à quinze mille ans ou environ, à compter à notre manière.) Vous voyez bien que c'est mourir presque au moment que l'on est né ; notre existence est un point, notre durée un instant, notre globe un atome. A peine a-t-on commencé à s'instruire un peu que la mort arrive avant qu'on ait de l'expérience. Pour moi, je n'ose faire aucuns projets ; je me trouve comme une goutte d'eau dans un océan immense. Je suis honteux, surtout devant vous, de la figure ridicule que je fais dans ce monde. »

Micromégas lui repartit : « Si vous n'étiez pas philosophe, je craindrais de vous affliger en vous apprenant que notre vie est sept cents fois plus longue que la vôtre ; mais vous savez trop bien que quand il faut rendre son corps aux éléments, et ranimer la nature sous une autre forme, ce qui s'appelle mourir ; quand ce moment de métamorphose est venu, avoir vécu une éternité, ou avoir vécu un jour, c'est précisément la même chose. J'ai été dans des pays où l'on vit mille fois plus longtemps que chez moi, et j'ai trouvé qu'on y murmurait encore. Mais il y a partout des gens de bon sens qui savent prendre leur parti et remercier l'auteur de la nature. Il a répandu sur cet univers une profusion de variétés avec une espèce d'uniformité admirable. Par exemple tous les êtres pensants sont différents, et tous se ressemblent au fond par le don de la pensée et des désirs. La matière est partout étendue ; mais elle a dans chaque globe des propriétés diverses. Combien comptez-vous de ces propriétés diverses dans votre matière ? — Si vous parlez de ces propriétés, dit le Saturnien, sans lesquelles nous croyons que ce globe ne pourrait subsister tel qu'il est, nous en comptons trois cents, comme l'étendue, l'impénétrabilité, la mobilité, la gravitation, la divisibilité, et le reste. — Apparemment, répliqua le voyageur, que ce petit nombre suffit aux vues que le Créateur avait sur votre petite habitation. J'admire en tout sa sagesse ; je vois partout des différences, mais aussi

partout des proportions. Votre globe est petit, vos habitants le sont aussi ; vous avez peu de sensations ; votre matière a peu de propriétés ; tout cela est l'ouvrage de la Providence. De quelle couleur est votre soleil bien examiné ? — D'un blanc fort jaunâtre, dit le Saturnien ; et quand nous divisons un de ses rayons, nous trouvons qu'il contient sept couleurs. — Notre soleil tire sur le rouge, dit le Sirien, et nous avons trente-neuf couleurs primitives. Il n'y a pas un soleil, parmi tous ceux dont j'ai approché, qui se ressemble, comme chez vous il n'y a pas un visage qui ne soit différent de tous les autres. »

Après plusieurs questions de cette nature, il s'informa combien de substances essentiellement différentes on comptait dans Saturne. Il apprit qu'on n'en comptait qu'une trentaine, comme Dieu, l'espace, la matière, les êtres étendus qui sentent, les êtres étendus qui sentent et qui pensent, les êtres pensants qui n'ont point d'étendue ; ceux qui se pénètrent, ceux qui ne se pénètrent pas, et le reste. Le Sirien, chez qui on en comptait trois cents, et qui en avait découvert trois mille autres dans ses voyages, étonna prodigieusement le philosophe de Saturne. Enfin, après s'être communiqué l'un à l'autre un peu de ce qu'ils savaient et beaucoup de ce qu'ils ne savaient pas, après avoir raisonné pendant une révolution du soleil, ils résolurent de faire ensemble un petit voyage philosophique.

CHAPITRE TROISIÈME

VOYAGE DES DEUX HABITANTS DE SIRIUS ET DE SATURNE

Nos deux philosophes étaient prêts à s'embarquer dans l'atmosphère de Saturne avec une fort jolie provision d'instruments mathématiques, lorsque la maî-

tresse du Saturnien, qui en eut des nouvelles, vint en larmes faire ses remontrances. C'était une jolie petite brune qui n'avait que six cent soixante toises [14], mais qui réparait par bien des agréments la petitesse de sa taille. « Ah ! cruel ! s'écria-t-elle, après t'avoir résisté quinze cents ans, lorsque enfin je commençais à me rendre, quand j'ai à peine passé cent ans [15] entre tes bras, tu me quittes pour aller voyager avec un géant d'un autre monde ; va, tu n'es qu'un curieux, tu n'as jamais eu d'amour : si tu étais un vrai Saturnien, tu serais fidèle. Où vas-tu courir ? Que veux-tu ? Nos cinq lunes sont moins errantes que toi, notre anneau est moins changeant. Voilà qui est fait, je n'aimerai jamais plus personne. » Le philosophe l'embrassa, pleura avec elle, tout philosophe qu'il était ; et la dame, après s'être pâmée, alla se consoler avec un petit-maître du pays.

Cependant nos deux curieux partirent ; ils sautèrent d'abord sur l'anneau, qu'ils trouvèrent assez plat, comme l'a fort bien deviné un illustre habitant de notre petit globe [16] ; de là ils allèrent de lune en lune. Une comète passait tout auprès de la dernière ; ils s'élancèrent sur elle avec leurs domestiques et leurs instruments. Quand ils eurent fait environ cent cinquante millions de lieues, ils rencontrèrent les satellites de Jupiter. Ils passèrent dans Jupiter même, et y restèrent une année, pendant laquelle ils apprirent de fort beaux secrets qui seraient actuellement sous presse sans messieurs les inquisiteurs, qui ont trouvé quelques propositions un peu dures. Mais j'en ai lu le manuscrit dans la bibliothèque de l'illustre archevêque de..., qui m'a laissé voir ses livres avec cette générosité et cette bonté qu'on ne saurait assez louer [17].

Mais revenons à nos voyageurs. En sortant de Jupiter, ils traversèrent un espace d'environ cent millions de lieues, et ils côtoyèrent la planète de Mars, qui, comme on sait, est cinq fois plus petite que notre petit globe ; ils virent deux lunes qui servent à cette planète, et qui ont échappé aux regards de nos astronomes. Je sais bien que le père Castel [18] écrira, et même assez

plaisamment, contre l'existence de ces deux lunes ; mais je m'en rapporte à ceux qui raisonnent par analogie. Ces bons philosophes-là savent combien il serait difficile que Mars, qui est si loin du soleil, se passât à moins de deux lunes. Quoi qu'il en soit, nos gens trouvèrent cela si petit qu'ils craignirent de n'y pas trouver de quoi coucher, et ils passèrent leur chemin, comme deux voyageurs qui dédaignent un mauvais cabaret de village et poussent jusqu'à la ville voisine. Mais le Sirien et son compagnon se repentirent bientôt. Ils allèrent longtemps, et ne trouvèrent rien. Enfin ils aperçurent une petite lueur ; c'était la terre : cela fit pitié à des gens qui venaient de Jupiter. Cependant, de peur de se repentir une seconde fois, ils résolurent de débarquer. Ils passèrent sur la queue de la comète, et, trouvant une aurore boréale toute prête, ils se mirent dedans, et arrivèrent à terre sur le bord septentrional de la mer Baltique, le cinq juillet mil sept cent trente-sept, nouveau style [19].

CHAPITRE QUATRIÈME

CE QUI LEUR ARRIVE SUR LE GLOBE DE LA TERRE

Après s'être reposés quelque temps, ils mangèrent à leur déjeuner deux montagnes, que leurs gens leur apprêtèrent assez proprement [20]. Ensuite, ils voulurent reconnaître le petit pays où ils étaient. Ils allèrent d'abord du nord au sud. Les pas ordinaires du Sirien et de ses gens étaient d'environ trente mille pieds de roi ; le nain de Saturne suivait de loin en haletant ; or il fallait qu'il fît environ douze pas, quand l'autre faisait une enjambée : figurez-vous (s'il est permis de faire de telles comparaisons) un très petit chien de manchon qui suivrait un capitaine des gardes du roi de Prusse.

Comme ces étrangers-là vont assez vite, ils eurent fait le tour du globe en trente-six heures ; le soleil, à la

vérité, ou plutôt la terre, fait un pareil voyage en une journée ; mais il faut songer qu'on va bien plus à son aise quand on tourne sur son axe que quand on marche sur ses pieds. Les voilà donc revenus d'où ils étaient partis, après avoir vu cette mare, presque imperceptible pour eux, qu'on nomme *la Méditerranée*, et cet autre petit étang qui, sous le nom du *grand Océan*, entoure la taupinière. Le nain n'en avait eu jamais qu'à mi-jambe, et à peine l'autre avait-il mouillé son talon [21]. Ils firent tout ce qu'ils purent en allant et en revenant dessus et dessous pour tâcher d'apercevoir si ce globe était habité ou non. Ils se baissèrent, ils se couchèrent, ils tâtèrent partout ; mais leurs yeux et leurs mains n'étant point proportionnés aux petits êtres qui rampent ici, ils ne reçurent pas la moindre sensation qui pût leur faire soupçonner que nous et nos confrères les autres habitants de ce globe avons l'honneur d'exister.

Le nain, qui jugeait quelquefois un peu trop vite, décida d'abord qu'il n'y avait personne sur la terre. Sa première raison était qu'il n'avait vu personne. Micromégas lui fit sentir poliment que c'était raisonner assez mal : « Car, disait-il, vous ne voyez pas avec vos petits yeux certaines étoiles de la cinquantième grandeur que j'aperçois très distinctement ; concluez-vous de là que ces étoiles n'existent pas ? — Mais, dit le nain, j'ai bien tâté. — Mais, répondit l'autre, vous avez mal senti. — Mais, dit le nain, ce globe-ci est si mal construit, cela est si irrégulier et d'une forme qui me paraît si ridicule ! tout semble être ici dans le chaos : voyez-vous ces petits ruisseaux dont aucun ne va de droit fil, ces étangs qui ne sont ni ronds, ni carrés, ni ovales, ni sous aucune forme régulière ; tous ces petits grains pointus dont ce globe est hérissé, et qui m'ont écorché les pieds ? (Il voulait parler des montagnes.) Remarquez-vous encore la forme de tout le globe, comme il est plat aux pôles [22], comme il tourne autour du soleil d'une manière gauche, de façon que les climats des pôles sont nécessairement incultes ? En vérité, ce qui fait que je pense qu'il n'y a ici personne, c'est qu'il me

paraît que des gens de bon sens ne voudraient pas y
demeurer. — Eh bien, dit Micromégas, ce ne sont
peut-être pas non plus des gens de bon sens qui
l'habitent. Mais enfin il y a quelque apparence que
ceci n'est pas fait pour rien. Tout vous paraît irrégu-
lier ici, dites-vous, parce que tout est tiré au cordeau
dans Saturne et dans Jupiter. Eh ! c'est peut-être par
cette raison-là même qu'il y a ici un peu de confusion.
Ne vous ai-je pas dit que dans mes voyages j'avais
toujours remarqué de la variété ? » Le Saturnien répli-
qua à toutes ces raisons. La dispute n'eût jamais fini,
si par bonheur Micromégas, en s'échauffant à parler,
n'eût cassé le fil de son collier de diamants. Les dia-
mants tombèrent ; c'étaient de jolis petits carats assez
inégaux, dont les plus gros pesaient quatre cents
livres, et les plus petits cinquante. Le nain en ramassa
quelques-uns ; il s'aperçut, en les approchant de ses
yeux, que ces diamants, de la façon dont ils étaient
taillés, étaient d'excellents microscopes. Il prit donc un
petit microscope de cent soixante pieds de diamètre,
qu'il appliqua à sa prunelle ; et Micromégas en choisit
un de deux mille cinq cents pieds. Ils étaient excel-
lents ; mais d'abord on ne vit rien par leur secours : il
fallait s'ajuster. Enfin l'habitant de Saturne vit quelque
chose d'imperceptible qui remuait entre deux eaux
dans la mer Baltique : c'était une baleine. Il la prit avec
le petit doigt fort adroitement ; et la mettant sur
l'ongle de son pouce, il la fit voir au Sirien, qui se mit à
rire pour la seconde fois de l'excès de petitesse dont
étaient les habitants de notre globe. Le Saturnien,
convaincu que notre monde est habité, s'imagina bien
vite qu'il ne l'était que par des baleines ; et, comme il
était grand raisonneur, il voulut deviner d'où un si
petit atome tirait son mouvement, s'il avait des idées,
une volonté, une liberté. Micromégas y fut fort embar-
rassé ; il examina l'animal fort patiemment, et le résul-
tat de l'examen fut qu'il n'y avait pas moyen de croire
qu'une âme fût logée là. Les deux voyageurs incli-
naient donc à penser qu'il n'y a point d'esprit dans
notre habitation, lorsqu'à l'aide du microscope ils

aperçurent quelque chose d'aussi gros qu'une baleine qui flottait sur la mer Baltique. On sait que dans ce temps-là même une volée de philosophes revenait du cercle polaire, sous lequel ils avaient été faire des observations dont personne ne s'était avisé jusqu'alors. Les gazettes dirent que leur vaisseau échoua aux côtes de Botnie, et qu'ils eurent bien de la peine à se sauver ; mais on ne sait jamais dans ce monde le dessous des cartes [23]. Je vais raconter ingénument comme la chose se passa, sans y rien mettre du mien : ce qui n'est pas un petit effort pour un historien.

CHAPITRE CINQUIÈME

EXPÉRIENCES ET RAISONNEMENTS
DES DEUX VOYAGEURS

Micromégas étendit la main tout doucement vers l'endroit où l'objet paraissait, et, avançant deux doigts et les retirant par la crainte de se tromper, puis les ouvrant et les serrant, il saisit fort adroitement le vaisseau qui portait ces messieurs, et le mit encore sur son ongle, sans le trop presser de peur de l'écraser. « Voici un animal bien différent du premier », dit le nain de Saturne ; le Sirien mit le prétendu animal dans le creux de sa main. Les passagers et les gens de l'équipage, qui s'étaient crus enlevés par un ouragan, et qui se croyaient sur une espèce de rocher, se mettent tous en mouvement ; les matelots prennent des tonneaux de vin, les jettent sur la main de Micromégas, et se précipitent après. Les géomètres prennent leurs quarts de cercle, leurs secteurs, et des filles laponnes [24], et descendent sur les doigts du Sirien. Ils en firent tant qu'il sentit enfin remuer quelque chose qui lui chatouillait les doigts : c'était un bâton ferré qu'on lui enfonçait d'un pied dans l'index ; il jugea, par ce picotement, qu'il était sorti quelque

chose du petit animal qu'il tenait ; mais il n'en soup-
çonna pas d'abord davantage. Le microscope, qui
faisait à peine discerner une baleine et un vaisseau,
n'avait point de prise sur un être aussi imperceptible
que des hommes. Je ne prétends choquer ici la vanité
de personne, mais je suis obligé de prier les importants
de faire ici une petite remarque avec moi : c'est qu'en
prenant la taille des hommes d'environ cinq pieds,
nous ne faisons pas sur la terre une plus grande figure
qu'en ferait sur une boule de dix pieds de tour un
animal qui aurait à peu près la six cent millième partie
d'un pouce en hauteur[25]. Figurez-vous une substance
qui pourrait tenir la terre dans sa main, et qui aurait
des organes en proportion des nôtres ; et il se peut très
bien faire qu'il y ait un grand nombre de ces sub-
stances : or concevez, je vous prie, ce qu'elles pense-
raient de ces batailles qui nous ont valu deux villages
qu'il a fallu rendre.

Je ne doute pas que si quelque capitaine des grands
grenadiers lit jamais cet ouvrage, il ne hausse de deux
grands pieds au moins les bonnets de sa troupe ; mais
je l'avertis qu'il aura beau faire, et que lui et les siens
ne seront jamais que des infiniment petits.

Quelle adresse merveilleuse ne fallut-il donc pas à
notre philosophe de Sirius pour apercevoir les atomes
dont je viens de parler ? Quand Leuwenhoek et Hart-
socker[26] virent les premiers, ou crurent voir la graine
dont nous sommes formés, ils ne firent pas à beau-
coup près une si étonnante découverte. Quel plaisir
sentit Micromégas en voyant remuer ces petites
machines, en examinant tous leurs tours, en les sui-
vant dans toutes leurs opérations ! comme il s'écria !
comme il mit avec joie un de ses microscopes dans les
mains de son compagnon de voyage ! « Je les vois,
disaient-ils tous deux à la fois ; ne les voyez-vous pas
qui portent des fardeaux, qui se baissent, qui se
relèvent. » En parlant ainsi les mains leur tremblaient,
par le plaisir de voir des objets si nouveaux, et par la
crainte de les perdre. Le Saturnien, passant d'un excès
de défiance à un excès de crédulité, crut apercevoir

qu'ils travaillaient à la propagation. *Ah !* disait-il, *j'ai pris la nature sur le fait*[27]. Mais il se trompait sur les apparences : ce qui n'arrive que trop, soit qu'on se serve ou non de microscopes.

CHAPITRE SIXIÈME

CE QUI LEUR ARRIVA AVEC DES HOMMES

Micromégas, bien meilleur observateur que son nain, vit clairement que les atomes se parlaient ; et il le fit remarquer à son compagnon, qui, honteux de s'être mépris sur l'article de la génération, ne voulut point croire que de pareilles espèces pussent se communiquer des idées. Il avait le don des langues aussi bien que le Sirien ; il n'entendait point parler nos atomes, et il supposait qu'ils ne parlaient pas. D'ailleurs, comment ces êtres imperceptibles auraient-ils les organes de la voix, et qu'auraient-ils à dire ? Pour parler, il faut penser, ou à peu près ; mais s'ils pensaient, ils auraient donc l'équivalent d'une âme. Or, attribuer l'équivalent d'une âme à cette espèce, cela lui paraissait absurde. « Mais, dit le Sirien, vous avez cru tout à l'heure qu'ils faisaient l'amour ; est-ce que vous croyez qu'on puisse faire l'amour sans penser et sans proférer quelque parole, ou du moins sans se faire entendre ? Suppposez-vous d'ailleurs qu'il soit plus difficile de produire un argument qu'un enfant ? Pour moi, l'un et l'autre me paraissent de grands mystères. — Je n'ose plus ni croire ni nier, dit le nain ; je n'ai plus d'opinion. Il faut tâcher d'examiner ces insectes, nous raisonnerons après. — C'est fort bien dit », reprit Micromégas ; et aussitôt il tira une paire de ciseaux dont il se coupa les ongles, et d'une rognure de l'ongle de son pouce, il fit sur-le-champ une espèce de grande trompette parlante[28], comme un vaste entonnoir, dont il mit le tuyau dans son oreille. La circonférence de l'entonnoir

enveloppait le vaisseau et tout l'équipage. La voix la plus faible entrait dans les fibres circulaires de l'ongle ; de sorte que, grâce à son industrie, le philosophe de là-haut entendit parfaitement le bourdonnement de nos insectes de là-bas. En peu d'heures il parvint à distinguer les paroles, et enfin à entendre le français. Le nain en fit autant, quoique avec plus de difficulté. L'étonnement des voyageurs redoublait à chaque instant. Ils entendaient des mites parler d'assez bon sens : ce jeu de la nature leur paraissait inexplicable. Vous croyez bien que le Sirien et son nain brûlaient d'impatience de lier conversation avec les atomes ; il craignait que sa voix de tonnerre, et surtout celle de Micromégas, n'assourdît les mites sans en être entendue. Il fallait en diminuer la force. Ils se mirent dans la bouche des espèces de petits cure-dents, dont le bout fort effilé venait donner auprès du vaisseau. Le Sirien tenait le nain sur ses genoux, et le vaisseau avec l'équipage sur un ongle. Il baissait la tête et parlait bas. Enfin, moyennant toutes ces précautions et bien d'autres encore, il commença ainsi son discours :

« Insectes invisibles, que la main du Créateur s'est plu à faire naître dans l'abîme de l'infiniment petit, je le remercie de ce qu'il a daigné me découvrir des secrets qui semblaient impénétrables. Peut-être ne daignerait-on pas vous regarder à ma cour ; mais je ne méprise personne, et je vous offre ma protection. »

Si jamais il y a eu quelqu'un d'étonné, ce furent les gens qui entendirent ces paroles. Ils ne pouvaient deviner d'où elles partaient. L'aumônier du vaisseau récita les prières des exorcismes, les matelots jurèrent, et les philosophes du vaisseau firent un système ; mais quelque système qu'ils fissent, ils ne purent jamais deviner qui leur parlait. Le nain de Saturne, qui avait la voix plus douce que Micromégas, leur apprit alors en peu de mots à quelles espèces ils avaient affaire. Il leur conta le voyage de Saturne, les mit au fait de ce qu'était monsieur Micromégas ; et, après les avoir plaints d'être si petits, il leur demanda s'ils avaient toujours été dans ce misérable état si voisin de l'anéan-

tissement, ce qu'ils faisaient dans un globe qui paraissait appartenir à des baleines, s'ils étaient heureux, s'ils multipliaient, s'ils avaient une âme, et cent autres questions de cette nature.

Un raisonneur de la troupe, plus hardi que les autres, et choqué de ce qu'on doutait de son âme, observa l'interlocuteur avec des pinnules braquées sur un quart de cercle[29], fit deux stations[30], et à la troisième il parla ainsi : « Vous croyez donc, monsieur, parce que vous avez mille toises depuis la tête jusqu'aux pieds, que vous êtes un... — Mille toises ! s'écria le nain ; juste ciel ! d'où peut-il savoir ma hauteur ? mille toises ! Il ne se trompe pas d'un pouce. Quoi ! cet atome m'a mesuré ! il est géomètre, il connaît ma grandeur ; et moi, qui ne le vois qu'à travers un microscope, je ne connais pas encore la sienne ! — Oui, je vous ai mesuré, dit le physicien, et je mesurerai bien encore votre grand compagnon. » La proposition fut acceptée ; Son Excellence se coucha de son long : car, s'il se fût tenu debout, sa tête eût été trop au-dessus des nuages. Nos philosophes lui plantèrent un grand arbre dans un endroit que le docteur Swift nommerait, mais que je me garderai bien d'appeler par son nom, à cause de mon grand respect pour les dames. Puis, par une suite de triangles liés ensemble, ils conclurent que ce qu'ils voyaient était en effet un jeune homme de cent vingt mille pieds de roi.

Alors Micromégas prononça ces paroles : « Je vois plus que jamais qu'il ne faut juger de rien sur sa grandeur apparente. O Dieu ! qui avez donné une intelligence à des substances qui paraissent si méprisables, l'infiniment petit vous coûte aussi peu que l'infiniment grand ; et, s'il est possible qu'il y ait des êtres plus petits que ceux-ci, ils peuvent encore avoir un esprit supérieur à ceux de ces superbes animaux que j'ai vus dans le ciel, dont le pied seul couvrirait le globe où je suis descendu. »

Un des philosophes lui répondit qu'il pouvait en toute sûreté croire qu'il est en effet des êtres intelligents beaucoup plus petits que l'homme. Il lui conta,

non pas tout ce que Virgile a dit de fabuleux sur les abeilles, mais ce que Swammerdam a découvert, et ce que Réaumur a disséqué[31]. Il lui apprit enfin qu'il y a des animaux qui sont pour les abeilles ce que les abeilles sont pour l'homme, ce que le Sirien lui-même était pour ces animaux si vastes dont il parlait, et ce que ces grands animaux sont pour d'autres substances devant lesquelles ils ne paraissent que comme des atomes. Peu à peu la conversation devint intéressante, et Micromégas parla ainsi.

CHAPITRE SEPTIÈME

CONVERSATION AVEC LES HOMMES

« O atomes intelligents, dans qui l'Etre éternel s'est plu à manifester son adresse et sa puissance, vous devez sans doute goûter des joies bien pures sur votre globe : car, ayant si peu de matière, et paraissant tout esprit, vous devez passer votre vie à aimer et à penser ; c'est la véritable vie des esprits. Je n'ai vu nulle part le vrai bonheur ; mais il est ici, sans doute. » A ce discours, tous les philosophes secouèrent la tête ; et l'un d'eux, plus franc que les autres, avoua de bonne foi que, si l'on en excepte un petit nombre d'habitants fort peu considérés, tout le reste est un assemblage de fous, de méchants et de malheureux. « Nous avons plus de matière qu'il ne nous en faut, dit-il, pour faire beaucoup de mal, si le mal vient de la matière ; et trop d'esprit, si le mal vient de l'esprit. Savez-vous bien, par exemple, qu'à l'heure que je vous parle, il y a cent mille fous de notre espèce, couverts de chapeaux, qui tuent cent mille autres animaux couverts d'un turban, ou qui sont massacrés par eux[32], et que, presque par toute la terre, c'est ainsi qu'on en use de temps immémorial ? » Le Sirien frémit, et demanda quel pouvait être le sujet de ces horribles querelles entre de si

chétifs animaux. « Il s'agit, dit le philosophe, de quelque tas de boue grand comme votre talon. Ce n'est pas qu'aucun de ces millions d'hommes qui se font égorger prétende un fétu sur ce tas de boue. Il ne s'agit que de savoir s'il appartiendra à un certain homme qu'on nomme *Sultan*, ou à un autre qu'on nomme, je ne sais pourquoi, *César*. Ni l'un ni l'autre n'a jamais vu ni ne verra jamais le petit coin de terre dont il s'agit ; et presque aucun de ces animaux, qui s'égorgent mutuellement, n'a jamais vu l'animal pour lequel ils s'égorgent.

— Ah ! malheureux ! s'écria le Sirien avec indignation, peut-on concevoir cet excès de rage forcenée ! Il me prend envie de faire trois pas, et d'écraser de trois coups de pied toute cette fourmilière d'assassins ridicules. — Ne vous en donnez pas la peine, lui répondit-on ; ils travaillent assez à leur ruine. Sachez qu'au bout de dix ans, il ne reste jamais la centième partie de ces misérables ; sachez que, quand même ils n'auraient pas tiré l'épée, la faim, la fatigue ou l'intempérance, les emportent presque tous. D'ailleurs, ce n'est pas eux qu'il faut punir, ce sont ces barbares sédentaires qui du fond de leur cabinet ordonnent, dans le temps de leur digestion, le massacre d'un million d'hommes, et qui ensuite en font remercier Dieu solennellement. »

Le voyageur se sentait ému de pitié pour la petite race humaine, dans laquelle il découvrait de si étonnants contrastes. « Puisque vous êtes du petit nombre des sages, dit-il à ces messieurs, et qu'apparemment vous ne tuez personne pour de l'argent, dites-moi, je vous en prie, à quoi vous vous occupez. — Nous disséquons des mouches, dit le philosophe, nous mesurons des lignes, nous assemblons des nombres ; nous sommes d'accord sur deux ou trois points que nous entendons, et nous disputons sur deux ou trois mille que nous n'entendons pas. » Il prit aussitôt fantaisie au Sirien et au Saturnien d'interroger ces atomes pensants, pour savoir les choses dont ils convenaient. « Combien comptez-vous, dit-il, de l'étoile de la Canicule à la grande étoile des Gémeaux ? » Ils répondirent

tous à la fois : « Trente-deux degrés et demi. —
Combien comptez-vous d'ici à la lune ? — Soixante
demi-diamètres de la terre en nombre rond. —
Combien pèse votre air ? » Il croyait les attraper, mais
tous lui dirent que l'air pèse environ neuf cents fois
moins qu'un pareil volume de l'eau la plus légère, et
dix-neuf cents fois moins que l'or de ducat. Le petit
nain de Saturne, étonné de leurs réponses, fut tenté de
prendre pour des sorciers ces mêmes gens auxquels il
avait refusé une âme un quart d'heure auparavant.

Enfin Micromégas leur dit : « Puisque vous savez si
bien ce qui est hors de vous, sans doute vous savez
encore mieux ce qui est en dedans. Dites-moi ce que
c'est que votre âme, et comment vous formez vos
idées. » Les philosophes parlèrent tous à la fois comme
auparavant ; mais ils furent tous de différents avis. Le
plus vieux citait Aristote, l'autre prononçait le nom de
Descartes ; celui-ci, de Malebranche ; cet autre, de
Leibniz ; cet autre, de Locke. Un vieux péripatéticien
dit tout haut avec confiance : « L'âme est un *entéléchie*,
et une raison par qui elle a la puissance d'être ce
qu'elle est. C'est ce que déclare expressément
Aristote, page 633 de l'édition du Louvre.
Ἐντελεχεῖα ἐστι[33]. — Je n'entends pas trop bien le
grec, dit le géant. — Ni moi non plus, dit la mite
philosophique. — Pourquoi donc, reprit le Sirien,
citez-vous un certain Aristote en grec ? — C'est, répli-
qua le savant, qu'il faut bien citer ce qu'on ne
comprend point du tout dans la langue qu'on entend
le moins. »

Le cartésien prit la parole, et dit : « L'âme est un
esprit pur qui a reçu dans le ventre de sa mère toutes
les idées métaphysiques, et qui, en sortant de là, est
obligée d'aller à l'école, et d'apprendre tout de nou-
veau ce qu'elle a si bien su, et qu'elle ne saura plus. —
Ce n'était donc pas la peine, répondit l'animal de huit
lieues, que ton âme fût si savante dans le ventre de ta
mère, pour être si ignorante quand tu aurais de la
barbe au menton[34]. Mais qu'entends-tu par esprit ? —
Que me demandez-vous là ? dit le raisonneur ; je n'en

ai point d'idée ; on dit que ce n'est pas de la matièrc.
— Mais sais-tu au moins ce que c'est que de la
matière ? — Très bien, répondit l'homme. Par
exemple cette pierre est grise, et d'une telle forme, elle
a ses trois dimensions, elle est pesante et divisible. —
Eh bien ! dit le Sirien, cette chose qui te paraît être
divisible, pesante et grise, me dirais-tu bien ce que
c'est ? Tu vois quelques attributs ; mais le fond de la
chose, le connais-tu ? — Non, dit l'autre. — Tu ne
sais donc point ce que c'est que la matière. »

Alors monsieur Micromégas, adressant la parole à
un autre sage qu'il tenait sur son pouce, lui demanda
ce que c'était que son âme, et ce qu'elle faisait. « Rien
du tout, répondit le philosophe malebranchiste ; c'est
Dieu qui fait tout pour moi : je vois tout en lui, je fais
tout en lui ; c'est lui qui fait tout sans que je m'en
mêle. — Autant vaudrait ne pas être, reprit le sage de
Sirius. Et toi, mon ami, dit-il à un Leibnizien qui était
là, qu'est-ce que ton âme ? — C'est, répondit le Leib-
nizien, une aiguille qui montre les heures pendant que
mon corps carillonne, ou bien, si vous voulez, c'est elle
qui carillonne pendant que mon corps montre
l'heure ; ou bien mon âme est le miroir de l'univers, et
mon corps est la bordure du miroir : cela est clair [35]. »

Un petit partisan de Locke était là tout auprès ; et
quand on lui eut enfin adressé la parole : « Je ne sais
pas, dit-il, comment je pense, mais je sais que je n'ai
jamais pensé qu'à l'occasion de mes sens. Qu'il y ait
des substances immatérielles et intelligentes, c'est de
quoi je ne doute pas ; mais qu'il soit impossible à Dieu
de communiquer la pensée à la matière, c'est de quoi
je doute fort. Je révère la puissance éternelle ; il ne
m'appartient pas de la borner : je n'affirme rien ; je me
contente de croire qu'il y a plus de choses possibles
qu'on ne pense [36]. »

L'animal de Sirius sourit : il ne trouva pas celui-là le
moins sage ; et le nain de Saturne aurait embrassé le
sectateur de Locke sans l'extrême disproportion. Mais
il y avait là, par malheur, un petit animalcule en
bonnet carré qui coupa la parole à tous les animalcules

philosophes ; il dit qu'il savait tout le secret, que cela se trouvait dans la *Somme* de saint Thomas ; il regarda de haut en bas les deux habitants célestes ; il leur soutint que leurs personnes, leurs mondes, leurs soleils, leurs étoiles, tout était fait uniquement pour l'homme[37]. A ce discours, nos deux voyageurs se laissèrent aller l'un sur l'autre en étouffant de ce rire inextinguible qui, selon Homère, est le partage des dieux[38] : leurs épaules et leurs ventres allaient et venaient, et dans ces convulsions le vaisseau, que le Sirien avait sur son ongle, tomba dans une poche de la culotte du Saturnien. Ces deux bonnes gens le cherchèrent longtemps ; enfin ils retrouvèrent l'équipage, et le rajustèrent fort proprement. Le Sirien reprit les petites mites ; il leur parla encore avec beaucoup de bonté, quoiqu'il fût un peu fâché dans le fond du cœur de voir que les infiniment petits eussent un orgueil presque infiniment grand. Il leur promit de leur faire un beau livre de philosophie, écrit fort menu pour leur usage, et que, dans ce livre, ils verraient le bout des choses. Effectivement, il leur donna ce volume avant son départ : on le porta à Paris à l'Académie des sciences ; mais, quand le secrétaire[39] l'eut ouvert, il ne vit rien qu'un livre tout blanc : « Ah ! dit-il, je m'en étais bien douté. »

ZADIG OU LA DESTINÉE

HISTOIRE ORIENTALE

APPROBATION

Je soussigné, qui me suis fait passer pour savant, et même pour homme d'esprit, ai lu ce manuscrit, que j'ai trouvé, malgré moi, curieux, amusant, moral, philosophique, digne de plaire à ceux mêmes qui haïssent les romans. Ainsi je l'ai décrié, et j'ai assuré M. le Cadi-Lesquier que c'est un ouvrage détestable[1].

EPITRE DÉDICATOIRE DE ZADIG
A LA SULTANE SHERAA[2]
PAR SADI

Le 10 du mois de Schewal, l'an 837 de l'hégire[3].

Charme des prunelles, tourment des cœurs, lumière de l'esprit, je ne baise point la poussière de vos pieds, parce que vous ne marchez guère, ou que vous marchez sur des tapis d'Iran ou sur des roses. Je vous offre la traduction d'un livre d'un ancien sage qui, ayant le bonheur de n'avoir rien à faire, eut celui de s'amuser à écrire l'histoire de Zadig, ouvrage qui dit plus qu'il ne semble dire. Je vous prie de le lire et d'en juger : car, quoique vous soyez dans le printemps de votre vie, quoique tous les plaisirs vous cherchent, quoique vous soyez belle, et que vos talents ajoutent à votre beauté ;

quoiqu'on vous loue du soir au matin, et que par toutes
ces raisons vous soyez en droit de n'avoir pas le sens
commun, cependant vous avez l'esprit très sage et le
goût très fin, et je vous ai entendue raisonner mieux que
de vieux derviches à longue barbe et à bonnet pointu.
Vous êtes discrète et vous n'êtes point défiante ; vous
êtes douce sans être faible ; vous êtes bienfaisante avec
discernement ; vous aimez vos amis, et vous ne vous
faites point d'ennemis. Votre esprit n'emprunte jamais
ses agréments des traits de la médisance ; vous ne dites
de mal ni n'en faites, malgré la prodigieuse facilité que
vous y auriez. Enfin votre âme m'a toujours paru pure
comme votre beauté. Vous avez même un petit fonds de
philosophie qui m'a fait croire que vous prendriez plus
de goût qu'une autre à cet ouvrage d'un sage.

Il fut écrit d'abord en ancien chaldéen, que ni vous
ni moi n'entendons. On le traduisit en arabe, pour
amuser le célèbre sultan Ouloug-beg[4]. C'était du
temps où les Arabes et les Persans commençaient à
écrire des *Mille et une Nuits*, des *Mille et un Jours*,
etc.[5]. Ouloug aimait mieux la lecture de *Zadig* ; mais
les sultanes aimaient mieux les *Mille et un*. « Comment
pouvez-vous préférer, leur disait le sage Ouloug, des
contes qui sont sans raison, et qui ne signifient rien ?
— C'est précisément pour cela que nous les aimons »,
répondaient les sultanes.

Je me flatte que vous ne leur ressemblerez pas, et que
vous serez un vrai Ouloug. J'espère même que, quand
vous serez lasse des conversations générales, qui res-
semblent assez aux *Mille et un*, à cela près qu'elles sont
moins amusantes, je pourrai trouver une minute pour
avoir l'honneur de vous parler raison. Si vous aviez été
Thalestris du temps de Scander, fils de Philippe ; si vous
aviez été la reine de Sabée du temps de Soleiman[6],
c'eussent été ces rois qui auraient fait le voyage.

Je prie les vertus célestes que vos plaisirs soient sans
mélange, votre beauté durable, et votre bonheur sans fin.

SADI[7].

CHAPITRE PREMIER

LE BORGNE

Du temps du roi Moabdar il y avait à Babylone un jeune homme nommé Zadig[8], né avec un beau naturel fortifié par l'éducation. Quoique riche et jeune, il savait modérer ses passions ; il n'affectait rien ; il ne voulait point toujours avoir raison, et savait respecter la faiblesse des hommes. On était étonné de voir qu'avec beaucoup d'esprit il n'insultât jamais par des railleries à ces propos si vagues, si rompus, si tumultueux, à ces médisances téméraires, à ces décisions ignorantes, à ces turlupinades grossières, à ce vain bruit de paroles, qu'on appelait *conversation* dans Babylone. Il avait appris, dans le premier livre de Zoroastre[9], que l'amour-propre est un ballon gonflé de vent, dont il sort des tempêtes quand on lui a fait une piqûre. Zadig surtout ne se vantait pas de mépriser les femmes et de les subjuguer. Il était généreux ; il ne craignait point d'obliger des ingrats, suivant ce grand précepte de Zoroastre : *Quand tu manges, donne à manger aux chiens, dussent-ils te mordre.* Il était aussi sage qu'on peut l'être, car il cherchait à vivre avec des sages. Instruit dans les sciences des anciens Chaldéens, il n'ignorait pas les principes physiques de la nature, tels qu'on les connaissait alors, et savait de la métaphysique ce qu'on en a su dans tous les âges, c'est-à-dire fort peu de chose. Il était fermement persuadé que l'année était de trois cent soixante et cinq jours et un quart, malgré la nouvelle philosophie de son temps, et que le soleil était au centre du monde ; et quand les principaux mages lui disaient, avec une hauteur insultante, qu'il avait de mauvais sentiments, et que c'était être ennemi de l'Etat que de croire que le soleil tournait sur lui-même, et que l'année avait douze mois, il se taisait sans colère et sans dédain.

Zadig, avec de grandes richesses, et par conséquent avec des amis, ayant de la santé, une figure aimable,

un esprit juste et modéré, un cœur sincère et noble, crut qu'il pouvait être heureux. Il devait se marier à Sémire, que sa beauté, sa naissance, et sa fortune, rendaient le premier parti de Babylone. Il avait pour elle un attachement solide et vertueux, et Sémire l'aimait avec passion. Ils touchaient au moment fortuné qui allait les unir, lorsque, se promenant ensemble vers une porte de Babylone, sous les palmiers qui ornaient le rivage de l'Euphrate, ils virent venir à eux des hommes armés de sabres et de flèches. C'étaient les satellites du jeune Orcan, neveu d'un ministre, à qui les courtisans de son oncle avaient fait accroire que tout lui était permis. Il n'avait aucune des grâces ni des vertus de Zadig ; mais, croyant valoir beaucoup mieux, il était désespéré de n'être pas préféré. Cette jalousie, qui ne venait que de sa vanité, lui fit penser qu'il aimait éperdument Sémire. Il voulait l'enlever. Les ravisseurs la saisirent, et dans les emportements de leur violence ils la blessèrent, et firent couler le sang d'une personne dont la vue aurait attendri les tigres du mont Imaüs [10]. Elle perçait le ciel de ses plaintes. Elle s'écriait : « Mon cher époux ! on m'arrache à ce que j'adore. » Elle n'était point occupée de son danger ; elle ne pensait qu'à son cher Zadig. Celui-ci, dans le même temps, la défendait avec toute la force que donnent la valeur et l'amour. Aidé seulement de deux esclaves, il mit les ravisseurs en fuite, et ramena chez elle Sémire, évanouie et sanglante, qui en ouvrant les yeux vit son libérateur. Elle lui dit : « O Zadig ! je vous aimais comme mon époux ; je vous aime comme celui à qui je dois l'honneur et la vie. » Jamais il n'y eut un cœur plus pénétré que celui de Sémire. Jamais bouche plus ravissante n'exprima des sentiments plus touchants par ces paroles de feu qu'inspirent le sentiment du plus grand des bienfaits et le transport le plus tendre de l'amour le plus légitime. Sa blessure était légère ; elle guérit bientôt. Zadig était blessé plus dangereusement ; un coup de flèche reçu près de l'œil lui avait fait une plaie profonde. Sémire ne demandait aux dieux que la guérison de son amant. Ses yeux étaient nuit et jour baignés de

larmes : elle attendait le moment où ceux de Zadig
pourraient jouir de ses regards ; mais un abcès sur-
venu à l'œil blessé fit tout craindre. On envoya jusqu'à
Memphis chercher le grand médecin Hermès, qui vint
avec un nombreux cortège[11]. Il visita le malade, et
déclara qu'il perdrait l'œil ; il prédit même le jour et
l'heure où ce funeste accident devait arriver. « Si c'eût
été l'œil droit, dit-il, je l'aurais guéri ; mais les plaies de
l'œil gauche sont incurables. » Tout Babylone, en plai-
gnant la destinée de Zadig, admira la profondeur de la
science d'Hermès. Deux jours après, l'abcès perça de
lui-même ; Zadig fut guéri parfaitement. Hermès écri-
vit un livre où il lui prouva qu'il n'avait pas dû guérir.
Zadig ne le lut point ; mais, dès qu'il put sortir, il se
prépara à rendre visite à celle qui faisait l'espérance du
bonheur de sa vie, et pour qui seule il voulait avoir des
yeux. Sémire était à la campagne depuis trois jours. Il
apprit en chemin que cette belle dame, ayant déclaré
hautement qu'elle avait une aversion insurmontable
pour les borgnes, venait de se marier à Orcan la nuit
même. A cette nouvelle il tomba sans connaissance ;
sa douleur le mit au bord du tombeau ; il fut long-
temps malade ; mais enfin la raison l'emporta sur son
affliction, et l'atrocité de ce qu'il éprouvait servit
même à le consoler.

« Puisque j'ai essuyé, dit-il, un si cruel caprice d'une
fille élevée à la cour, il faut que j'épouse une
citoyenne. » Il choisit Azora, la plus sage et la mieux
née de la ville ; il l'épousa, et vécut un mois avec elle
dans les douceurs de l'union la plus tendre. Seulement
il remarquait en elle un peu de légèreté, et beaucoup
de penchant à trouver toujours que les jeunes gens les
mieux faits étaient ceux qui avaient le plus d'esprit et
de vertu.

CHAPITRE SECOND

Le nez

Un jour, Azora revint d'une promenade, tout en
colère et faisant de grandes exclamations. « Qu'avez-
vous, lui dit-il, ma chère épouse ? qui vous peut

mettre ainsi hors de vous-même ? — Hélas ! dit-elle,
vous seriez indigné comme moi, si vous aviez vu le
spectacle dont je viens d'être témoin. J'ai été consoler
la jeune veuve Cosrou, qui vient d'élever, depuis deux
jours, un tombeau à son jeune époux auprès du ruis-
seau qui borde cette prairie. Elle a promis aux dieux,
dans sa douleur, de demeurer auprès de ce tombeau
tant que l'eau de ce ruisseau coulerait auprès. — Eh
bien ! dit Zadig, voilà une femme estimable qui aimait
véritablement son mari ! — Ah ! reprit Azora, si vous
saviez à quoi elle s'occupait quand je lui ai rendu
visite ! — A quoi donc, belle Azora ? — Elle faisait
détourner le ruisseau. » Azora se répandit en des
invectives si longues, éclata en reproches si violents
contre la jeune veuve, que ce faste de vertu ne plut pas
à Zadig.

Il avait un ami, nommé Cador, qui était un de ces
jeunes gens à qui sa femme trouvait plus de probité et
de mérite qu'aux autres : il le mit dans sa confidence,
et s'assura, autant qu'il le pouvait, de sa fidélité par un
présent considérable. Azora, ayant passé deux jours
chez une de ses amies à la campagne, revint le troi-
sième jour à la maison Des domestiques en pleurs lui
annoncèrent que son mari était mort subitement la
nuit même, qu'on n'avait pas osé lui porter cette
funeste nouvelle, et qu'on venait d'ensevelir Zadig
dans le tombeau de ses pères, au bout du jardin. Elle
pleura, s'arracha les cheveux, et jura de mourir. Le
soir, Cador lui demanda la permission de lui parler, et
ils pleurèrent tous deux. Le lendemain, ils pleurèrent
moins et dînèrent ensemble. Cador lui confia que son
ami lui avait laissé la plus grande partie de son bien, et
lui fit entendre qu'il mettrait son bonheur à partager sa
fortune avec elle. La dame pleura, se fâcha, s'adoucit ;
le souper fut plus long que le dîner [12] ; on se parla avec
plus de confiance. Azora fit l'éloge du défunt ; mais
elle avoua qu'il avait des défauts dont Cador était
exempt.

Au milieu du souper, Cador se plaignit d'un mal de
rate violent ; la dame, inquiète et empressée, fit appor-

ter toutes les essences dont elle se parfumait, pour
essayer s'il n'y en avait pas quelqu'une qui fût bonne
pour le mal de rate ; elle regretta beaucoup que le
grand Hermès ne fût pas encore à Babylone ; elle
daigna même toucher le côté où Cador sentait de si
vives douleurs. « Etes-vous sujet à cette cruelle mala-
die ? lui dit-elle avec compassion. — Elle me met
quelquefois au bord du tombeau, lui répondit Cador,
et il n'y a qu'un seul remède qui puisse me soulager :
c'est de m'appliquer sur le côté le nez d'un homme
qui soit mort la veille. — Voilà un étrange remède, dit
Azora. — Pas plus étrange, répondit-il, que les sachets
du sieur Arnou[a] contre l'apoplexie[13]. » Cette raison,
jointe à l'extrême mérite du jeune homme, détermina
enfin la dame. « Après tout, dit-elle, quand mon mari
passera du monde d'hier dans le monde du lendemain
sur le pont Tchinavar, l'ange Asraël lui accordera-t-il
moins le passage parce que son nez sera un peu moins
long dans la seconde vie que dans la première[14] ? »
Elle prit donc un rasoir ; elle alla au tombeau de son
époux, l'arrosa de ses larmes, et s'approcha pour cou-
per le nez à Zadig, qu'elle trouva tout étendu dans la
tombe. Zadig se relève en tenant son nez d'une main,
et arrêtant le rasoir de l'autre. « Madame, lui dit-il, ne
criez plus tant contre la jeune Cosrou ; le projet de me
couper le nez vaut bien celui de détourner un ruis-
seau. »

CHAPITRE TROISIÈME

LE CHIEN ET LE CHEVAL

Zadig éprouva que le premier mois du mariage,
comme il est écrit dans le livre du *Zend*[15], est la lune
du miel, et que le second est la lune de l'absinthe. Il fut

a. Il y avait dans ce temps un Babylonien, nommé Arnou, qui
guérissait et prévenait toutes les apoplexies, dans les gazettes, avec
un sachet pendu au cou.

quelque temps après obligé de répudier Azora, qui était devenue trop difficile à vivre, et il chercha son bonheur dans l'étude de la nature. « Rien n'est plus heureux, disait-il, qu'un philosophe qui lit dans ce grand livre que Dieu a mis sous nos yeux. Les vérités qu'il découvre sont à lui : il nourrit et il élève son âme, il vit tranquille ; il ne craint rien des hommes, et sa tendre épouse ne vient point lui couper le nez. »

Plein de ces idées, il se retira dans une maison de campagne sur les bords de l'Euphrate. Là il ne s'occupait pas à calculer combien de pouces d'eau coulaient en une seconde sous les arches d'un pont, ou s'il tombait une ligne cube de pluie dans le mois de la souris plus que dans le mois du mouton. Il n'imaginait point de faire de la soie avec des toiles d'araignée, ni de la porcelaine avec des bouteilles cassées [16], mais il étudia surtout les propriétés des animaux et des plantes, et il acquit bientôt une sagacité qui lui découvrait mille différences où les autres hommes ne voient rien que d'uniforme.

Un jour, se promenant auprès d'un petit bois, il vit accourir à lui un eunuque de la reine, suivi de plusieurs officiers qui paraissaient dans la plus grande inquiétude, et qui couraient çà et là comme des hommes égarés qui cherchent ce qu'ils ont perdu de plus précieux. « Jeune homme, lui dit le premier eunuque, n'avez-vous point vu le chien de la reine ? » Zadig répondit modestement : « C'est une chienne, et non pas un chien. — Vous avez raison, reprit le premier eunuque. — C'est une épagneule très petite, ajouta Zadig ; elle a fait depuis peu des chiens ; elle boite du pied gauche de devant, et elle a les oreilles très longues. — Vous l'avez donc vue ? dit le premier eunuque, tout essoufflé. — Non, répondit Zadig, je ne l'ai jamais vue, et je n'ai jamais su si la reine avait une chienne. »

Précisément dans le même temps, par une bizarrerie ordinaire de la fortune, le plus beau cheval de l'écurie du roi s'était échappé des mains d'un palefrenier dans les plaines de Babylone. Le grand veneur et

tous les autres officiers couraient après lui avec autant d'inquiétude que le premier eunuque après la chienne. Le grand veneur s'adressa à Zadig, et lui demanda s'il n'avait point vu passer le cheval du roi. « C'est, répondit Zadig, le cheval qui galope le mieux ; il a cinq pieds de haut, le sabot fort petit ; il porte une queue de trois pieds et demi de long ; les bossettes de son mors sont d'or à vingt-trois carats ; ses fers sont d'argent à onze deniers. — Quel chemin a-t-il pris ? Où est-il ? demanda le grand veneur. — Je ne l'ai point vu, répondit Zadig, et je n'en ai jamais entendu parler. »

Le grand veneur et le premier eunuque ne doutèrent pas que Zadig n'eût volé le cheval du roi et la chienne de la reine ; ils le firent conduire devant l'assemblée du grand Desterham [17], qui le condamna au knout, et à passer le reste de ses jours en Sibérie. A peine le jugement fut-il rendu qu'on retrouva le cheval et la chienne. Les juges furent dans la douloureuse nécessité de réformer leur arrêt ; mais ils condamnèrent Zadig à payer quatre cents onces d'or pour avoir dit qu'il n'avait point vu ce qu'il avait vu. Il fallut d'abord payer cette amende ; après quoi il fut permis à Zadig de plaider sa cause au conseil du grand Desterham ; il parla en ces termes :

« Étoiles de justice, abîmes de science, miroirs de vérité, qui avez la pesanteur du plomb, la dureté du fer, l'éclat du diamant, et beaucoup d'affinité avec l'or, puisqu'il m'est permis de parler devant cette auguste assemblée, je vous jure par Orosmade [18] que je n'ai jamais vu la chienne respectable de la reine, ni le cheval sacré du roi des rois. Voici ce qui m'est arrivé. Je me promenais vers le petit bois où j'ai rencontré depuis le vénérable eunuque et le très illustre grand veneur. J'ai vu sur le sable les traces d'un animal, et j'ai jugé aisément que c'étaient celles d'un petit chien. Des sillons légers et longs, imprimés sur de petites éminences de sable entre les traces des pattes, m'ont fait connaître que c'était une chienne dont les mamelles étaient pendantes, et qu'ainsi elle avait fait des petits il y a peu de jours. D'autres traces en un sens différent,

qui paraissaient toujours avoir rasé la surface du sable
à côté des pattes de devant, m'ont appris qu'elle avait
les oreilles très longues ; et, comme j'ai remarqué que
le sable était toujours moins creusé par une patte que
par les trois autres, j'ai compris que la chienne de
notre auguste reine était un peu boiteuse, si je l'ose
dire.

« A l'égard du cheval du roi des rois, vous saurez
que, me promenant dans les routes de ce bois, j'ai
aperçu les marques des fers d'un cheval ; elles étaient
toutes à égales distances. Voilà, ai-je dit, un cheval qui
a un galop parfait. La poussière des arbres, dans une
route étroite qui n'a que sept pieds de large, était un
peu enlevée à droite et à gauche, à trois pieds et demi
du milieu de la route. Ce cheval, ai-je dit, a une queue
de trois pieds et demi, qui, par ses mouvements de
droite et de gauche, a balayé cette poussière. J'ai vu
sous les arbres, qui formaient un berceau de cinq
pieds de haut, les feuilles des branches nouvellement
tombées ; et j'ai connu que ce cheval y avait touché, et
qu'ainsi il avait cinq pieds de haut. Quant à son mors,
il doit être d'or à vingt-trois carats : car il en a frotté les
bossettes contre une pierre que j'ai reconnue être une
pierre de touche, et dont j'ai fait l'essai. J'ai jugé enfin,
par les marques que ses fers ont laissées sur des
cailloux d'une autre espèce, qu'il était ferré d'argent à
onze deniers de fin. »

Tous les juges admirèrent le profond et subtil dis-
cernement de Zadig ; la nouvelle en vint jusqu'au roi
et à la reine. On ne parlait que de Zadig dans les
antichambres, dans la chambre, et dans le cabinet ; et
quoique plusieurs mages opinassent qu'on devait le
brûler comme sorcier, le roi ordonna qu'on lui rendît
l'amende de quatre cents onces d'or à laquelle il avait
été condamné. Le greffier, les huissiers, les pro-
cureurs, vinrent chez lui en grand apparcil lui rappor-
ter ses quatre cents onces ; ils en retinrent seulement
trois cent quatre-vingt-dix-huit pour les frais de jus-
tice, et leurs valets demandèrent des honoraires.

Zadig vit combien il était dangereux quelquefois

d'être trop savant, et se promit bien, à la première occasion, de ne point dire ce qu'il avait vu.

Cette occasion se trouva bientôt. Un prisonnier d'Etat s'échappa ; il passa sous les fenêtres de sa maison. On interrogea Zadig, il ne répondit rien ; mais on lui prouva qu'il avait regardé par la fenêtre. Il fut condamné pour ce crime à cinq cents onces d'or, et il remercia ses juges de leur indulgence, selon la coutume de Babylone. « Grand Dieu ! dit-il en lui-même, qu'on est à plaindre quand on se promène dans un bois où la chienne de la reine et le cheval du roi ont passé ! qu'il est dangereux de se mettre à la fenêtre ! et qu'il est difficile d'être heureux dans cette vie ! »

CHAPITRE QUATRIÈME

L'ENVIEUX

Zadig voulut se consoler par la philosophie et par l'amitié des maux que lui avait faits la fortune. Il avait, dans un faubourg de Babylone, une maison ornée avec goût, où il rassemblait tous les arts et tous les plaisirs dignes d'un honnête homme. Le matin, sa bibliothèque était ouverte à tous les savants ; le soir, sa table l'était à la bonne compagnie ; mais il connut bientôt combien les savants sont dangereux. Il s'éleva une grande dispute sur une loi de Zoroastre, qui défendait de manger du griffon[19]. « Comment défendre le griffon, disaient les uns, si cet animal n'existe pas ? — Il faut bien qu'il existe, disaient les autres, puisque Zoroastre ne veut pas qu'on en mange. » Zadig voulut les accorder en leur disant : « S'il y a des griffons, n'en mangeons point ; s'il n'y en a point, nous en mangerons encore moins ; et par là nous obéirons tous à Zoroastre. »

Un savant, qui avait composé treize volumes sur les propriétés du griffon, et qui de plus était grand théur-

gite, se hâta d'aller accuser Zadig devant un archimage nommé Yébor[20], le plus sot des Chaldéens, et partant le plus fanatique. Cet homme aurait fait empaler Zadig pour la plus grande gloire du soleil, et en aurait récité le bréviaire de Zoroastre d'un ton plus satisfait. L'ami Cador (un ami vaut mieux que cent prêtres) alla trouver le vieux Yébor, et lui dit : « Vivent le soleil et les griffons ! gardez-vous bien de punir Zadig : c'est un saint ; il a des griffons dans sa basse-cour, et il n'en mange point ; et son accusateur est un hérétique qui ose soutenir que les lapins ont le pied fendu, et ne sont point immondes[21]. — Eh bien ! dit Yébor en branlant sa tête chauve, il faut empaler Zadig pour avoir mal pensé des griffons, et l'autre pour avoir mal parlé des lapins. » Cador apaisa l'affaire par le moyen d'une fille d'honneur[22] à laquelle il avait fait un enfant, et qui avait beaucoup de crédit dans le collège des mages. Personne ne fut empalé ; de quoi plusieurs docteurs murmurèrent, et en présagèrent la décadence de Babylone. Zadig s'écria : « A quoi tient le bonheur ! Tout me persécute dans ce monde, jusqu'aux êtres qui n'existent pas. » Il maudit les savants, et ne voulut plus vivre qu'en bonne compagnie.

Il rassemblait chez lui les plus honnêtes gens de Babylone, et les dames les plus aimables ; il donnait des soupers délicats, souvent précédés de concerts, et animés par des conversations charmantes dont il avait su bannir l'empressement de montrer de l'esprit, qui est la plus sûre manière de n'en point avoir et de gâter la société la plus brillante. Ni le choix de ses amis, ni celui des mets, n'étaient faits par la vanité : car en tout il préférait l'être au paraître, et par là il s'attirait la considération véritable à laquelle il ne prétendait pas.

Vis-à-vis sa maison demeurait Arimaze[23], personnage dont la méchante âme était peinte sur sa grossière physionomie. Il était rongé de fiel et bouffi d'orgueil, et pour comble, c'était un bel esprit ennuyeux. N'ayant jamais pu réussir dans le monde, il se vengeait par en médire. Tout riche qu'il était, il avait de la peine à rassembler chez lui des flatteurs. Le

bruit des chars qui entraient le soir chez Zadig l'importunait, le bruit de ses louanges l'irritait davantage. Il allait quelquefois chez Zadig, et se mettait à table sans être prié : il y corrompait toute la joie de la société, comme on dit que les harpies infectent les viandes qu'elles touchent. Il lui arriva un jour de vouloir donner une fête à une dame qui, au lieu de la recevoir, alla souper chez Zadig. Un autre jour, causant avec lui dans le palais, ils abordèrent un ministre qui pria Zadig à souper, et ne pria point Arimaze. Les plus implacables haines n'ont pas souvent des fondements plus importants. Cet homme, qu'on appelait l'envieux dans Babylone, voulut perdre Zadig parce qu'on l'appelait l'heureux. L'occasion de faire du mal se trouve cent fois par jour, et celle de faire du bien, une fois dans l'année, comme dit Zoroastre.

L'envieux alla chez Zadig, qui se promenait dans ses jardins avec deux amis et une dame à laquelle il disait souvent des choses galantes, sans autre intention que celle de les dire. La conversation roulait sur une guerre que le roi venait de terminer heureusement contre le prince d'Hyrcanie, son vassal[24]. Zadig, qui avait signalé son courage dans cette courte guerre, louait beaucoup le roi et encore plus la dame. Il prit ses tablettes, et écrivit quatre vers qu'il fit sur le champ, et qu'il donna à lire à cette belle personne.

Ses amis le prièrent de leur en faire part : la modestie, ou plutôt un amour-propre bien entendu, l'en empêcha. Il savait que des vers impromptus ne sont jamais bons que pour celle en l'honneur de qui ils sont faits : il brisa en deux la feuille des tablettes sur laquelle il venait d'écrire, et jeta les deux moitiés dans un buisson de roses, où on les chercha inutilement. Une petite pluie survint ; on regagna la maison. L'envieux, qui resta dans le jardin, chercha tant, qu'il trouva un morceau de la feuille. Elle avait été tellement rompue que chaque moitié de vers qui remplissait la ligne faisait un sens, et même un vers d'une plus petite mesure ; mais, par un hasard encore plus étrange, ces petits vers se trouvaient former un sens qui contenait les injures les plus horribles contre le roi ; on y lisait :

Par les plus grands forfaits
Sur le trône affermi
Dans la publique paix
C'est le seul ennemi.

L'envieux fut heureux pour la première fois de sa vie. Il avait entre les mains de quoi perdre un homme vertueux et aimable. Plein de cette cruelle joie, il fit parvenir jusqu'au roi cette satire écrite de la main de Zadig : on le fit mettre en prison, lui, ses deux amis, et la dame. Son procès lui fut bientôt fait, sans qu'on daignât l'entendre. Lorsqu'il vint recevoir sa sentence, l'envieux se trouva sur son passage et lui dit tout haut que ses vers ne valaient rien. Zadig ne se piquait pas d'être bon poète ; mais il était au désespoir d'être condamné comme criminel de lèse-majesté, et de voir qu'on retînt en prison une belle dame et deux amis pour un crime qu'il n'avait pas fait. On ne lui permit pas de parler, parce que ses tablettes parlaient : telle était la loi de Babylone. On le fit donc aller au supplice à travers une foule de curieux dont aucun n'osait le plaindre, et qui se précipitaient pour examiner son visage et pour voir s'il mourrait avec bonne grâce. Ses parents seulement étaient affligés, car ils n'héritaient pas. Les trois quarts de son bien étaient confisqués au profit du roi, et l'autre quart au profit de l'envieux.

Dans le temps qu'il se préparait à la mort, le perroquet du roi s'envola de son balcon, et s'abattit dans le jardin de Zadig sur un buisson de roses. Une pêche y avait été portée d'un arbre voisin par le vent ; elle était tombée sur un morceau de tablettes à écrire auquel elle s'était collée. L'oiseau enleva la pêche et la tablette, et les porta sur les genoux du monarque. Le prince, curieux, y lut des mots qui ne formaient aucun sens, et qui paraissaient des fins de vers. Il aimait la poésie, et il y a toujours de la ressource avec les princes qui aiment les vers : l'aventure de son perroquet le fit rêver. La reine, qui se souvenait de ce qui avait été écrit sur une pièce de la tablette de Zadig, se la fit apporter. On confronta les deux morceaux, qui s'ajustaient ensemble parfaitement ; on lut alors les vers tels que Zadig les avait faits :

Par les plus grands forfaits j'ai vu troubler la terre.
Sur le trône affermi le roi sait tout dompter.
Dans la publique paix l'amour seul fait la guerre :
C'est le seul ennemi qui soit à redouter.

Le roi ordonna aussitôt qu'on fît venir Zadig devant
lui, et qu'on fît sortir de prison ses deux amis et la
belle dame. Zadig se jeta le visage contre terre, aux
pieds du roi et de la reine : il leur demanda très
humblement pardon d'avoir fait de mauvais vers ; il
parla avec tant de grâce, d'esprit, et de raison, que le
roi et la reine voulurent le revoir. Il revint, et plut
encore davantage. On lui donna tous les biens de
l'envieux, qui l'avait injustement accusé : mais Zadig
les rendit tous, et l'envieux ne fut touché que du
plaisir de ne pas perdre son bien. L'estime du roi
s'accrut de jour en jour pour Zadig. Il le mettait de
tous ses plaisirs, et le consultait dans toutes ses
affaires. La reine le regarda dès lors avec une complai-
sance qui pouvait devenir dangereuse pour elle, pour
le roi son auguste époux, pour Zadig, et pour le
royaume. Zadig commençait à croire qu'il n'est pas si
difficile d'être heureux.

CHAPITRE CINQUIÈME

LES GÉNÉREUX

Le temps arriva où l'on célébrait une grande fête
qui revenait tous les cinq ans. C'était la coutume à
Babylone de déclarer solennellement au bout de cinq
années, celui des citoyens qui avait fait l'action la plus
généreuse. Les grands et les mages étaient les juges.
Le premier satrape, chargé du soin de la ville, exposait
les plus belles actions qui s'étaient passées sous son
gouvernement. On allait aux voix ; le roi prononçait le
jugement. On venait à cette solennité des extrémités
de la terre. Le vainqueur recevait des mains du

monarque une coupe d'or garnie de pierreries, et le roi lui disait ces paroles : « Recevez ce prix de la générosité, et puissent les dieux me donner beaucoup de sujets qui vous ressemblent ! »

Ce jour mémorable venu, le roi parut sur son trône, environné des grands, des mages, et des députés de toutes les nations, qui venaient à ces jeux où la gloire s'acquérait, non par la légèreté des chevaux, non par la force du corps, mais par la vertu. Le premier satrape rapporta à haute voix les actions qui pouvaient mériter à leurs auteurs ce prix inestimable. Il ne parla point de la grandeur d'âme avec laquelle Zadig avait rendu à l'envieux toute sa fortune : ce n'était pas une action qui méritât de disputer le prix.

Il présenta d'abord un juge qui, ayant fait perdre un procès considérable à un citoyen, par une méprise dont il n'était pas même responsable, lui avait donné tout son bien, qui était la valeur de ce que l'autre avait perdu.

Il produisit ensuite un jeune homme qui, étant éperdument épris d'une fille qu'il allait épouser, l'avait cédée à un ami près d'expirer d'amour pour elle, et qui avait encore payé la dot en cédant la fille.

Ensuite il fit paraître un soldat qui, dans la guerre d'Hyrcanie, avait donné encore un plus grand exemple de générosité. Des soldats ennemis lui enlevaient sa maîtresse, et il la défendait contre eux : on vint lui dire que d'autres Hyrcaniens enlevaient sa mère à quelques pas de là ; il quitta en pleurant sa maîtresse, et courut délivrer sa mère ; il retourna ensuite vers celle qu'il aimait, et la trouva expirante. Il voulut se tuer : sa mère lui remontra qu'elle n'avait que lui pour tout secours, et il eut le courage de souffrir la vie.

Les juges penchaient pour ce soldat. Le roi prit la parole, et dit : « Son action et celle des autres sont belles, mais elles ne m'étonnent point ; hier, Zadig en a fait une qui m'a étonné. J'avais disgracié depuis quelques jours mon ministre et mon favori Coreb. Je me plaignais de lui avec violence, et tous mes courti-

sans m'assuraient que j'étais trop doux : c'était à qui me dirait le plus de mal de Coreb. Je demandai à Zadig ce qu'il en pensait, et il osa en dire du bien. J'avoue que j'ai vu, dans nos histoires, des exemples qu'on a payé de son bien une erreur, qu'on a cédé sa maîtresse, qu'on a préféré une mère à l'objet de son amour ; mais je n'ai jamais lu qu'un courtisan ait parlé avantageusement d'un ministre disgracié contre qui son souverain était en colère. Je donne vingt mille pièces d'or à chacun de ceux dont on vient de réciter les actions généreuses ; mais je donne la coupe à Zadig.

— Sire, lui dit-il, c'est Votre Majesté seule qui mérite la coupe, c'est elle qui a fait l'action la plus inouïe, puisque, étant roi, vous ne vous êtes point fâché contre votre esclave, lorsqu'il contredisait votre passion. »

On admira le roi et Zadig. Le juge qui avait donné son bien, l'amant qui avait marié sa maîtresse à son ami, le soldat qui avait préféré le salut de sa mère à celui de sa maîtresse, reçurent les présents du monarque ; ils virent leurs noms écrits dans le livre des généreux. Zadig eut la coupe. Le roi acquit la réputation d'un bon prince, qu'il ne garda pas longtemps. Ce jour fut consacré par des fêtes plus longues que la loi ne le portait. La mémoire s'en conserve encore dans l'Asie. Zadig disait : « Je suis donc enfin heureux ! » Mais il se trompait.

CHAPITRE SIXIÈME

LE MINISTRE

Le roi avait perdu son premier ministre. Il choisit Zadig pour remplir cette place. Toutes les belles dames de Babylone applaudirent à ce choix, car depuis la fondation de l'empire il n'y avait jamais eu

de ministre si jeune. Tous les courtisans furent fâchés ; l'envieux en eut un crachement de sang, et le nez lui enfla prodigieusement. Zadig, ayant remercié le roi et la reine, alla remercier aussi le perroquet : « Bel oiseau, lui dit-il, c'est vous qui m'avez sauvé la vie, et qui m'avez fait premier ministre : la chienne et le cheval de Leurs Majestés m'avaient fait beaucoup de mal, mais vous m'avez fait plus de bien. Voilà donc de quoi dépendent les destins des hommes ! Mais, ajouta-t-il, un bonheur si étrange sera peut-être bientôt évanoui. » Le perroquet répondit : « Oui. » Ce mot frappa Zadig. Cependant, comme il était bon physicien, et qu'il ne croyait pas que les perroquets fussent prophètes, il se rassura bientôt et se mit à exercer son ministère de son mieux.

Il fit sentir à tout le monde le pouvoir sacré des lois, et ne fit sentir à personne le poids de sa dignité. Il ne gêna point les voix du divan [25], et chaque vizir pouvait avoir un avis sans lui déplaire. Quand il jugeait une affaire, ce n'était pas lui qui jugeait, c'était la loi ; mais quand elle était trop sévère, il la tempérait ; et quand on manquait de lois, son équité en faisait qu'on aurait prises pour celles de Zoroastre.

C'est de lui que les nations tiennent ce grand principe : qu'il vaut mieux hasarder de sauver un coupable que de condamner un innocent. Il croyait que les lois étaient faites pour secourir les citoyens autant que pour les intimider. Son principal talent était de démêler la vérité, que tous les hommes cherchent à obscurcir.

Dès les premiers jours de son administration il mit ce grand talent en usage. Un fameux négociant de Babylone était mort aux Indes ; il avait fait ses héritiers ses deux fils par portions égales, après avoir marié leur sœur, et il laissait un présent de trente mille pièces d'or à celui de ses deux fils qui serait jugé l'aimer davantage. L'aîné lui bâtit un tombeau, le second augmenta d'une partie de son héritage la dot de sa sœur ; chacun disait : « C'est l'aîné qui aime le mieux son père, le cadet aime mieux sa sœur ; c'est à l'aîné qu'appartiennent les trente mille pièces. »

Zadig les fit venir tous deux l'un après l'autre. Il dit à l'aîné : « Votre père n'est point mort, il est guéri de sa dernière maladie, il revient à Babylone. — Dieu soit loué, répondit le jeune homme ; mais voilà un tombeau qui m'a coûté bien cher ! » Zadig dit ensuite la même chose au cadet. « Dieu soit loué, répondit-il ; je vais rendre à mon père tout ce que j'ai ; mais je voudrais qu'il laissât à ma sœur ce que je lui ai donné. — Vous ne rendrez rien, dit Zadig, et vous aurez les trente mille pièces : c'est vous qui aimez le mieux votre père. »

Une fille fort riche avait fait une promesse de mariage à deux mages, et, après avoir reçu quelques mois des instructions de l'un et de l'autre, elle se trouva grosse. Ils voulaient tous deux l'épouser. « Je prendrai pour mon mari, dit-elle, celui des deux qui m'a mise en état de donner un citoyen à l'empire. — C'est moi qui ai fait cette bonne œuvre, dit l'un. — C'est moi qui ai eu cet avantage, dit l'autre. — Eh bien ! répondit-elle, je reconnais pour père de l'enfant celui des deux qui lui pourra donner la meilleure éducation. » Elle accoucha d'un fils. Chacun des mages veut l'élever. La cause est portée devant Zadig. Il fait venir les deux mages. « Qu'enseigneras-tu à ton pupille ? dit-il au premier. — Je lui apprendrai, dit le docteur, les huit parties d'oraison, la dialectique, l'astrologie, la démonomanie ; ce que c'est que la substance et l'accident, l'abstrait et le concret, les monades et l'harmonie préétablie[26]. — Moi, dit le second, je tâcherai de le rendre juste et digne d'avoir des amis. » Zadig prononça : « Que tu sois son père ou non, tu épouseras sa mère *. »

* A partir de l'édition de 1748 et jusqu'à celle de 1756 où il fut supprimé, on lisait, après ces mots, le développement suivant qui fut repris par les éditeurs de Kehl :

Il venait tous les jours des plaintes à la cour contre l'itimadoulet de Médie, nommé Irax. C'était un grand seigneur dont le fond n'était pas mauvais, mais qui était corrompu par la vanité et par la volupté. Il souffrait rarement qu'on lui parlât, et jamais qu'on l'osât contredire. Les paons ne sont pas plus vains, les colombes ne sont pas plus voluptueuses, les tortues ont moins de paresse ; il ne respirait que la fausse gloire et les faux plaisirs ; Zadig entreprit de le corriger.

Il lui envoya de la part du roi un maître de musique avec douze voix

CHAPITRE SEPTIÈME

LES DISPUTES ET LES AUDIENCES

C'est ainsi qu'il montrait tous les jours la subtilité de son génie et la bonté de son âme ; on l'admirait, et cependant on l'aimait. Il passait pour le plus fortuné de tous les hommes, tout l'empire était rempli de son nom ; toutes les femmes le lorgnaient ; tous les citoyens célébraient sa justice ; les savants le regardaient comme leur oracle ; les prêtres même avouaient qu'il en savait plus que le vieux archimage Yébor. On

et vingt-quatre violons, un maître d'hôtel avec six cuisiniers, et quatre chambellans, qui ne devaient pas le quitter. L'ordre du roi portait que l'étiquette suivante serait inviolablement observée ; et voici comme les choses se passèrent.

Le premier jour, dès que le voluptueux Irax fut éveillé, le maître de musique entra, suivi des voix et des violons : on chanta une cantate qui dura deux heures, et, de trois minutes en trois minutes, le refrain était :

Que son mérite est extrême !
Que de grâces ! que de grandeur !
Ah ! combien monseigneur
Doit être content de lui-même !

Après l'exécution de la cantate, un chambellan lui fit une harangue de trois quarts d'heure, dans laquelle on le louait expressément de toutes les bonnes qualités qui lui manquaient. La harangue finie, on le conduisit à table au son des instruments. Le dîner dura trois heures : dès qu'il ouvrit la bouche pour parler, le premier chambellan dit : « Il aura raison. » A peine eut-il prononcé quatre paroles que le second chambellan s'écria : « Il a raison. » Les deux autres chambellans firent de grands éclats de rire des bons mots qu'Irax avait dits ou qu'il avait dû dire. Après dîner on lui répéta la cantate.

Cette première journée lui parut délicieuse, il crut que le roi des rois l'honorait selon ses mérites ; la seconde lui parut moins agréable ; la troisième fut gênante ; la quatrième fut insupportable ; la cinquième fut un supplice. Enfin, outré d'entendre toujours chanter : « Ah ! combien monseigneur doit être content de lui-même ! », d'entendre toujours dire qu'il avait raison, et d'être harangué chaque jour à la même heure, il écrivit en cour pour supplier le roi qu'il daignât rappeler ses chambellans, ses musiciens, son maître d'hôtel : il promit d'être désormais moins vain et plus appliqué, il se fit moins encenser, eut moins de fêtes et fut plus heureux : car, comme dit Sadder, « toujours du plaisir n'est pas du plaisir ».

était bien loin alors de lui faire des procès sur les griffons ; on ne croyait que ce qui lui semblait croyable.

Il y avait une grande querelle dans Babylone, qui durait depuis quinze cents années, et qui partageait l'empire en deux sectes opiniâtres : l'une prétendait qu'il ne fallait jamais entrer dans le temple de Mithra que du pied gauche ; l'autre avait cette coutume en abomination, et n'entrait jamais que du pied droit. On attendait le jour de la fête solennelle du feu sacré pour savoir quelle secte serait favorisée par Zadig. L'univers avait les yeux sur ses deux pieds, et toute la ville était en agitation et en suspens. Zadig entra dans le temple en sautant à pieds joints, et il prouva ensuite, par un discours éloquent, que le Dieu du ciel et de la terre, qui n'a acception de personne, ne fait pas plus de cas de la jambe gauche que de la jambe droite.

L'envieux et sa femme prétendirent que dans son discours il n'y avait pas assez de figures, qu'il n'avait pas fait assez danser les montagnes et les collines. « Il est sec et sans génie, disaient-ils ; on ne voit chez lui ni la mer s'enfuir, ni les étoiles tomber, ni le soleil se fondre comme de la cire : il n'a point le bon style oriental [27]. » Zadig se contentait d'avoir le style de la raison. Tout le monde fut pour lui, non pas parce qu'il était dans le bon chemin, non pas parce qu'il était raisonnable, non pas parce qu'il était aimable, mais parce qu'il était premier vizir.

Il termina aussi heureusement le grand procès entre les mages blancs et les mages noirs. Les blancs soutenaient que c'était une impiété de se tourner, en priant Dieu, vers l'orient d'hiver ; les noirs assuraient que Dieu avait en horreur les prières des hommes qui se tournaient vers le couchant d'été. Zadig ordonna qu'on se tournât comme on voudrait.

Il trouva ainsi le secret d'expédier, le matin, les affaires particulières et les générales ; le reste du jour, il s'occupait des embellissements de Babylone : il faisait représenter des tragédies où l'on pleurait, et des comédies où l'on riait, ce qui était passé de mode

depuis longtemps, et ce qu'il fit renaître parce qu'il
avait du goût[28]. Il ne prétendait pas en savoir plus que
les artistes ; il les récompensait par des bienfaits et des
distinctions, et n'était point jaloux en secret de leurs
talents. Le soir, il amusait beaucoup le roi, et surtout
la reine. Le roi disait : « Le grand ministre ! » La reine
disait : « L'aimable ministre ! » et tous deux ajoutaient :
« C'eût été grand dommage qu'il eût été pendu. »

 Jamais homme en place ne fut obligé de donner tant
d'audiences aux dames. La plupart venaient lui parler
des affaires qu'elles n'avaient point, pour en avoir une
avec lui. La femme de l'envieux s'y présenta des
premières ; elle lui jura par Mithra, par Zenda-Vesta[29]
et par le feu sacré, qu'elle avait détesté la conduite de
son mari ; elle lui confia ensuite que ce mari était un
jaloux, un brutal ; elle lui fit entendre que les dieux le
punissaient en lui refusant les précieux effets de ce feu
sacré par lequel seul l'homme est semblable aux
immortels : elle finit par laisser tomber sa jarretière ;
Zadig la ramassa avec sa politesse ordinaire, mais il ne
la rattacha point au genou de la dame ; et cette petite
faute, si c'en est une, fut la cause des plus horribles
infortunes. Zadig n'y pensa pas, et la femme de
l'envieux y pensa beaucoup.

 D'autres dames se présentaient tous les jours. Les
annales secrètes de Babylone prétendent qu'il suc-
comba une fois, mais qu'il fut tout étonné de jouir
sans volupté, et d'embrasser son amante avec distrac-
tion. Celle à qui il donna, sans presque s'en aperce-
voir, des marques de sa protection, était une femme de
chambre de la reine Astarté. Cette tendre Babylo-
nienne se disait à elle-même pour se consoler : « Il faut
que cet homme-là ait prodigieusement d'affaires dans
la tête, puisqu'il y songe encore même en faisant
l'amour. » Il échappa à Zadig, dans les instants où
plusieurs personnes ne disent mot, et où d'autres ne
prononcent que des paroles sacrées, de s'écrier tout
d'un coup : « La reine ! » La Babylonienne crut
qu'enfin il était revenu à lui dans un bon moment, et

qu'il lui disait : « Ma reine. » Mais Zadig, toujours très distrait, prononça le nom d'Astarté. La dame, qui dans ces heureuses circonstances interprétait tout à son avantage, s'imagina que cela voulait dire : « Vous êtes plus belle que la reine Astarté. » Elle sortit du sérail de Zadig avec de très beaux présents. Elle alla conter son aventure à l'envieuse, qui était son amie intime ; celle-ci fut cruellement piquée de la préférence. « Il n'a pas daigné seulement, dit-elle, me rattacher cette jarretière que voici, et dont je ne veux plus me servir. — Oh ! oh ! dit la fortunée à l'envieuse, vous portez les mêmes jarretières que la reine ! Vous les prenez donc chez la même faiseuse ? » L'envieuse rêva profondément, ne répondit rien, et alla consulter son mari l'envieux.

Cependant Zadig s'apercevait qu'il avait toujours des distractions quand il donnait des audiences et quand il jugeait ; il ne savait à quoi les attribuer : c'était là sa seule peine.

Il eut un songe : il lui semblait qu'il était couché d'abord sur des herbes sèches, parmi lesquelles il y en avait quelques-unes de piquantes qui l'incommodaient ; et qu'ensuite il reposait mollement sur un lit de roses, dont il sortait un serpent qui le blessait au cœur de sa langue acérée et envenimée. « Hélas ! disait-il, j'ai été longtemps couché sur ces herbes sèches et piquantes, je suis maintenant sur le lit de roses, mais quel sera le serpent ? »

CHAPITRE HUITIÈME

LA JALOUSIE

Le malheur de Zadig vint de son bonheur même, et surtout de son mérite. Il avait tous les jours des entretiens avec le roi et avec Astarté, son auguste épouse. Les charmes de sa conversation redoublaient encore

par cette envie de plaire qui est à l'esprit ce que la
parure est à la beauté ; sa jeunesse et ses grâces firent
insensiblement sur Astarté une impression dont elle ne
s'aperçut pas d'abord. Sa passion croissait dans le sein
de l'innocence. Astarté se livrait sans scrupule et sans
crainte au plaisir de voir et d'entendre un homme cher
à son époux et à l'Etat ; elle ne cessait de le vanter au
roi ; elle en parlait à ses femmes, qui enchérissaient
encore sur ses louanges ; tout servait à enfoncer dans
son cœur le trait qu'elle ne sentait pas. Elle faisait des
présents à Zadig, dans lesquels il entrait plus de galan-
terie qu'elle ne pensait ; elle croyait ne lui parler qu'en
reine contente de ses services, et quelquefois ses
expressions étaient d'une femme sensible.

Astarté était beaucoup plus belle que cette Sémire
qui haïssait tant les borgnes, et que cette autre femme
qui avait voulu couper le nez à son époux. La familia-
rité d'Astarté, ses discours tendres, dont elle commen-
çait à rougir, ses regards, qu'elle voulait détourner, et
qui se fixaient sur les siens, allumèrent dans le cœur de
Zadig un feu dont il s'étonna. Il combattit ; il appela à
son secours la philosophie, qui l'avait toujours
secouru ; il n'en tira que des lumières, et n'en reçut
aucun soulagement. Le devoir, la reconnaissance, la
majesté souveraine violée, se présentaient à ses yeux
comme des dieux vengeurs ; il combattait, il triom-
phait ; mais cette victoire, qu'il fallait remporter à tout
moment, lui coûtait des gémissements et des larmes. Il
n'osait plus parler à la reine avec cette douce liberté
qui avait eu tant de charmes pour tous deux : ses yeux
se couvraient d'un nuage ; ses discours étaient
contraints et sans suite : il baissait la vue ; et quand,
malgré lui, ses regards se tournaient vers Astarté, ils
rencontraient ceux de la reine mouillés de pleurs, dont
il partait des traits de flamme ; ils semblaient se dire
l'un à l'autre : « Nous nous adorons, et nous craignons
de nous aimer ; nous brûlons tous deux d'un feu que
nous condamnons. »

Zadig sortait d'auprès d'elle égaré, éperdu, le cœur
surchargé d'un fardeau qu'il ne pouvait plus porter :

dans la violence de ses agitations, il laissa pénétrer son secret à son ami Cador, comme un homme qui, ayant soutenu longtemps les atteintes d'une vive douleur, fait enfin connaître son mal par un cri qu'un redoublement aigu lui arrache, et par la sueur froide qui coule sur son front.

Cador lui dit : « J'ai déjà démêlé les sentiments que vous vouliez vous cacher à vous-même ; les passions ont des signes auxquels on ne peut se méprendre. Jugez, mon cher Zadig, puisque j'ai lu dans votre cœur, si le roi n'y découvrira pas un sentiment qui l'offense. Il n'a d'autre défaut que celui d'être le plus jaloux des hommes. Vous résistez à votre passion avec plus de force que la reine ne combat la sienne, parce que vous êtes philosophe, et parce que vous êtes Zadig. Astarté est femme ; elle laisse parler ses regards avec d'autant plus d'imprudence qu'elle ne se croit pas encore coupable. Malheureusement, rassurée sur son innocence, elle néglige des dehors nécessaires. Je tremblerai pour elle tant qu'elle n'aura rien à se reprocher. Si vous étiez d'accord l'un et l'autre, vous sauriez tromper tous les yeux : une passion naissante et combattue éclate ; un amour satisfait sait se cacher. » Zadig frémit à la proposition de trahir le roi, son bienfaiteur ; et jamais il ne fut plus fidèle à son prince que quand il fut coupable envers lui d'un crime involontaire. Cependant la reine prononçait si souvent le nom de Zadig, son front se couvrait de tant de rougeur en le prononçant, elle était tantôt si animée, tantôt si interdite, quand elle lui parlait en présence du roi ; une rêverie si profonde s'emparait d'elle quand il était sorti, que le roi fut troublé. Il crut tout ce qu'il voyait, et imagina tout ce qu'il ne voyait point. Il remarqua surtout que les babouches de sa femme étaient bleues, et que les babouches de Zadig étaient bleues, que les rubans de sa femme étaient jaunes, et que le bonnet de Zadig était jaune ; c'étaient là de terribles indices pour un prince délicat. Les soupçons se tournèrent en certitude dans son esprit aigri.

Tous les esclaves des rois et des reines sont autant

d'espions de leurs cœurs. On pénétra bientôt
qu'Astarté était tendre, et que Moabdar était jaloux.
L'envieux engagea l'envieuse à envoyer au roi sa jarre-
tière, qui ressemblait à celle de la reine. Pour surcroît
de malheur, cette jarretière était bleue. Le monarque
ne songea plus qu'à la manière de se venger. Il résolut
une nuit d'empoisonner la reine, et de faire mourir
Zadig par le cordeau au point du jour. L'ordre en fut
donné à un impitoyable eunuque, exécuteur de ses
vengeances. Il y avait alors dans la chambre du roi un
petit nain qui était muet, mais qui n'était pas sourd.
On le souffrait toujours : il était témoin de ce qui se
passait de plus secret, comme un animal domestique.
Ce petit muet était très attaché à la reine et à Zadig. Il
entendit, avec autant de surprise que d'horreur, don-
ner l'ordre de leur mort. Mais comment faire pour
prévenir cet ordre effroyable qui allait s'exécuter dans
peu d'heures ? Il ne savait pas écrire ; mais il avait
appris à peindre, et savait surtout faire ressembler. Il
passa une partie de la nuit à crayonner ce qu'il voulait
faire entendre à la reine. Son dessin représentait le roi
agité de fureur, dans un coin du tableau, donnant des
ordres à son eunuque ; un cordeau bleu et un vase sur
une table, avec des jarretières bleues et des rubans
jaunes ; la reine, dans le milieu du tableau, expirante
entre les bras de ses femmes ; et Zadig étranglé à ses
pieds. L'horizon représentait un soleil levant, pour
marquer que cette horrible exécution devait se faire
aux premiers rayons de l'aurore. Dès qu'il eut fini cet
ouvrage, il courut chez une femme d'Astarté, la
réveilla, et lui fit entendre qu'il fallait dans l'instant
même porter ce tableau à la reine.

Cependant, au milieu de la nuit, on vient frapper à
la porte de Zadig ; on le réveille ; on lui donne un billet
de la reine ; il doute si c'est un songe ; il ouvre la lettre
d'une main tremblante. Quelle fut sa surprise, et qui
pourrait exprimer la consternation et le désespoir dont
il fut accablé quand il lut ces paroles : « Fuyez, dans
l'instant même, ou l'on va vous arracher la vie ! Fuyez,
Zadig ; je vous l'ordonne au nom de notre amour et de

mes rubans jaunes. Je n'étais point coupable ; mais je sens que je vais mourir criminelle. »

Zadig eut à peine la force de parler. Il ordonna qu'on fît venir Cador, et, sans lui rien dire, il lui donna ce billet. Cador le força d'obéir, et de prendre sur-le-champ la route de Memphis. « Si vous osez aller trouver la reine, lui dit-il, vous hâtez sa mort ; si vous parlez au roi, vous la perdez encore. Je me charge de sa destinée ; suivez la vôtre. Je répandrai le bruit que vous avez pris la route des Indes. Je viendrai bientôt vous trouver, et je vous apprendrai ce qui se sera passé à Babylone. »

Cador, dans le moment même, fit placer deux dromadaires des plus légers à la course vers une porte secrète du palais ; il y fit monter Zadig, qu'il fallut porter, et qui était près de rendre l'âme. Un seul domestique l'accompagna ; et bientôt Cador, plongé dans l'étonnement et dans la douleur, perdit son ami de vue.

Cet illustre fugitif, arrivé sur le bord d'une colline dont on voyait Babylone, tourna la vue sur le palais de la reine, et s'évanouit ; il ne reprit ses sens que pour verser des larmes et pour souhaiter la mort. Enfin, après s'être occupé de la destinée déplorable de la plus aimable des femmes et de la première reine du monde, il fit un moment de retour sur lui-même, et s'écria : « Qu'est-ce donc que la vie humaine ? O vertu ! à quoi m'avez-vous servi ? Deux femmes m'ont indignement trompé ; la troisième, qui n'est point coupable, et qui est plus belle que les autres, va mourir ! Tout ce que j'ai fait de bien a toujours été pour moi une source de malédictions, et je n'ai été élevé au comble de la grandeur que pour tomber dans le plus horrible précipice de l'infortune. Si j'eusse été méchant comme tant d'autres, je serais heureux comme eux. » Accablé de ces réflexions funestes, les yeux chargés du voile de la douleur, la pâleur de la mort sur le visage, et l'âme abîmée dans l'excès d'un sombre désespoir, il continuait son voyage vers l'Egypte.

CHAPITRE NEUVIEME

LA FEMME BATTUE

Zadig dirigeait sa route sur les étoiles. La constella-
tion d'Orion et le brillant astre de Sirius le guidaient
vers le pôle de Canope[30]. Il admirait ces vastes globes
de lumière qui ne paraissent que de faibles étincelles à
nos yeux, tandis que la terre, qui n'est en effet qu'un
point imperceptible dans la nature, paraît à notre
cupidité quelque chose de si grand et de si noble. Il se
figurait alors les hommes tels qu'ils sont en effet, des
insectes se dévorant les uns les autres sur un petit
atome de boue. Cette image vraie semblait anéantir
ses malheurs, en lui retraçant le néant de son être et
celui de Babylone. Son âme s'élançait jusque dans
l'infini, et contemplait, détachée de ses sens, l'ordre
immuable de l'univers. Mais lorsque ensuite, rendu à
lui-même et rentrant dans son cœur, il pensait
qu'Astarté était peut-être morte pour lui, l'univers
disparaissait à ses yeux, et il ne voyait dans la nature
entière qu'Astarté mourante et Zadig infortuné.

Comme il se livrait à ce flux et à ce reflux de
philosophie sublime et de douleur accablante, il avan-
çait vers les frontières de l'Egypte ; et déjà son domes-
tique fidèle était dans la première bourgade, où il lui
cherchait un logement. Zadig cependant se promenait
vers les jardins qui bordaient ce village. Il vit, non loin
du grand chemin, une femme éplorée qui appelait le
ciel et la terre à son secours, et un homme furieux qui
la suivait. Elle était déjà atteinte par lui, elle embrassait
ses genoux. Cet homme l'accablait de coups et de
reproches. Il jugea, à la violence de l'Egyptien et aux
pardons réitérés que lui demandait la dame, que l'un
était un jaloux, et l'autre une infidèle ; mais, quand il
eut considéré cette femme, qui était d'une beauté
touchante, et qui même ressemblait un peu à la mal-
heureuse Astarté, il se sentit pénétré de compassion
pour elle, et d'horreur pour l'Egyptien. « Secourez-

moi, s'écria-t-elle à Zadig avec des sanglots ; tirez-moi des mains du plus barbare des hommes, sauvez-moi la vie ! »

A ces cris, Zadig courut se jeter entre elle et ce barbare. Il avait quelque connaissance de la langue égyptienne. Il lui dit en cette langue : « Si vous avez quelque humanité, je vous conjure de respecter la beauté et la faiblesse. Pouvez-vous outrager ainsi un chef-d'œuvre de la nature, qui est à vos pieds, et qui n'a pour sa défense que des larmes ? — Ah ! ah ! lui dit cet emporté, tu l'aimes donc aussi ! et c'est de toi qu'il faut que je me venge. » En disant ces paroles, il laisse la dame, qu'il tenait d'une main par les cheveux, et, prenant sa lance, il veut en percer l'étranger. Celui-ci, qui était de sang-froid, évita aisément le coup d'un furieux. Il se saisit de la lance près du fer dont elle est armée. L'un veut la retirer, l'autre l'arracher. Elle se brise entre leurs mains. L'Egyptien tire son épée ; Zadig s'arme de la sienne. Ils s'attaquent l'un l'autre. Celui-ci porte cent coups précipités ; celui-là les pare avec adresse. La dame, assise sur un gazon, rajuste sa coiffure et les regarde. L'Egyptien était plus robuste que son adversaire, Zadig était plus adroit. Celui-ci se battait en homme dont la tête conduisait le bras, et celui-là comme un emporté dont une colère aveugle guidait les mouvements au hasard. Zadig passe à lui, et le désarme ; et tandis que l'Egyptien, devenu plus furieux, veut se jeter sur lui, il le saisit, le presse, le fait tomber en lui tenant l'épée sur la poitrine ; il lui offre de lui donner la vie. L'Egyptien, hors de lui, tire son poignard ; il en blesse Zadig dans le temps même que le vainqueur lui pardonnait. Zadig, indigné, lui plonge son épée dans le sein. L'Egyptien jette un cri horrible, et meurt en se débattant.

Zadig alors s'avança vers la dame, et lui dit d'une voix soumise : « Il m'a forcé de le tuer : je vous ai vengée ; vous êtes délivrée de l'homme le plus violent que j'aie jamais vu. Que voulez-vous maintenant de moi, madame ? — Que tu meures, scélérat, lui répondit-elle ; que tu meures ! tu as tué mon amant ; je

voudrais pouvoir déchirer ton cœur. — En vérité,
madame, vous aviez là un étrange homme pour
amant, lui répondit Zadig ; il vous battait de toutes ses
forces et il voulait m'arracher la vie parce que vous
m'avez conjuré de vous secourir. — Je voudrais qu'il
me battît encore, reprit la dame en poussant des cris.
Je le méritais bien, je lui avais donné de la jalousie.
Plût au ciel qu'il me battît, et que tu fusses à sa
place ! » Zadig, plus surpris et plus en colère qu'il ne
l'avait été de sa vie, lui dit : « Madame, toute belle que
vous êtes, vous mériteriez que je vous battisse à mon
tour, tant vous êtes extravagante ; mais je n'en pren-
drai pas la peine. » Là-dessus il remonta sur son cha-
meau[31], et avança vers le bourg. A peine avait-il fait
quelques pas qu'il se retourne au bruit que faisaient
quatre courriers de Babylone. Ils venaient à toute
bride. L'un d'eux, en voyant cette femme, s'écria :
« C'est elle-même ! Elle ressemble au portrait qu'on
nous en a fait. » Ils ne s'embarrassèrent pas du mort, et
se saisirent incontinent de la dame. Elle ne cessait de
crier à Zadig : « Secourez-moi encore une fois, étran-
ger généreux ! je vous demande pardon de m'être
plainte de vous : secourez-moi, et je suis à vous
jusqu'au tombeau ! » L'envie avait passé à Zadig de se
battre désormais pour elle. « A d'autres ! répond-il ;
vous ne m'y attraperez plus. »

D'ailleurs il était blessé, son sang coulait, il avait
besoin de secours ; et la vue des quatre Babyloniens,
probablement envoyés par le roi Moabdar, le remplis-
sait d'inquiétude. Il s'avance en hâte vers le village,
n'imaginant pas pourquoi quatre courriers de Baby-
lone venaient prendre cette Egyptienne, mais encore
plus étonné du caractère de cette dame.

CHAPITRE DIXIÈME

L'ESCLAVAGE

Comme il entrait dans la bourgade égyptienne, il se
vit entouré par le peuple. Chacun criait : « Voilà celui
qui a enlevé la belle Missouf, et qui vient d'assassiner

Clétofis ! — Messieurs, dit-il, Dieu me préserve d'enlever jamais votre belle Missouf ! elle est trop capricieuse ; et, à l'égard de Clétofis, je ne l'ai point assassiné ; je me suis défendu seulement contre lui. Il voulait me tuer, parce que je lui avais demandé très humblement grâce pour la belle Missouf, qu'il battait impitoyablement. Je suis un étranger qui vient chercher un asile dans l'Egypte ; et il n'y a pas d'apparence qu'en venant demander votre protection j'aie commencé par enlever une femme, et par assassiner un homme. »

Les Egyptiens étaient alors justes et humains. Le peuple conduisit Zadig à la maison de ville. On commença par le faire panser de sa blessure, et ensuite on l'interrogea, lui et son domestique séparément, pour savoir la vérité. On reconnut que Zadig n'était point un assassin ; mais il était coupable du sang d'un homme : la loi le condamnait à être esclave. On vendit au profit de la bourgade ses deux chameaux ; on distribua aux habitants tout l'or qu'il avait apporté ; sa personne fut exposée en vente dans la place publique, ainsi que celle de son compagnon de voyage. Un marchand arabe, nommé Sétoc, y mit l'enchère ; mais le valet, plus propre à la fatigue, fut vendu bien plus chèrement que le maître. On ne faisait pas de comparaison entre ces deux hommes. Zadig fut donc esclave subordonné à son valet : on les attacha ensemble avec une chaîne qu'on leur passa aux pieds, et en cet état ils suivirent le marchand arabe dans sa maison. Zadig, en chemin, consolait son domestique, et l'exhortait à la patience ; mais, selon sa coutume, il faisait des réflexions sur la vie humaine. « Je vois, lui disait-il, que les malheurs de ma destinée se répandent sur la tienne. Tout m'a tourné jusqu'ici d'une façon bien étrange. J'ai été condamné à l'amende pour avoir vu passer une chienne ; j'ai pensé être empalé pour un griffon ; j'ai été envoyé au supplice parce que j'avais fait des vers à la louange du roi ; j'ai été sur le point d'être étranglé parce que la reine avait des rubans jaunes, et me voici esclave avec toi parce qu'un brutal

a battu sa maîtresse. Allons, ne perdons point courage ; tout ceci finira peut-être ; il faut bien que les marchands arabes aient des esclaves ; et pourquoi ne le serais-je pas comme un autre, puisque je suis un homme comme un autre ? Ce marchand ne sera pas impitoyable ; il faut qu'il traite bien ses esclaves, s'il en veut tirer des services. » Il parlait ainsi, et dans le fond de son cœur il était occupé du sort de la reine de Babylone.

Sétoc, le marchand, partit deux jours après pour l'Arabie déserte avec ses esclaves et ses chameaux. Sa tribu habitait vers le désert d'Horeb[32]. Le chemin fut long et pénible. Sétoc, dans la route, faisait bien plus de cas du valet que du maître, parce que le premier chargeait bien mieux les chameaux ; et toutes les petites distinctions furent pour lui.

Un chameau mourut à deux journées d'Horeb : on répartit sa charge sur le dos de chacun des serviteurs ; Zadig en eut sa part. Sétoc se mit à rire en voyant tous ses esclaves marcher courbés. Zadig prit la liberté de lui en expliquer la raison, et lui apprit les lois de l'équilibre. Le marchand, étonné, commença à le regarder d'un autre œil. Zadig, voyant qu'il avait excité sa curiosité, la redoubla en lui apprenant beaucoup de choses qui n'étaient point étrangères à son commerce ; les pesanteurs spécifiques des métaux et des denrées sous un volume égal ; les propriétés de plusieurs animaux utiles ; le moyen de rendre tels ceux qui ne l'étaient pas ; enfin il lui parut un sage. Sétoc lui donna la préférence sur son camarade, qu'il avait tant estimé. Il le traita bien, et n'eut pas sujet de s'en repentir.

Arrivé dans sa tribu, Sétoc commença par redemander cinq cents onces d'argent à un Hébreu auquel il les avait prêtées en présence de deux témoins ; mais ces deux témoins étaient morts, et l'Hébreu, ne pouvant être convaincu, s'appropriait l'argent du marchand, en remerciant Dieu de ce qu'il lui avait donné le moyen

de tromper un Arabe. Sétoc confia sa peine à Zadig, qui était devenu son conseil. « En quel endroit, demanda Zadig, prêtâtes-vous vos cinq cents onces à cet infidèle ? — Sur une large pierre, répondit le marchand, qui est auprès du mont Horeb. — Quel est le caractère de votre débiteur ? dit Zadig. — Celui d'un fripon, reprit Sétoc. — Mais je vous demande si c'est un homme vif ou flegmatique, avisé ou imprudent. — C'est de tous les mauvais payeurs, dit Sétoc, le plus vif que je connaisse. — Eh bien ! insista Zadig, permettez que je plaide votre cause devant le juge. » En effet il cita l'Hébreu au tribunal, et il parla ainsi au juge : « Oreiller du trône d'équité, je viens redemander à cet homme, au nom de mon maître, cinq cents onces d'argent qu'il ne veut pas rendre. — Avez-vous des témoins ? dit le juge. — Non, ils sont morts ; mais il reste une large pierre sur laquelle l'argent fut compté ; et s'il plaît à Votre Grandeur d'ordonner qu'on aille chercher la pierre, j'espère qu'elle portera témoignage ; nous resterons ici, l'Hébreu et moi, en attendant que la pierre vienne ; je l'enverrai chercher aux dépens de Sétoc, mon maître. — Très volontiers », répondit le juge ; et il se mit à expédier d'autres affaires.

A la fin de l'audience : « Eh bien ! dit-il à Zadig, votre pierre n'est pas encore venue ? » L'Hébreu, en riant, répondit : « Votre Grandeur resterait ici jusqu'à demain que la pierre ne serait pas encore arrivée ; elle est à plus de six milles d'ici, et il faudrait quinze hommes pour la remuer. — Eh bien ! s'écria Zadig, je vous avais bien dit que la pierre porterait témoignage ; puisque cet homme sait où elle est, il avoue donc que c'est sur elle que l'argent fut compté. » L'Hébreu, déconcerté, fut bientôt contraint de tout avouer. Le juge ordonna qu'il serait lié à la pierre, sans boire ni manger, jusqu'à ce qu'il eût rendu les cinq cents onces, qui furent bientôt payées [33].

L'esclave Zadig et la pierre furent en grande recommandation dans l'Arabie.

CHAPITRE ONZIÈME

LE BÛCHER

Sétoc, enchanté, fit de son esclave son ami intime. Il ne pouvait pas plus se passer de lui qu'avait fait le roi de Babylone ; et Zadig fut heureux que Sétoc n'eût point de femme. Il découvrait dans son maître un naturel porté au bien, beaucoup de droiture et de bon sens. Il fut fâché de voir qu'il adorait l'armée céleste, c'est-à-dire le soleil, la lune, et les étoiles, selon l'ancien usage d'Arabie[34]. Il lui en parlait quelquefois avec beaucoup de discrétion. Enfin il lui dit que c'étaient des corps comme les autres, qui ne méritaient pas plus son hommage qu'un arbre ou un rocher. « Mais, disait Sétoc, ce sont des êtres éternels dont nous tirons tous nos avantages ; ils animent la nature ; ils règlent les saisons ; ils sont d'ailleurs si loin de nous qu'on ne peut pas s'empêcher de les révérer. — Vous recevez plus d'avantages, répondit Zadig, des eaux de la mer Rouge, qui porte vos marchandises aux Indes. Pourquoi ne serait-elle pas aussi ancienne que les étoiles ? Et si vous adorez ce qui est éloigné de vous, vous devez adorer la terre des Gangarides, qui est aux extrémités du monde[35]. — Non, disait Sétoc, les étoiles sont trop brillantes pour que je ne les adore pas. » Le soir venu, Zadig alluma un grand nombre de flambeaux dans la tente où il devait souper avec Sétoc ; et dès que son patron parut, il se jeta à genoux devant ces cires allumées, et leur dit : « Eternelles et brillantes clartés, soyez-moi toujours propices ! » Ayant proféré ces paroles, il se mit à table sans regarder Sétoc. « Que faites-vous donc ? lui dit Sétoc étonné. — Je fais comme vous, répondit Zadig ; j'adore ces chandelles, et je néglige leur maître et le mien. » Sétoc comprit le sens profond de cet apologue. La sagesse de son esclave entra dans son âme ; il ne prodigua plus son encens aux créatures, et adora l'Etre éternel qui les a faites.

Il y avait alors dans l'Arabie une coutume affreuse, venue originairement de Scythie, et qui, s'étant établie dans les Indes par le crédit des bracmanes, menaçait d'envahir tout l'Orient. Lorsqu'un homme marié était mort, et que sa femme bien-aimée voulait être sainte, elle se brûlait en public sur le corps de son mari[36]. C'était une fête solennelle qui s'appelait *le bûcher du veuvage*. La tribu dans laquelle il y avait eu le plus de femmes brûlées était la plus considérée. Un Arabe de la tribu de Sétoc étant mort, sa veuve, nommée Almona, qui était fort dévote, fit savoir le jour et l'heure où elle se jetterait dans le feu au son des tambours et des trompettes. Zadig remontra à Sétoc combien cette horrible coutume était contraire au bien du genre humain ; qu'on laissait brûler tous les jours de jeunes veuves qui pouvaient donner des enfants à l'Etat, ou du moins élever les leurs ; et il le fit convenir qu'il fallait, si on pouvait, abolir un usage si barbare. Sétoc répondit : « Il y a plus de mille ans que les femmes sont en possession de se brûler. Qui de nous osera changer une loi que le temps a consacrée ? Y a-t-il rien de plus respectable qu'un ancien abus ? — La raison est plus ancienne, reprit Zadig. Parlez aux chefs des tribus, et je vais trouver la jeune veuve. »

Il se fit présenter à elle ; et après s'être insinué dans son esprit par des louanges sur sa beauté, après lui avoir dit combien c'était dommage de mettre au feu tant de charmes, il la loua encore sur sa constance et sur son courage. « Vous aimiez donc prodigieusement votre mari ? lui dit-il. — Moi ? point du tout, répondit la dame arabe. C'était un brutal, un jaloux, un homme insupportable ; mais je suis fermement résolue de me jeter sur son bûcher. — Il faut, dit Zadig, qu'il y ait apparemment un plaisir bien délicieux à être brûlée vive. — Ah ! cela fait frémir la nature, dit la dame ; mais il faut en passer par là. Je suis dévote ; je serais perdue de réputation, et tout le monde se moquerait de moi si je ne me brûlais pas. » Zadig, l'ayant fait convenir qu'elle se brûlait pour les autres et par vanité, lui parla longtemps d'une manière à lui faire aimer un

peu la vie, et parvint même à lui inspirer quelque
bienveillance pour celui qui lui parlait. « Que feriez-
vous enfin, lui dit-il, si la vanité de vous brûler ne vous
tenait pas ? — Hélas ! dit la dame, je crois que je vous
prierais de m'épouser. »

Zadig était trop rempli de l'idée d'Astarté pour ne
pas éluder cette déclaration ; mais il alla dans l'instant
trouver les chefs des tribus, leur dit ce qui s'était passé,
et leur conseilla de faire une loi par laquelle il ne serait
permis à une veuve de se brûler qu'après avoir entre-
tenu un jeune homme tête à tête pendant une heure
entière. Depuis ce temps, aucune dame ne se brûla en
Arabie. On eut au seul Zadig l'obligation d'avoir
détruit en un jour une coutume si cruelle, qui durait
depuis tant de siècles. Il était donc le bienfaiteur de
l'Arabie.

CHAPITRE DOUZIÈME

LE SOUPER

Sétoc, qui ne pouvait se séparer de cet homme en
qui habitait la sagesse, le mena à la grande foire de
Balzora[37], où devaient se rendre les plus grands négo-
ciants de la terre habitable. Ce fut pour Zadig une
consolation sensible de voir tant d'hommes de
diverses contrées réunis dans la même place. Il lui
paraissait que l'univers était une grande famille qui se
rassemblait à Balzora. Il se trouva à table, dès le
second jour, avec un Egyptien, un Indien gangaride,
un habitant du Cathay, un Grec, un Celte, et plusieurs
autres étrangers qui, dans leurs fréquents voyages vers
le golfe Arabique, avaient appris assez d'arabe pour se
faire entendre. L'Egyptien paraissait fort en colère.
« Quel abominable pays que Balzora ! disait-il ; on m'y
refuse mille onces d'or sur le meilleur effet du monde.
— Comment donc, dit Sétoc ; sur quel effet vous a-

t-on refusé cette somme ? — Sur le corps de ma tante, répondit l'Egyptien ; c'était la plus brave femme d'Egypte. Elle m'accompagnait toujours ; elle est morte en chemin : j'en ai fait une des plus belles momies que nous ayons ; et je trouverais dans mon pays tout ce que je voudrais en la mettant en gage. Il est bien étrange qu'on ne veuille pas seulement me donner ici mille onces d'or sur un effet si solide. » Tout en se courrouçant, il était près de manger d'une excellente poule bouillie, quand l'Indien, le prenant par la main, s'écria avec douleur : « Ah ! qu'allez-vous faire ? — Manger de cette poule, dit l'homme à la momie. — Gardez-vous-en bien, dit le Gangaride ; il se pourrait faire que l'âme de la défunte fût passée dans le corps de cette poule, et vous ne voudriez pas vous exposer à manger votre tante. Faire cuire des poules, c'est outrager manifestement la nature. — Que voulez-vous dire avec votre nature et vos poules ? reprit le colérique Egyptien ; nous adorons un bœuf, et nous en mangeons bien. — Vous adorez un bœuf ! est-il possible ? dit l'homme du Gange. — Il n'y a rien de si possible, repartit l'autre ; il y a cent trente-cinq mille ans que nous en usons ainsi, et personne parmi nous n'y trouve à redire. — Ah ! cent trente-cinq mille ans ! dit l'Indien, ce compte est un peu exagéré ; il n'y en a que quatre-vingt mille que l'Inde est peuplée, et assurément nous sommes vos anciens, et Brama[38] nous avait défendu de manger des bœufs avant que vous vous fussiez avisés de les mettre sur les autels et à la broche. — Voilà un plaisant animal que votre Brama, pour le comparer à Apis ! dit l'Egyptien ; qu'a donc fait votre Brama de si beau ? » Le bramin répondit : « C'est lui qui a appris aux hommes à lire et à écrire, et à qui toute la terre doit le jeu des échecs. — Vous vous trompez, dit un Chaldéen qui était auprès de lui ; c'est le poisson Oannès à qui on doit de si grands bienfaits, et il est juste de ne rendre qu'à lui ses hommages. Tout le monde vous dira que c'était un être divin, qu'il avait la queue dorée, avec une belle tête d'homme, et qu'il sortait de l'eau pour venir

prêcher à terre trois heures par jour. Il eut plusieurs
enfants qui furent rois, comme chacun sait. J'ai son
portrait chez moi, que je révère comme je le dois. On
peut manger du bœuf tant qu'on veut ; mais c'est
assurément une très grande impiété de faire cuire du
poisson ; d'ailleurs vous êtes tous deux d'une origine
trop peu noble et trop récente pour me rien disputer.
La nation égyptienne ne compte que cent trente-cinq
mille ans, et les Indiens ne se vantent que de quatre-
vingt mille, tandis que nous avons des almanachs de
quatre mille siècles. Croyez-moi, renoncez à vos folies,
et je vous donnerai à chacun un beau portrait d'Oan-
nès [39]. »

L'homme de Cambalu, prenant la parole, dit : « Je
respecte fort les Egyptiens, les Chaldéens, les Grecs,
les Celtes, Brama, le bœuf Apis, le beau poisson Oan-
nès ; mais peut-être que le Li ou le Tien [b], comme on
voudra l'appeler, vaut bien les bœufs et les poissons. Je
ne dirai rien de mon pays ; il est aussi grand que la
terre d'Egypte, la Chaldée et les Indes ensemble. Je ne
dispute pas d'antiquité, parce qu'il suffit d'être heu-
reux, et que c'est fort peu de chose d'être ancien ;
mais, s'il fallait parler d'almanachs, je dirais que toute
l'Asie prend les nôtres, et que nous en avions de fort
bons avant qu'on sût l'arithmétique en Chaldée.

— Vous êtes de grands ignorants tous tant que
vous êtes ! s'écria le Grec ; est-ce que vous ne savez
pas que le chaos est le père de tout, et que la forme et
la matière ont mis le monde dans l'état où il est ? » Ce
Grec parla longtemps ; mais il fut enfin interrompu
par le Celte, qui, ayant beaucoup bu pendant qu'on
disputait, se crut alors plus savant que tous les autres,
et dit en jurant qu'il n'y avait que Teutath [41] et le gui
de chêne qui valussent la peine qu'on en parlât ; que,
pour lui, il avait toujours du gui dans sa poche ; que
les Scythes, ses ancêtres, étaient les seules gens de bien
qui eussent jamais été au monde ; qu'ils avaient, à la
vérité, quelquefois mangé des hommes, mais que cela

b. Mots chinois qui signifient proprement : *Li*, la lumière na-
turelle, la raison ; et *Tien*, le ciel ; et qui signifient aussi Dieu [40].

n'empêchait pas qu'on ne dût avoir beaucoup de respect pour sa nation ; et qu'enfin, si quelqu'un parlait mal de Teutath, il lui apprendrait à vivre. La querelle s'échauffa pour lors, et Sétoc vit le moment où la table allait être ensanglantée. Zadig, qui avait gardé le silence pendant toute la dispute, se leva enfin : il s'adressa d'abord au Celte, comme au plus furieux ; il lui dit qu'il avait raison, et lui demanda du gui ; il loua le Grec sur son éloquence, et adoucit tous les esprits échauffés. Il ne dit que très peu de chose à l'homme du Cathay, parce qu'il avait été le plus raisonnable de tous. Ensuite il leur dit : « Mes amis, vous alliez vous quereller pour rien, car vous êtes tous du même avis. » À ce mot, ils se récrièrent tous. « N'est-il pas vrai, dit-il au Celte, que vous n'adorez pas ce gui, mais celui qui a fait le gui et le chêne ? — Assurément, répondit le Celte. — Et vous, monsieur l'Egyptien, vous révérez apparemment dans un certain bœuf celui qui vous a donné les bœufs ? — Oui, dit l'Egyptien. — Le poisson Oannès, continua-t-il, doit céder à celui qui a fait la mer et les poissons. — D'accord, dit le Chaldéen. — L'Indien, ajouta-t-il, et le Cathayen, reconnaissent comme vous un premier principe ; je n'ai pas trop bien compris les choses admirables que le Grec a dites, mais je suis sûr qu'il admet aussi un Etre supérieur, de qui la forme et la matière dépendent. » Le Grec, qu'on admirait, dit que Zadig avait très bien pris sa pensée. « Vous êtes donc tous de même avis, répliqua Zadig, et il n'y a pas là de quoi se quereller. » Tout le monde l'embrassa. Sétoc, après avoir vendu fort cher ses denrées, reconduisit son ami Zadig dans sa tribu. Zadig apprit en arrivant qu'on lui avait fait son procès en son absence, et qu'il allait être brûlé à petit feu.

CHAPITRE TREIZIÈME

LES RENDEZ-VOUS

Pendant son voyage à Balzora, les prêtres des étoiles avaient résolu de le punir. Les pierreries et les ornements des jeunes veuves qu'ils envoyaient au bûcher

leur appartenaient de droit ; c'était bien le moins qu'ils fissent brûler Zadig pour le mauvais tour qu'il leur avait joué. Ils accusèrent donc Zadig d'avoir des sentiments erronés sur l'armée céleste [42] ; ils déposèrent contre lui, et jurèrent qu'ils lui avaient entendu dire que les étoiles ne se couchaient pas dans la mer. Ce blasphème effroyable fit frémir les juges ; ils furent prêts de déchirer leurs vêtements, quand ils ouïrent ces paroles impies, et ils l'auraient fait, sans doute, si Zadig avait eu de quoi les payer. Mais, dans l'excès de leur douleur, ils se contentèrent de le condamner à être brûlé à petit feu. Sétoc, désespéré, employa en vain son crédit pour sauver son ami ; il fut bientôt obligé de se taire. La jeune veuve Almona, qui avait pris beaucoup de goût à la vie, et qui en avait obligation à Zadig, résolut de le tirer du bûcher, dont il lui avait fait connaître l'abus. Elle roula son dessein dans sa tête, sans en parler à personne. Zadig devait être exécuté le lendemain ; elle n'avait que la nuit pour le sauver : voici comme elle s'y prit en femme charitable et prudente.

Elle se parfuma ; elle releva sa beauté par l'ajustement le plus riche et le plus galant, et alla demander une audience secrète au chef des prêtres des étoiles. Quand elle fut devant ce vieillard vénérable, elle lui parla en ces termes : « Fils aîné de la grande Ourse, frère du Taureau, cousin du Grand Chien (c'étaient les titres de ce pontife), je viens vous confier mes scrupules. J'ai bien peur d'avoir commis un péché énorme en ne me brûlant pas dans le bûcher de mon cher mari. En effet qu'avais-je à conserver ? une chair périssable, et qui est déjà toute flétrie. » En disant ces paroles, elle tira de ses longues manches de soie ses bras nus, d'une forme admirable et d'une blancheur éblouissante. « Vous voyez, dit-elle, le peu que cela vaut. » Le pontife trouva dans son cœur que cela valait beaucoup. Ses yeux le dirent, et sa bouche le confirma : il jura qu'il n'avait vu de sa vie de si beaux bras. « Hélas ! lui dit la veuve, les bras peuvent être un peu moins mal que le reste ; mais vous m'avouerez

que la gorge n'était pas digne de mes attentions. »
Alors elle laissa voir le sein le plus charmant que la
nature eût jamais formé. Un bouton de rose sur une
pomme d'ivoire n'eût paru auprès que de la garance
sur du buis, et les agneaux sortant du lavoir auraient
semblé d'un jaune brun. Cette gorge, ses grands yeux
noirs qui languissaient en brillant doucement d'un feu
tendre, ses joues animées de la plus belle pourpre
mêlée au blanc de lait le plus pur ; son nez, qui n'était
pas comme la tour du mont Liban[43], ses lèvres, qui
étaient comme deux bordures de corail renfermant les
plus belles perles de la mer d'Arabie, tout cela
ensemble fit croire au vieillard qu'il avait vingt ans. Il
fit en bégayant une déclaration tendre. Almona, le
voyant enflammé, lui demanda la grâce de Zadig.
« Hélas ! dit-il, ma belle dame, quand je vous accorde-
rais sa grâce, mon indulgence ne servirait de rien ; il
faut qu'elle soit signée de trois autres de mes
confrères. — Signez toujours, dit Almona. — Volon-
tiers, dit le prêtre, à condition que vos faveurs seront le
prix de ma facilité. — Vous me faites trop d'honneur,
dit Almona ; ayez seulement pour agréable de venir
dans ma chambre après que le soleil sera couché, et
dès que la brillante étoile *Sheat*[44] sera sur l'horizon,
vous me trouverez sur un sofa couleur de rose, et vous
en userez comme vous pourrez avec votre servante. »
Elle sortit alors, emportant avec elle la signature, et
laissa le vieillard plein d'amour et de défiance de ses
forces. Il employa le reste du jour à se baigner ; il but
une liqueur composée de la cannelle de Ceylan, et des
précieuses épices de Tidor et de Ternate[45], et attendit
avec impatience que l'étoile *Sheat* vînt à paraître.

Cependant la belle Almona alla trouver le second
pontife. Celui-ci l'assura que le soleil, la lune, et tous
les feux du firmament, n'étaient que des feux follets en
comparaison de ses charmes. Elle lui demanda la
même grâce, et on lui proposa d'en donner le même
prix. Elle se laissa vaincre, et donna rendez-vous au
second pontife au lever de l'étoile *Algénib*. De là elle
passa chez le troisième et chez le quatrième prêtre,

prenant toujours une signature, et donnant un rendez-vous d'étoile en étoile. Alors elle fit avertir les juges de venir chez elle pour une affaire importante. Ils s'y rendirent : elle leur montra les quatre noms, et leur dit à quel prix les prêtres avaient vendu la grâce de Zadig. Chacun d'eux arriva à l'heure prescrite ; chacun fut bien étonné d'y trouver ses confrères, et plus encore d'y trouver les juges, devant qui leur honte fut manifestée. Zadig fut sauvé. Sétoc fut si charmé de l'habileté d'Almona, qu'il en fit sa femme.

Zadig partit après s'être jeté aux pieds de sa belle libératrice. Sétoc et lui se quittèrent en pleurant, en se jurant une amitié éternelle, et en se promettant que le premier des deux qui ferait une grande fortune en ferait part à l'autre.

Zadig marcha du côté de la Syrie, toujours pensant à la malheureuse Astarté, et toujours réfléchissant sur le sort qui s'obstinait à se jouer de lui et à le persécuter. « Quoi ! disait-il, quatre cents onces d'or pour avoir vu passer une chienne ! condamné à être décapité pour quatre mauvais vers à la louange du roi ! prêt à être étranglé parce que la reine avait des babouches de la couleur de mon bonnet ! réduit en esclavage pour avoir secouru une femme qu'on battait ! et sur le point d'être brûlé pour avoir sauvé la vie à toutes les jeunes veuves arabes ! »

CHAPITRE QUATORZIÈME

LE BRIGAND

En arrivant aux frontières qui séparent l'Arabie Pétrée de la Syrie, comme il passait près d'un château assez fort, des Arabes armés en sortirent. Il se vit entouré ; on lui criait : « Tout ce que vous avez nous appartient, et votre personne appartient à notre maître. » Zadig, pour réponse, tira son épée ; son valet,

qui avait du courage, en fit autant. Ils renversèrent morts les premiers Arabes qui mirent la main sur eux ; le nombre redoubla : ils ne s'étonnèrent point, et résolurent de périr en combattant. On voyait deux hommes se défendre contre une multitude ; un tel combat ne pouvait durer longtemps. Le maître du château, nommé Arbogad, ayant vu d'une fenêtre les prodiges de valeur que faisait Zadig, conçut de l'estime pour lui. Il descendit en hâte, et vint lui-même écarter ses gens et délivrer les deux voyageurs. « Tout ce qui passe sur mes terres est à moi, dit-il, aussi bien que ce que je trouve sur les terres des autres ; mais vous me paraissez un si brave homme que je vous exempte de la loi commune. » Il le fit entrer dans son château, ordonnant à ses gens de le bien traiter ; et, le soir, Arbogad voulut souper avec Zadig.

Le seigneur du château était un de ces Arabes qu'on appelle *voleurs* ; mais il faisait quelquefois de bonnes actions parmi une foule de mauvaises ; il volait avec une rapacité furieuse, et donnait libéralement : intrépide dans l'action, assez doux dans le commerce, débauché à table, gai dans la débauche, et surtout plein de franchise. Zadig lui plut beaucoup ; sa conversation, qui s'anima, fit durer le repas ; enfin Arbogad lui dit : « Je vous conseille de vous enrôler sous moi, vous ne sauriez mieux faire ; ce métier-ci n'est pas mauvais ; vous pourrez un jour devenir ce que je suis. — Puis-je vous demander, dit Zadig, depuis quel temps vous exercez cette noble profession ? — Dès ma plus tendre jeunesse, reprit le seigneur. J'étais valet d'un Arabe assez habile ; ma situation m'était insupportable. J'étais au désespoir de voir que, dans toute la terre qui appartient également aux hommes, la destinée ne m'eût pas réservé ma portion. Je confiai mes peines à un vieil Arabe, qui me dit : « Mon fils, ne désespérez pas ; il y avait autrefois un grain de sable qui se lamentait d'être un atome ignoré dans les déserts ; au bout de quelques années il devint diamant, et il est à présent le plus bel ornement de la couronne du roi des Indes. » Ce discours me fit

impression ; j'étais le grain de sable, je résolus de devenir diamant. Je commençai par voler deux chevaux ; je m'associai des camarades ; je me mis en état de voler de petites caravanes : ainsi je fis cesser peu à peu la disproportion qui était d'abord entre les hommes et moi. J'eus ma part aux biens de ce monde, et je fus même dédommagé avec usure : on me considéra beaucoup ; je devins seigneur brigand ; j'acquis ce château par voie de fait. Le satrape de Syrie voulut m'en déposséder ; mais j'étais déjà trop riche pour avoir rien à craindre ; je donnai de l'argent au satrape, moyennant quoi je conservai ce château, et j'agrandis mes domaines ; il me nomma même trésorier des tributs que l'Arabie Pétrée payait au roi des rois. Je fis ma charge de receveur, et point du tout celle de payeur.

« Le grand desterham de Babylone envoya ici, au nom du roi Moabdar, un petit satrape pour me faire étrangler. Cet homme arriva avec son ordre : j'étais instruit de tout ; je fis étrangler en sa présence les quatre personnes qu'il avait amenées avec lui pour serrer le lacet ; après quoi je lui demandai ce que pouvait lui valoir la commission de m'étrangler. Il me répondit que ses honoraires pouvaient aller à trois cents pièces d'or. Je lui fis voir clair qu'il y aurait plus à gagner avec moi. Je le fis sous-brigand ; il est aujourd'hui un de mes meilleurs officiers, et des plus riches. Si vous m'en croyez, vous réussirez comme lui. Jamais la saison de voler n'a été meilleure, depuis que Moabdar est tué, et que tout est en confusion dans Babylone.

— Moabdar est tué ! dit Zadig ; et qu'est devenue la reine Astarté ? — Je n'en sais rien, reprit Arbogad. Tout ce que je sais, c'est que Moabdar est devenu fou, qu'il a été tué, que Babylone est un grand coupe-gorge, que tout l'empire est désolé, qu'il y a de beaux coups à faire encore, et que pour ma part, j'en ai fait d'admirables. — Mais la reine, dit Zadig ; de grâce, ne savez-vous rien de la destinée de la reine ? — On m'a parlé d'un prince d'Hyrcanie, reprit-il ; elle est pro-

bablement parmi ses concubines, si elle n'a pas été tuée dans le tumulte ; mais je suis plus curieux de butin que de nouvelles. J'ai pris plusieurs femmes dans mes courses, je n'en garde aucune ; je les vends cher quand elles sont belles, sans m'informer de ce qu'elles sont. On n'achète point le rang ; une reine qui serait laide ne trouverait pas marchand : peut-être ai-je vendu la reine Astarté, peut-être est-elle morte ; mais peu m'importe, et je pense que vous ne devez pas vous en soucier plus que moi. » En parlant ainsi il buvait avec tant de courage, il confondait tellement toutes les idées, que Zadig n'en put tirer aucun éclaircissement.

Il restait interdit, accablé, immobile. Arbogad buvait toujours, faisait des contes, répétait sans cesse qu'il était le plus heureux de tous les hommes, exhortant Zadig à se rendre aussi heureux que lui. Enfin, doucement assoupi par les fumées du vin, il alla dormir d'un sommeil tranquille. Zadig passa la nuit dans l'agitation la plus violente. « Quoi, disait-il, le roi est devenu fou ! il est tué ! Je ne peux m'empêcher de le plaindre. L'empire est déchiré, et ce brigand est heureux : ô fortune ! ô destinée ! un voleur est heureux, et ce que la nature a fait de plus aimable a péri peut-être d'une manière affreuse, ou vit dans un état pire que la mort. O Astarté ! qu'êtes-vous devenue ? »

Dès le point du jour il interrogea tous ceux qu'il rencontrait dans le château ; mais tout le monde était occupé, personne ne lui répondit : on avait fait pendant la nuit de nouvelles conquêtes, on partageait les dépouilles. Tout ce qu'il put obtenir dans cette confusion tumultueuse, ce fut la permission de partir. Il en profita sans tarder, plus abîmé que jamais dans ses réflexions douloureuses.

Zadig marchait inquiet, agité, l'esprit tout occupé de la malheureuse Astarté, du roi de Babylone, de son fidèle Cador, de l'heureux brigand Arbogad, de cette femme si capricieuse que des Babyloniens avaient enlevée sur les confins de l'Egypte, enfin de tous les contretemps et de toutes les infortunes qu'il avait éprouvés.

CHAPITRE QUINZIÈME

LE PÊCHEUR

A quelques lieues du château d'Arbogad, il se trouva sur le bord d'une petite rivière, toujours déplorant sa destinée, et se regardant comme le modèle du malheur. Il vit un pêcheur couché sur la rive, tenant à peine d'une main languissante son filet, qu'il semblait abandonner, et levant les yeux vers le ciel.

« Je suis certainement le plus malheureux de tous les hommes, disait le pêcheur. J'ai été, de l'aveu de tout le monde, le plus célèbre marchand de fromages à la crème dans Babylone, et j'ai été ruiné. J'avais la plus jolie femme qu'homme de ma sorte pût posséder, et j'en ai été trahi. Il me restait une chétive maison, je l'ai vue pillée et détruite. Réfugié dans une cabane, je n'ai de ressource que ma pêche, et je ne prends pas un poisson. O mon filet ! je ne te jetterai plus dans l'eau, c'est à moi de m'y jeter. » En disant ces mots il se lève, et s'avance dans l'attitude d'un homme qui allait se précipiter et finir sa vie.

« Eh quoi ! se dit Zadig à lui-même, il y a donc des hommes aussi malheureux que moi ! » L'ardeur de sauver la vie au pêcheur fut aussi prompte que cette réflexion. Il court à lui, il l'arrête, il l'interroge d'un air attendri et consolant. On prétend qu'on en est moins malheureux quand on ne l'est pas seul ; mais, selon Zoroastre, ce n'est pas par malignité, c'est par besoin. On se sent alors entraîné vers un infortuné comme vers son semblable. La joie d'un homme heureux serait une insulte ; mais deux malheureux sont comme deux arbrisseaux faibles qui, s'appuyant l'un sur l'autre, se fortifient contre l'orage.

« Pourquoi succombez-vous à vos malheurs ? dit Zadig au pêcheur. — C'est, répondit-il, parce que je n'y vois pas de ressource. J'ai été le plus considéré du village de Derlback[46] auprès de Babylone, et je faisais, avec l'aide de ma femme, les meilleurs fromages à la

crème de l'empire. La reine Astarté et le fameux ministre Zadig les aimaient passionnément. J'avais fourni à leurs maisons six cents fromages. J'allai un jour à la ville pour être payé ; j'appris en arrivant dans Babylone que la reine et Zadig avaient disparu. Je courus chez le seigneur Zadig, que je n'avais jamais vu ; je trouvai les archers du grand desterham, qui, munis d'un papier royal, pillaient sa maison loyalement et avec ordre. Je volai aux cuisines de la reine ; quelques-uns des seigneurs de la bouche me dirent qu'elle était morte ; d'autres dirent qu'elle était en prison ; d'autres prétendirent qu'elle avait pris la fuite ; mais tous m'assurèrent qu'on ne me payerait point mes fromages. J'allai avec ma femme chez le seigneur Orcan, qui était une de mes pratiques : nous lui demandâmes sa protection dans notre disgrâce. Il l'accorda à ma femme, et me la refusa. Elle était plus blanche que ces fromages à la crème qui commencèrent mon malheur ; et l'éclat de la pourpre de Tyr n'était pas plus brillant que l'incarnat qui animait cette blancheur. C'est ce qui fit qu'Orcan la retint, et me chassa de sa maison. J'écrivis à ma chère femme la lettre d'un désespéré. Elle dit au porteur : « Ah, ah ! oui ! je sais quel est l'homme qui m'écrit, j'en ai entendu parler : on dit qu'il fait des fromages à la crème excellents ; qu'on m'en apporte, et qu'on les lui paye. »

« Dans mon malheur, je voulus m'adresser à la justice. Il me restait six onces d'or : il fallut en donner deux onces à l'homme de loi que je consultai, deux au procureur qui entreprit mon affaire, deux au secrétaire du premier juge. Quand tout cela fut fait, mon procès n'était pas encore commencé, et j'avais déjà dépensé plus d'argent que mes fromages et ma femme ne valaient. Je retournai à mon village dans l'intention de vendre ma maison pour avoir ma femme.

« Ma maison valait bien soixante onces d'or ; mais on me voyait pauvre et pressé de vendre. Le premier à qui je m'adressai m'en offrit trente onces ; le second, vingt ; et le troisième, dix. J'étais prêt enfin de

conclure, tant j'étais aveuglé, lorsqu'un prince d'Hyr-
canie vint à Babylone, et ravagea tout sur son passage.
Ma maison fut d'abord saccagée, et ensuite brûlée.

« Ayant ainsi perdu mon argent, ma femme et ma
maison, je me suis retiré dans ce pays où vous me
voyez ; j'ai tâché de subsister du métier de pêcheur.
Les poissons se moquent de moi comme les hommes :
je ne prends rien, je meurs de faim ; et sans vous,
auguste consolateur, j'allais mourir dans la rivière. »

Le pêcheur ne fit point ce récit tout de suite ; car à
tout moment Zadig, ému et transporté, lui disait :
« Quoi ! vous ne savez rien de la destinée de la reine ?
— Non, seigneur, répondait le pêcheur ; mais je sais
que la reine et Zadig ne m'ont point payé mes fro-
mages à la crème, qu'on a pris ma femme, et que je
suis au désespoir. — Je me flatte, dit Zadig, que vous
ne perdrez pas tout votre argent. J'ai entendu parler de
ce Zadig ; il est honnête homme ; et s'il retourne à
Babylone, comme il l'espère, il vous donnera plus qu'il
ne vous doit ; mais pour votre femme, qui n'est pas si
honnête, je vous conseille de ne pas chercher à la
reprendre. Croyez-moi, allez à Babylone ; j'y serai
avant vous, parce que je suis à cheval et que vous êtes
à pied. Adressez-vous à l'illustre Cador ; dites-lui que
vous avez rencontré son ami ; attendez-moi chez lui.
Allez ; peut-être ne serez-vous pas toujours malheu-
reux.

« O puissant Orosmade ! continua-t-il, vous vous
servez de moi pour consoler cet homme ; de qui vous
servirez-vous pour me consoler ? » En parlant ainsi il
donnait au pêcheur la moitié de tout l'argent qu'il
avait apporté d'Arabie, et le pêcheur, confondu et
ravi, baisait les pieds de l'ami de Cador, et disait :
« Vous êtes un ange sauveur. »

Cependant Zadig demandait toujours des nouvelles,
et versait des larmes. « Quoi ! seigneur, s'écria le
pêcheur, vous seriez donc aussi malheureux, vous qui
faites du bien ? — Plus malheureux que toi cent fois,
répondait Zadig. — Mais comment se peut-il faire,
disait le bonhomme, que celui qui donne soit plus à

plaindre que celui qui reçoit ? — C'est que ton plus grand malheur, reprit Zadig, était le besoin, et que je suis infortuné par le cœur. — Orcan vous aurait-il pris votre femme ? dit le pêcheur. » Ce mot rappela dans l'esprit de Zadig toutes ses aventures ; il répétait la liste de ses infortunes, à commencer depuis la chienne de la reine jusqu'à son arrivée chez le brigand Arbogad. « Ah ! dit-il au pêcheur, Orcan mérite d'être puni. Mais d'ordinaire ce sont ces gens-là qui sont les favoris de la destinée. Quoi qu'il en soit, va chez le seigneur Cador, et attends-moi. » Ils se séparèrent : le pêcheur marcha en remerciant son destin, et Zadig courut en accusant toujours le sien.

CHAPITRE SEIZIÈME

LE BASILIC

Arrivé dans une belle prairie, il y vit plusieurs femmes qui cherchaient quelque chose avec beaucoup d'application. Il prit la liberté de s'approcher de l'une d'elles, et de lui demander s'il pouvait avoir l'honneur de les aider dans leurs recherches. « Gardez-vous-en bien, répondit la Syrienne ; ce que nous cherchons ne peut être touché que par des femmes. — Voilà qui est bien étrange, dit Zadig ; oserai-je vous prier de m'apprendre ce que c'est qu'il n'est permis qu'aux femmes de toucher ? — C'est un basilic, dit-elle[47]. — Un basilic, madame ! et pour quelle raison, s'il vous plaît, cherchez-vous un basilic ? — C'est pour notre seigneur et maître Ogul, dont vous voyez le château sur le bord de cette rivière, au bout de la prairie. Nous sommes ses très humbles esclaves ; le seigneur Ogul est malade ; son médecin lui a ordonné de manger un basilic cuit dans l'eau rose ; et comme c'est un animal fort rare, et qui ne se laisse jamais prendre que par des femmes, le seigneur Ogul a promis de choisir pour sa femme bien-aimée celle de nous qui lui apporterait un

basilic : laissez-moi chercher, s'il vous plaît, car vous
voyez ce qu'il m'en coûterait si j'étais prévenue par
mes compagnes. »

Zadig laissa cette Syrienne et les autres chercher
leur basilic, et continua de marcher dans la prairie.
Quand il fut au bord d'un petit ruisseau, il y trouva
une autre dame couchée sur le gazon, et qui ne cher-
chait rien. Sa taille paraissait majestueuse, mais son
visage était couvert d'un voile. Elle était penchée vers
le ruisseau ; de profonds soupirs sortaient de sa
bouche. Elle tenait en main une petite baguette, avec
laquelle elle traçait des caractères sur un sable fin qui
se trouvait entre le gazon et le ruisseau. Zadig eut la
curiosité de voir ce que cette femme écrivait ; il
s'approcha, il vit la lettre Z, puis un A : il fut étonné ;
puis parut un D : il tressaillit. Jamais surprise ne fut
égale à la sienne quand il vit les deux dernières lettres
de son nom. Il demeura quelque temps immobile ;
enfin, rompant le silence d'une voix entrecoupée : « O
généreuse dame ! pardonnez à un étranger, à un infor-
tuné, d'oser vous demander par quelle aventure éton-
nante je trouve ici le nom de ZADIG tracé de votre
main divine ? » A cette voix, à ces paroles, la dame
releva son voile d'une main tremblante, regarda Zadig,
jeta un cri d'attendrissement, de surprise et de joie, et
succombant sous tous les mouvements divers qui
assaillaient à la fois son âme, elle tomba évanouie entre
ses bras. C'était Astarté elle-même, c'était la reine de
Babylone, c'était celle que Zadig adorait, et qu'il se
reprochait d'adorer, c'était celle dont il avait tant
pleuré et tant craint la destinée. Il fut un moment privé
de l'usage de ses sens ; et quand il eut attaché ses
regards sur les yeux d'Astarté, qui se rouvraient avec
une langueur mêlée de confusion et de tendresse : « O
puissances immortelles ! s'écria-t-il, qui présidez aux
destins des faibles humains, me rendez-vous Astarté ?
En quel temps, en quels lieux, en quel état la revois-
je ? » Il se jeta à genoux devant Astarté, et il attacha
son front à la poussière de ses pieds. La reine de
Babylone le relève, et le fait asseoir auprès d'elle sur le

bord de ce ruisseau ; elle essuyait à plusieurs reprises ses yeux, dont les larmes recommençaient toujours à couler. Elle reprenait vingt fois des discours que ses gémissements interrompaient ; elle l'interrogeait sur le hasard qui les rassemblait, et prévenait soudain ses réponses par d'autres questions. Elle entamait le récit de ses malheurs, et voulait savoir ceux de Zadig. Enfin tous deux ayant un peu apaisé le tumulte de leurs âmes, Zadig lui conta en peu de mots par quelle aventure il se trouvait dans cette prairie. « Mais, ô malheureuse et respectable reine ! comment vous retrouvé-je en ce lieu écarté, vêtue en esclave, et accompagnée d'autres femmes esclaves qui cherchent un basilic pour le faire cuire dans de l'eau rose par ordonnance du médecin ?

— Pendant qu'elles cherchent leur basilic, dit la belle Astarté, je vais vous apprendre tout ce que j'ai souffert, et tout ce que je pardonne au ciel depuis que je vous revois. Vous savez que le roi mon mari trouva mauvais que vous fussiez le plus aimable de tous les hommes ; et ce fut pour cette raison qu'il prit une nuit la résolution de vous faire étrangler et de m'empoisonner. Vous savez comme le ciel permit que mon petit muet m'avertît de l'ordre de Sa Sublime Majesté. A peine le fidèle Cador vous eut-il forcé de m'obéir et de partir, qu'il osa entrer chez moi au milieu de la nuit par une issue secrète. Il m'enleva, et me conduisit dans le temple d'Orosmade, où le mage, son frère, m'enferma dans une statue colossale dont la base touche aux fondements du temple, et dont la tête atteint la voûte. Je fus là comme ensevelie, mais servie par le mage, et ne manquant d'aucune chose nécessaire. Cependant, au point du jour, l'apothicaire de Sa Majesté entra dans ma chambre avec une potion mêlée de jusquiame, d'opium, de ciguë, d'ellébore noir et d'aconit ; et un autre officier alla chez vous avec un lacet de soie bleue. On ne trouva personne. Cador, pour mieux tromper le roi, feignit de venir nous accuser tous deux. Il dit que vous aviez pris la route des Indes, et moi celle de Memphis : on envoya des satellites après vous et après moi.

« Les courriers qui me cherchaient ne me connais-
saient pas. Je n'avais presque jamais montré mon
visage qu'à vous seul, en présence et par ordre de mon
époux. Ils coururent à ma poursuite, sur le portrait
qu'on leur faisait de ma personne : une femme de la
même taille que moi, et qui peut-être avait plus de
charmes, s'offrit à leurs regards sur les frontières de
l'Egypte. Elle était éplorée, errante. Ils ne doutèrent
pas que cette femme ne fût la reine de Babylone ; ils la
menèrent à Moabdar. Leur méprise fit entrer d'abord
le roi dans une violente colère ; mais bientôt, ayant
considéré de plus près cette femme, il la trouva très
belle, et fut consolé. On l'appelait Missouf. On m'a dit
depuis que ce nom signifie en langue égyptienne *la
belle capricieuse*. Elle l'était en effet ; mais elle avait
autant d'art que de caprice. Elle plut à Moabdar. Elle
le subjugua au point de se faire déclarer sa femme.
Alors son caractère se développa tout entier : elle se
livra sans crainte à toutes les folies de son imagination.
Elle voulut obliger le chef des mages, qui était vieux et
goutteux, de danser devant elle ; et sur le refus du
mage, elle le persécuta violemment. Elle ordonna à
son grand-écuyer de lui faire une tourte de confitures.
Le grand-écuyer eut beau lui représenter qu'il n'était
point pâtissier, il fallut qu'il fît la tourte ; et on le
chassa, parce qu'elle était trop brûlée. Elle donna la
charge de grand-écuyer à son nain, et la place de
chancelier à un page. C'est ainsi qu'elle gouverna
Babylone. Tout le monde me regrettait. Le roi, qui
avait été assez honnête homme jusqu'au moment où il
avait voulu m'empoisonner et vous faire étrangler,
semblait avoir noyé ses vertus dans l'amour prodi-
gieux qu'il avait pour la belle capricieuse. Il vint au
temple le grand jour du feu sacré. Je le vis implorer les
dieux pour Missouf au pied de la statue où j'étais
renfermée. J'élevai la voix ; je lui criai : « Les dieux
refusent les vœux d'un roi devenu tyran, qui a voulu
faire mourir une femme raisonnable pour épouser une
extravagante. » Moabdar fut confondu de ces paroles
au point que sa tête se troubla. L'oracle que j'avais

rendu, et la tyrannie de Missouf, suffisaient pour lui faire perdre le jugement. Il devint fou en peu de jours.

« Sa folie, qui parut un châtiment du ciel, fut le signal de la révolte. On se souleva, on courut aux armes. Babylone, si longtemps plongée dans une mollesse oisive, devint le théâtre d'une guerre civile affreuse. On me tira du creux de ma statue, et on me mit à la tête d'un parti. Cador courut à Memphis, pour vous ramener à Babylone. Le prince d'Hyrcanie, apprenant ces funestes nouvelles, revint avec son armée faire un troisième parti dans la Chaldée. Il attaqua le roi, qui courut au-devant de lui avec son extravagante Egyptienne. Moabdar mourut percé de coups. Missouf tomba aux mains du vainqueur. Mon malheur voulut que je fusse prise moi-même par un parti hyrcanien, et qu'on me menât devant le prince précisément dans le temps qu'on lui amenait Missouf. Vous serez flatté, sans doute, en apprenant que le prince me trouva plus belle que l'Egyptienne ; mais vous serez fâché d'apprendre qu'il me destina à son sérail. Il me dit fort résolument que, dès qu'il aurait fini une expédition militaire qu'il allait exécuter, il viendrait à moi. Jugez de ma douleur. Mes liens avec Moabdar étaient rompus, je pouvais être à Zadig ; et je tombais dans les chaînes d'un barbare. Je lui répondis avec toute la fierté que me donnaient mon rang et mes sentiments. J'avais toujours entendu dire que le ciel attachait aux personnes de ma sorte un caractère de grandeur qui, d'un mot et d'un coup d'œil, faisait rentrer dans l'abaissement du plus profond respect les téméraires qui osaient s'en écarter. Je parlai en reine, mais je fus traitée en demoiselle suivante. L'Hyrcanien, sans daigner seulement m'adresser la parole, dit à son eunuque noir que j'étais une impertinente, mais qu'il me trouvait jolie. Il lui ordonna d'avoir soin de moi et de me mettre au régime des favorites, afin de me rafraîchir le teint, et de me rendre plus digne de ses faveurs pour le jour où il aurait la commodité de m'en honorer. Je lui dis que je me tuerais : il répliqua, en riant, qu'on ne se tuait point, qu'il était fait à ces

façons-là, et me quitta comme un homme qui vient de mettre un perroquet dans sa ménagerie. Quel état pour la première reine de l'univers, et, je dirai plus, pour un cœur qui était à Zadig ! »

A ces paroles il se jeta à ses genoux et les baigna de larmes. Astarté le releva tendrement, et elle continua ainsi : « Je me voyais au pouvoir d'un barbare, et rivale d'une folle avec qui j'étais renfermée. Elle me raconta son aventure d'Egypte. Je jugeai par les traits dont elle vous peignait, par le temps, par le dromadaire sur lequel vous étiez monté, par toutes les circonstances, que c'était Zadig qui avait combattu pour elle. Je ne doutai pas que vous ne fussiez à Memphis ; je pris la résolution de m'y retirer. "Belle Missouf, lui dis-je, vous êtes beaucoup plus plaisante que moi, vous divertirez bien mieux que moi le prince d'Hyrcanie. Facilitez-moi les moyens de me sauver ; vous régnerez seule ; vous me rendrez heureuse, en vous débarrassant d'une rivale." Missouf concerta avec moi les moyens de ma fuite. Je partis donc secrètement avec une esclave égyptienne.

« J'étais déjà près de l'Arabie, lorsqu'un fameux voleur, nommé Arbogad, m'enleva, et me vendit à des marchands qui m'ont amenée dans ce château, où demeure le seigneur Ogul. Il m'a achetée sans savoir qui j'étais. C'est un homme voluptueux qui ne cherche qu'à faire grande chère et qui croit que Dieu l'a mis au monde pour tenir table. Il est d'un embonpoint excessif, qui est toujours prêt à le suffoquer. Son médecin, qui n'a que peu de crédit auprès de lui quand il digère bien, le gouverne despotiquement quand il a trop mangé. Il lui a persuadé qu'il le guérirait avec un basilic cuit dans de l'eau rose. Le seigneur Ogul a promis sa main à celle de ses esclaves qui lui apporterait un basilic. Vous voyez que je les laisse s'empresser à mériter cet honneur, et je n'ai jamais eu moins d'envie de trouver ce basilic que depuis que le ciel a permis que je vous revisse. »

Alors Astarté et Zadig se dirent tout ce que des sentiments longtemps retenus, tout ce que leurs mal-

heurs et leurs amours pouvaient inspirer aux cœurs les plus nobles et les plus passionnés ; et les génies qui président à l'amour portèrent leurs paroles jusqu'à la sphère de Vénus.

Les femmes rentrèrent chez Ogul sans avoir rien trouvé. Zadig se fit présenter à lui, et lui parla en ces termes : « Que la santé immortelle descende du ciel pour avoir soin de tous vos jours ! Je suis médecin, j'ai accouru vers vous sur le bruit de votre maladie, et je vous ai apporté un basilic cuit dans de l'eau rose. Ce n'est pas que je prétende vous épouser. Je ne vous demande que la liberté d'une jeune esclave de Babylone que vous avez depuis quelques jours ; et je consens de rester en esclavage à sa place si je n'ai pas le bonheur de guérir le magnifique seigneur Ogul. »

La proposition fut acceptée. Astarté partit pour Babylone avec le domestique de Zadig, en lui promettant de lui envoyer incessamment un courrier pour l'instruire de tout ce qui se serait passé. Leurs adieux furent aussi tendres que l'avait été leur reconnaissance. Le moment où l'on se retrouve, et celui où l'on se sépare, sont les deux plus grandes époques de la vie, comme dit le grand livre du Zend[48]. Zadig aimait la reine autant qu'il le jurait, et la reine aimait Zadig plus qu'elle ne lui disait.

Cependant Zadig parla ainsi à Ogul : « Seigneur, on ne mange point mon basilic, toute sa vertu doit entrer chez vous par les pores. Je l'ai mis dans un petit outre[49] bien enflé et couvert d'une peau fine : il faut que vous poussiez cet outre de toute votre force, et que je vous le renvoie à plusieurs reprises ; et en peu de jours de régime vous verrez ce que peut mon art. » Ogul, dès le premier jour, fut tout essoufflé, et crut qu'il mourrait de fatigue. Le second, il fut moins fatigué, et dormit mieux. En huit jours il recouvra toute la force, la santé, la légèreté et la gaieté de ses plus brillantes années. « Vous avez joué au ballon, et vous avez été sobre, lui dit Zadig : apprenez qu'il n'y a point de basilic dans la nature, qu'on se porte toujours bien avec de la sobriété et de l'exercice, et que l'art de

faire subsister ensemble l'intempérance et la santé est
un art aussi chimérique que la pierre philosophale,
l'astrologie judiciaire et la théologie des mages[50]. »

Le premier médecin d'Ogul, sentant combien cet
homme était dangereux pour la médecine, s'unit avec
l'apothicaire du corps pour envoyer Zadig chercher
des basilics dans l'autre monde. Ainsi, après avoir été
toujours puni pour avoir bien fait, il était près de périr
pour avoir guéri un seigneur gourmand. On l'invita à
un excellent dîner. Il devait être empoisonné au
second service ; mais il reçut un courrier de la belle
Astarté au premier. Il quitta la table, et partit. « Quand
on est aimé d'une belle femme, dit le grand Zoroastre,
on se tire toujours d'affaire dans ce monde[51]. »

CHAPITRE DIX-SEPTIÈME

LES COMBATS

La reine avait été reçue à Babylone avec les trans-
ports qu'on a toujours pour une belle princesse qui a
été malheureuse. Babylone alors paraissait être plus
tranquille. Le prince d'Hyrcanie avait été tué dans un
combat. Les Babyloniens, vainqueurs, déclarèrent
qu'Astarté épouserait celui qu'on choisirait pour sou-
verain. On ne voulut point que la première place du
monde, qui serait celle de mari d'Astarté et de roi de
Babylone, dépendît des intrigues et des cabales. On
jura de reconnaître pour roi le plus vaillant et le plus
sage. Une grande lice, bordée d'amphithéâtres magni-
fiquement ornés, fut formée à quelques lieues de la
ville. Les combattants devaient s'y rendre armés de
toutes pièces. Chacun d'eux avait derrière les amphi-
théâtres un appartement séparé, où il ne devait être vu
ni connu de personne. Il fallait courir quatre lances.
Ceux qui seraient assez heureux pour vaincre quatre
chevaliers devaient combattre ensuite les uns contre

les autres ; de façon que celui qui resterait le dernier maître du champ serait proclamé le vainqueur des jeux. Il devait revenir quatre jours après avec les mêmes armes, et expliquer les énigmes proposées [52] par les mages. S'il n'expliquait point les énigmes, il n'était point roi, et il fallait recommencer à courir des lances, jusqu'à ce qu'on trouvât un homme qui fût vainqueur dans ces deux combats : car on voulait absolument pour roi le plus vaillant et le plus sage. La reine, pendant tout ce temps, devait être étroitement gardée : on lui permettait seulement d'assister aux jeux, couverte d'un voile ; mais on ne souffrait pas qu'elle parlât à aucun des prétendants, afin qu'il n'y eût ni faveur ni injustice.

Voilà ce qu'Astarté faisait savoir à son amant, espérant qu'il montrerait pour elle plus de valeur et d'esprit que personne. Il partit, et pria Vénus de fortifier son courage et d'éclairer son esprit. Il arriva sur le rivage de l'Euphrate la veille de ce grand jour. Il fit inscrire sa devise [53] parmi celles des combattants, en cachant son visage et son nom, comme la loi l'ordonnait, et alla se reposer dans l'appartement qui lui échut par le sort. Son ami Cador, qui était revenu à Babylone, après l'avoir inutilement cherché en Egypte, fit porter dans sa loge une armure complète que la reine lui envoyait. Il lui fit amener aussi de sa part le plus beau cheval de Perse. Zadig reconnut Astarté à ces présents : son courage et son amour en prirent de nouvelles forces et de nouvelles espérances.

Le lendemain, la reine étant venue se placer sous un dais de pierreries, et les amphithéâtres étant remplis de toutes les dames et de tous les ordres de Babylone, les combattants parurent dans le cirque. Chacun d'eux vint mettre sa devise aux pieds du grand mage. On tira au sort les devises ; celle de Zadig fut la dernière. Le premier qui s'avança était un seigneur très riche, nommé Itobad, fort vain, peu courageux, très maladroit, et sans esprit. Ses domestiques l'avaient persuadé qu'un homme comme lui devait être roi ; il leur avait répondu : « Un homme comme moi doit

régner. » Ainsi on l'avait armé de pied en cap. Il
portait une armure d'or émaillée de vert, un panache
vert, une lance ornée de rubans verts. On s'aperçut
d'abord, à la manière dont Itobad gouvernait son
cheval, que ce n'était pas un homme comme lui à qui
le ciel réservait le sceptre de Babylone. Le premier
cavalier qui courut contre lui le désarçonna ; le second
le renversa sur la croupe de son cheval, les deux
jambes en l'air et les bras étendus. Itobad se remit,
mais de si mauvaise grâce que tout l'amphithéâtre se
mit à rire. Un troisième ne daigna pas se servir de sa
lance ; mais, en lui faisant une passe, il le prit par la
jambe droite, et lui faisant faire un demi-tour, il le fit
tomber sur le sable : les écuyers des jeux accoururent à
lui en riant, et le remirent en selle. Le quatrième
combattant le prend par la jambe gauche, et le fait
tomber de l'autre côté. On le conduisit avec des huées
à sa loge, où il devait passer la nuit selon la loi ; et il
disait en marchant à peine : « Quelle aventure pour un
homme comme moi ! »

Les autres chevaliers s'acquittèrent mieux de leur
devoir. Il y en eut qui vainquirent deux combattants
de suite ; quelques-uns allèrent jusqu'à trois. Il n'y eut
que le prince Otame qui en vainquit quatre. Enfin
Zadig combattit à son tour ; il désarçonna quatre
cavaliers de suite avec toute la grâce possible. Il fallut
donc voir qui serait vainqueur d'Otame ou de Zadig.
Le premier portait des armes bleues et or, avec un
panache de même ; celles de Zadig étaient blanches.
Tous les vœux se partageaient entre le cavalier bleu et
le cavalier blanc. La reine, à qui le cœur palpitait,
faisait des prières au ciel pour la couleur blanche.

Les deux champions firent des passes et des voltes [54]
avec tant d'agilité, ils se donnèrent de si beaux coups
de lance, ils étaient si fermes sur leurs arçons, que tout
le monde, hors la reine, souhaitait qu'il y eût deux rois
dans Babylone. Enfin, leurs chevaux étant lassés et
leurs lances rompues, Zadig usa de cette adresse : il
passe derrière le prince bleu, s'élance sur la croupe de
son cheval, le prend par le milieu du corps, le jette à

terre, se met en selle à sa place, et caracole autour d'Otame étendu sur la place. Tout l'amphithéâtre crie : « Victoire au cavalier blanc ! » Otame, indigné, se relève, tire son épée ; Zadig saute de cheval, le sabre à la main. Les voilà tous deux sur l'arène, livrant un nouveau combat où la force et l'agilité triomphent tour à tour. Les plumes de leur casque, les clous de leurs brassards, les mailles de leur armure sautent au loin sous mille coups précipités. Ils frappent de pointe et de taille, à droite, à gauche, sur la tête, sur la poitrine ; ils reculent, ils avancent, ils se mesurent, ils se rejoignent, ils se saisissent, ils se replient comme des serpents, ils s'attaquent comme des lions ; le feu jaillit à tout moment des coups qu'ils se portent. Enfin Zadig, ayant un moment repris ses esprits, s'arrête, fait une feinte, passe sur Otame, le fait tomber, le désarme, et Otame s'écrie : « O chevalier blanc ! c'est vous qui devez régner sur Babylone. » La reine était au comble de la joie. On reconduisit le chevalier bleu et le chevalier blanc chacun à leur loge, ainsi que tous les autres, selon ce qui était porté par la loi. Des muets vinrent les servir et leur apporter à manger. On peut juger si le petit muet de la reine ne fut pas celui qui servit Zadig. Ensuite on les laissa dormir seuls jusqu'au lendemain matin, temps où le vainqueur devait apporter sa devise au grand mage, pour la confronter et se faire reconnaître.

Zadig dormit, quoique amoureux, tant il était fatigué. Itobad, qui était couché auprès de lui, ne dormit point. Il se leva pendant la nuit, entra dans sa loge, prit les armes blanches de Zadig avec sa devise, et mit son armure verte à la place. Le point du jour étant venu, il alla fièrement au grand mage déclarer qu'un homme comme lui était vainqueur. On ne s'y attendait pas ; mais il fut proclamé pendant que Zadig dormait encore. Astarté, surprise et le désespoir dans le cœur, s'en retourna dans Babylone. Tout l'amphithéâtre était déjà presque vide lorsque Zadig s'éveilla ; il chercha ses armes, et ne trouva que cette armure verte. Il était obligé de s'en couvrir, n'ayant rien autre chose

auprès de lui. Etonné et indigné, il les endosse avec fureur, il avance dans cet équipage.

Tout ce qui était encore sur l'amphithéâtre et dans le cirque le reçut avec des huées. On l'entourait ; on lui insultait en face. Jamais homme n'essuya des mortifications si humiliantes. La patience lui échappa ; il écarta à coups de sabre la populace qui osait l'outrager ; mais il ne savait quel parti prendre. Il ne pouvait voir la reine ; il ne pouvait réclamer l'armure blanche qu'elle lui avait envoyée : c'eût été la compromettre ; ainsi, tandis qu'elle était plongée dans la douleur, il était pénétré de fureur et d'inquiétude. Il se promenait sur les bords de l'Euphrate, persuadé que son étoile le destinait à être malheureux sans ressource, repassant dans son esprit toutes ses disgrâces depuis l'aventure de la femme qui haïssait les borgnes jusqu'à celle de son armure. « Voilà ce que c'est, disait-il, de m'être éveillé trop tard ; si j'avais moins dormi, je serais roi de Babylone, je posséderais Astarté. Les sciences, les mœurs, le courage, n'ont donc jamais servi qu'à mon infortune. » Il lui échappa enfin de murmurer contre la Providence, et il fut tenté de croire que tout était gouverné par une destinée cruelle qui opprimait les bons et qui faisait prospérer les chevaliers verts. Un de ses chagrins était de porter cette armure verte qui lui avait attiré tant de huées. Un marchand passa, il la lui vendit à vil prix, et prit du marchand une robe et un bonnet long. Dans cet équipage, il côtoyait l'Euphrate, rempli de désespoir et accusant en secret la Providence, qui le persécutait toujours.

CHAPITRE DIX-HUITIÈME

L'ERMITE

Il rencontra en marchant un ermite[55], dont la barbe blanche et vénérable lui descendait jusqu'à la ceinture. Il tenait en main un livre qu'il lisait attentivement.

Zadig s'arrêta, et lui fit une profonde inclination. L'ermite le salua d'un air si noble et si doux que Zadig eut la curiosité de l'entretenir. Il lui demanda quel livre il lisait. « C'est le livre des destinées, dit l'hermite ; voulez-vous en lire quelque chose ? » Il mit le livre dans les mains de Zadig, qui, tout instruit qu'il était dans plusieurs langues, ne put déchiffrer un seul caractère du livre. Cela redoubla encore sa curiosité. « Vous me paraissez bien chagrin, lui dit ce bon père. — Hélas ! que j'en ai sujet ! dit Zadig. — Si vous permettez que je vous accompagne, repartit le vieillard, peut-être vous serai-je utile : j'ai quelquefois répandu des sentiments de consolation dans l'âme des malheureux. » Zadig se sentit du respect pour l'air, pour la barbe, et pour le livre de l'ermite. Il lui trouva dans la conversation des lumières supérieures. L'ermite parlait de la destinée, de la justice, de la morale, du souverain bien, de la faiblesse humaine, des vertus et des vices, avec une éloquence si vive et si touchante que Zadig se sentit entraîné vers lui par un charme invincible. Il le pria avec instance de ne le point quitter jusqu'à ce qu'ils fussent de retour à Babylone. « Je vous demande moi-même cette grâce, lui dit le vieillard ; jurez-moi par Orosmade que vous ne vous séparerez point de moi d'ici à quelques jours, quelque chose que je fasse. » Zadig jura, et ils partirent ensemble.

Les deux voyageurs arrivèrent le soir à un château superbe. L'ermite demanda l'hospitalité pour lui et pour le jeune homme qui l'accompagnait. Le portier, qu'on aurait pris pour un grand seigneur, les introduisit avec une espèce de bonté dédaigneuse. On les présenta à un principal domestique, qui leur fit voir les appartements magnifiques du maître. Ils furent admis à sa table au bas bout, sans que le seigneur du château les honorât d'un regard ; mais ils furent servis comme les autres avec délicatesse et profusion. On leur donna ensuite à laver dans un bassin d'or garni d'émeraudes et de rubis. On les mena coucher dans un bel appartement, et le lendemain matin un domestique leur

apporta à chacun une pièce d'or, après quoi on les congédia.

« Le maître de la maison, dit Zadig en chemin, me paraît être un homme généreux, quoique un peu fier ; il exerce noblement l'hospitalité. » En disant ces paroles, il aperçut qu'une espèce de poche très large que portait l'ermite paraissait tendue et enflée : il y vit le bassin d'or garni de pierreries, que celui-ci avait volé. Il n'osa d'abord en rien témoigner ; mais il était dans une étrange surprise.

Vers le midi, l'ermite se présenta à la porte d'une maison très petite, où logeait un riche avare ; il y demanda l'hospitalité pour quelques heures. Un vieux valet mal habillé le reçut d'un ton rude, et fit entrer l'ermite et Zadig dans l'écurie, où on leur donna quelques olives pourries, de mauvais pain, et de la bière gâtée. L'ermite but et mangea d'un air aussi content que la veille ; puis s'adressant à ce vieux valet qui les observait tous deux pour voir s'ils ne volaient rien, et qui les pressait de partir, il lui donna les deux pièces d'or qu'il avait reçues le matin, et le remercia de toutes ses attentions. « Je vous prie, ajouta-t-il, faites-moi parler à votre maître. » Le valet, étonné, introduisit les deux voyageurs : « Magnifique seigneur, dit l'ermite, je ne puis que vous rendre de très humbles grâces de la manière noble dont vous nous avez reçus : daignez accepter ce bassin d'or comme un faible gage de ma reconnaissance. » L'avare fut près de tomber à la renverse. L'ermite ne lui donna pas le temps de revenir de son saisissement ; il partit au plus vite avec son jeune voyageur. « Mon père, lui dit Zadig, qu'est-ce que tout ce que je vois ? Vous ne me paraissez ressembler en rien aux autres hommes : vous volez un bassin d'or garni de pierreries à un seigneur qui vous reçoit magnifiquement, et vous le donnez à un avare qui vous traite avec indignité. — Mon fils, répondit le vieillard, cet homme magnifique, qui ne reçoit les étrangers que par vanité et pour faire admirer ses richesses, deviendra plus sage ; l'avare apprendra à exercer l'hospitalité : ne vous étonnez de rien, et sui-

vez-moi. » Zadig ne savait encore s'il avait affaire au plus fou ou au plus sage de tous les hommes ; mais l'ermite parlait avec tant d'ascendant que Zadig, lié d'ailleurs par son serment, ne put s'empêcher de le suivre.

Ils arrivèrent le soir à une maison agréablement bâtie, mais simple, où rien ne sentait ni la prodigalité ni l'avarice. Le maître était un philosophe retiré du monde, qui cultivait en paix la sagesse et la vertu, et qui cependant ne s'ennuyait pas. Il s'était plu à bâtir cette retraite, dans laquelle il recevait les étrangers avec une noblesse qui n'avait rien de l'ostentation. Il alla lui-même au-devant des deux voyageurs, qu'il fit reposer d'abord dans un appartement commode. Quelque temps après, il les vint prendre lui-même pour les inviter à un repas propre et bien entendu, pendant lequel il parla avec discrétion des dernières révolutions de Babylone. Il parut sincèrement attaché à la reine, et souhaita que Zadig eût paru dans la lice pour disputer la couronne. « Mais les hommes, ajouta-t-il, ne méritent pas d'avoir un roi comme Zadig. » Celui-ci rougissait, et sentait redoubler ses douleurs. On convint dans la conversation que les choses de ce monde n'allaient pas toujours au gré des plus sages. L'ermite soutint toujours qu'on ne connaissait pas les voies de la Providence, et que les hommes avaient tort de juger d'un tout dont ils n'apercevaient que la plus petite partie.

On parla des passions. « Ah ! qu'elles sont funestes ! disait Zadig. — Ce sont les vents qui enflent les voiles du vaisseau, repartit l'ermite : elles le submergent quelquefois ; mais sans elles il ne pourrait voguer. La bile rend colère et malade ; mais sans la bile l'homme ne saurait vivre. Tout est dangereux ici-bas, et tout est nécessaire. »

On parla de plaisir, et l'ermite prouva que c'est un présent de la Divinité ; « car, dit-il, l'homme ne peut se donner ni sensations ni idées, il reçoit tout ; la peine et le plaisir lui viennent d'ailleurs comme son être ».

Zadig admirait comment un homme qui avait fait

des choses si extravagantes pouvait raisonner si bien.
Enfin, après un entretien aussi instructif qu'agréable,
l'hôte reconduisit ses deux voyageurs dans leur appar-
tement, en bénissant le Ciel qui lui avait envoyé deux
hommes si sages et si vertueux. Il leur offrit de l'argent
d'une manière aisée et noble qui ne pouvait déplaire.
L'ermite le refusa, et lui dit qu'il prenait congé de lui,
comptant partir pour Babylone avant le jour. Leur
séparation fut tendre, Zadig surtout se sentait plein
d'estime et d'inclination pour un homme si aimable.

Quand l'ermite et lui furent dans leur appartement,
ils firent longtemps l'éloge de leur hôte. Le vieillard au
point du jour éveilla son camarade. « Il faut partir,
dit-il ; mais tandis que tout le monde dort encore, je
veux laisser à cet homme un témoignage de mon
estime et de mon affection. » En disant ces mots, il prit
un flambeau, et mit le feu à la maison. Zadig, épou-
vanté, jeta des cris, et voulut l'empêcher de commettre
une action si affreuse. L'ermite l'entraînait par une
force supérieure ; la maison était enflammée. L'ermite,
qui était déjà assez loin avec son compagnon, la regar-
dait brûler tranquillement. « Dieu merci ! dit-il, voilà la
maison de mon cher hôte détruite de fond en comble !
L'heureux homme ! » A ces mots Zadig fut tenté à la
fois d'éclater de rire, de dire des injures au révérend
père, de le battre, et de s'enfuir ; mais il ne fit rien de
tout cela, et, toujours subjugué par l'ascendant de
l'ermite, il le suivit malgré lui à la dernière couchée.

Ce fut chez une veuve charitable et vertueuse qui
avait un neveu de quatorze ans, plein d'agréments et
son unique espérance. Elle fit du mieux qu'elle put les
honneurs de sa maison. Le lendemain, elle ordonna à
son neveu d'accompagner les voyageurs jusqu'à un
pont qui, étant rompu depuis peu, était devenu un
passage dangereux. Le jeune homme, empressé,
marche au-devant d'eux. Quand ils furent sur le pont :
« Venez, dit l'ermite au jeune homme, il faut que je
marque ma reconnaissance à votre tante. » Il le prend
alors par les cheveux, et le jette dans la rivière.
L'enfant tombe, reparaît un moment sur l'eau, et est

engouffré dans le torrent. « O monstre ! ô le plus
scélérat de tous les hommes ! s'écria Zadig. — Vous
m'aviez promis plus de patience, lui dit l'ermite en
l'interrompant ; apprenez que sous les ruines de cette
maison où la Providence a mis le feu, le maître a
trouvé un trésor immense ; apprenez que ce jeune
homme dont la Providence a tordu le cou aurait assas-
siné sa tante dans un an, et vous dans deux. — Qui te
l'a dit, barbare ? cria Zadig ; et quand tu aurais lu cet
événement dans ton livre des destinées, t'est-il permis
de noyer un enfant qui ne t'a point fait de mal ? »

Tandis que le Babylonien parlait, il aperçut que le
vieillard n'avait plus de barbe, que son visage prenait
les traits de la jeunesse. Son habit d'ermite disparut ;
quatre belles ailes couvraient un corps majestueux et
resplendissant de lumière. « O envoyé du ciel ! ô ange
divin ! s'écria Zadig en se prosternant, tu es donc
descendu de l'empyrée pour apprendre à un faible
mortel à se soumettre aux ordres éternels ? — Les
hommes, dit l'ange Jesrad[56], jugent de tout sans rien
connaître : tu étais celui de tous les hommes qui méri-
tait le plus d'être éclairé. » Zadig lui demanda la per-
mission de parler. « Je me défie de moi-même, dit-il ;
mais oserai-je te prier de m'éclaircir un doute ; ne
vaudrait-il pas mieux avoir corrigé cet enfant, et
l'avoir rendu vertueux, que de le noyer ? » Jesrad
reprit : « S'il avait été vertueux, et s'il eût vécu, son
destin était d'être assassiné lui-même avec la femme
qu'il devait épouser, et le fils qui en devait naître. —
Mais quoi ! dit Zadig, il est donc nécessaire qu'il y ait
des crimes et des malheurs ? et les malheurs tombent
sur les gens de bien ? — Les méchants, répondit
Jesrad, sont toujours malheureux : ils servent à éprou-
ver un petit nombre de justes répandus sur la terre, et
il n'y a point de mal dont il ne naisse un bien. — Mais,
dit Zadig, s'il n'y avait que du bien, et point de mal ?
— Alors, reprit Jesrad, cette terre serait une autre
terre, l'enchaînement des événements serait un autre
ordre de sagesse ; et cet autre ordre, qui serait parfait,
ne peut être que dans la demeure éternelle de l'Etre

suprême, de qui le mal ne peut approcher. Il a créé des
millions de mondes dont aucun ne peut ressembler à
l'autre. Cette immense variété est un attribut de sa
puissance immense. Il n'y a ni deux feuilles d'arbre
sur la terre, ni deux globes dans les champs infinis du
ciel, qui soient semblables, et tout ce que tu vois sur le
petit atome où tu es né devait être dans sa place et
dans son temps fixe, selon les ordres immuables de
celui qui embrasse tout. Les hommes pensent que cet
enfant qui vient de périr est tombé dans l'eau par
hasard, que c'est par un même hasard que cette mai-
son est brûlée ; mais il n'y a point de hasard : tout est
épreuve, ou punition, ou récompense, ou prévoyance.
Souviens-toi de ce pêcheur qui se croyait le plus mal-
heureux de tous les hommes. Orosmade t'a envoyé
pour changer sa destinée. Faible mortel ! cesse de
disputer contre ce qu'il faut adorer. — Mais, dit
Zadig... » Comme il disait *mais*, l'ange prenait déjà son
vol vers la dixième sphère[57]. Zadig, à genoux, adora la
Providence, et se soumit. L'ange lui cria du haut des
airs : « Prends ton chemin vers Babylone. »

CHAPITRE DIX-NEUVIÈME

LES ENIGMES

Zadig, hors de lui-même et comme un homme
auprès de qui est tombé le tonnerre, marchait au
hasard. Il entra dans Babylone le jour où ceux qui
avaient combattu dans la lice étaient déjà assemblés
dans le grand vestibule du palais pour expliquer les
énigmes, et pour répondre aux questions du grand
mage. Tous les chevaliers étaient arrivés, excepté
l'armure verte. Dès que Zadig parut dans la ville, le
peuple s'assembla autour de lui ; les yeux ne se rassa-
siaient point de le voir, les bouches de le bénir, les
cœurs de lui souhaiter l'empire. L'envieux le vit pas-

ser, frémit, et se détourna ; le peuple le porta jusqu'au
lieu de l'assemblée. La reine, à qui on apprit son
arrivée, fut en proie à l'agitation de la crainte et de
l'espérance ; l'inquiétude la dévorait : elle ne pouvait
comprendre ni pourquoi Zadig était sans armes, ni
comment Itobad portait l'armure blanche. Un mur-
mure confus s'éleva à la vue de Zadig. On était surpris
et charmé de le revoir ; mais il n'était permis qu'aux
chevaliers qui avaient combattu de paraître dans
l'assemblée.

« J'ai combattu comme un autre, dit-il ; mais un
autre porte ici mes armes ; et, en attendant que j'aie
l'honneur de le prouver, je demande la permission de
me présenter pour expliquer les énigmes. » On alla aux
voix : sa réputation de probité était encore si forte-
ment imprimée dans les esprits qu'on ne balança pas à
l'admettre.

Le grand mage proposa d'abord cette question :
« Quelle est de toutes les choses du monde la plus
longue et la plus courte, la plus prompte et la plus
lente, la plus divisible et la plus étendue, la plus négli-
gée et la plus regrettée, sans qui rien ne se peut faire,
qui dévore tout ce qui est petit, et qui vivifie tout ce
qui est grand ? »

C'était à Itobad à parler. Il répondit qu'un homme
comme lui n'entendait rien aux énigmes, et qu'il lui
suffisait d'avoir vaincu à grands coups de lance. Les
uns dirent que le mot de l'énigme était la fortune,
d'autres la terre, d'autres la lumière. Zadig dit que
c'était le temps : « Rien n'est plus long, ajouta-t-il,
puisqu'il est la mesure de l'éternité ; rien n'est plus
court, puisqu'il manque à tous nos projets ; rien n'est
plus lent pour qui attend ; rien de plus rapide pour qui
jouit ; il s'étend jusqu'à l'infini en grand ; il se divise
jusque dans l'infini en petit ; tous les hommes le
négligent, tous en regrettent la perte ; rien ne se fait
sans lui ; il fait oublier tout ce qui est indigne de la
postérité, et il immortalise les grandes choses. »
L'assemblée convint que Zadig avait raison.

On demanda ensuite : « Quelle est la chose qu'on

reçoit sans remercier, dont on jouit sans savoir comment, qu'on donne aux autres quand on ne sait où l'on en est, et qu'on perd sans s'en apercevoir ? »

Chacun dit son mot : Zadig devina seul que c'était la vie. Il expliqua toutes les autres énigmes avec la même facilité. Itobad disait toujours que rien n'était plus aisé, et qu'il en serait venu à bout tout aussi facilement s'il avait voulu s'en donner la peine. On proposa des questions sur la justice, sur le souverain bien, sur l'art de régner. Les réponses de Zadig furent jugées les plus solides. « C'est bien dommage, disait-on, qu'un si bon esprit soit un si mauvais cavalier.

— Illustres seigneurs, dit Zadig, j'ai eu l'honneur de vaincre dans la lice. C'est à moi qu'appartient l'armure blanche. Le seigneur Itobad s'en empara pendant mon sommeil : il jugea apparemment qu'elle lui siérait mieux que la verte. Je suis prêt de lui prouver d'abord devant vous, avec ma robe et mon épée, contre toute cette belle armure blanche qu'il m'a prise, que c'est moi qui ai eu l'honneur de vaincre le brave Otame. »

Itobad accepta le défi avec la plus grande confiance. Il ne doutait pas qu'étant casqué, cuirassé, brassardé, il ne vînt aisément à bout d'un champion en bonnet de nuit et en robe de chambre. Zadig tira son épée, en saluant la reine, qui le regardait, pénétrée de joie et de crainte. Itobad tira la sienne, en ne saluant personne. Il s'avança sur Zadig comme un homme qui n'avait rien à craindre. Il était prêt à lui fendre la tête : Zadig sut parer le coup, en opposant ce qu'on appelle le fort de l'épée au faible de son adversaire[58], de façon que l'épée d'Itobad se rompit. Alors Zadig, saisissant son ennemi au corps, le renversa par terre ; et lui portant la pointe de son épée au défaut de la cuirasse[59] : « Laissez-vous désarmer, dit-il, ou je vous tue. » Itobad, toujours surpris des disgrâces qui arrivaient à un homme comme lui, laissa faire Zadig, qui lui ôta paisiblement son magnifique casque, sa superbe cuirasse, ses beaux brassards, ses brillants cuissards, s'en revêtit, et courut dans cet équipage se jeter aux

genoux d'Astarté. Cador prouva aisément que l'armure appartenait à Zadig. Il fut reconnu roi d'un consentement unanime, et surtout de celui d'Astarté, qui goûtait, après tant d'adversités, la douceur de voir son amant digne aux yeux de l'univers d'être son époux. Itobad alla se faire appeler monseigneur dans sa maison. Zadig fut roi, et fut heureux. Il avait présent à l'esprit ce que lui avait dit l'ange Jesrad. Il se souvenait même du grain de sable devenu diamant. La reine et lui adorèrent la Providence. Zadig laissa la belle capricieuse Missouf courir le monde. Il envoya chercher le brigand Arbogad, auquel il donna un grade honorable dans son armée, avec promesse de l'avancer aux premières dignités s'il se comportait en vrai guerrier, et de le faire pendre s'il faisait le métier de brigand.

Sétoc fut appelé du fond de l'Arabie, avec la belle Almona, pour être à la tête du commerce de Babylone. Cador fut placé et chéri selon ses services ; il fut l'ami du roi, et le roi fut alors le seul monarque de la terre qui eût un ami. Le petit muet ne fut pas oublié. On donna une belle maison au pêcheur. Orcan fut condamné à lui payer une grosse somme, et à lui rendre sa femme ; mais le pêcheur, devenu sage, ne prit que l'argent.

Ni la belle Sémire ne se consolait d'avoir cru que Zadig serait borgne, ni Azora ne cessait de pleurer d'avoir voulu lui couper le nez. Il adoucit leurs douleurs par des présents. L'envieux mourut de rage et de honte. L'empire jouit de la paix, de la gloire et de l'abondance ; ce fut le plus beau siècle de la terre : elle était gouvernée par la justice et par l'amour. On bénissait Zadig, et Zadig bénissait le ciel.

APPENDICE[60]

LA DANSE

Sétoc devait aller, pour les affaires de son commerce, dans l'île de Serendib[61] ; mais le premier mois de son mariage qui est, comme on sait, la lune du

miel, ne lui permettait ni de quitter sa femme, ni de croire qu'il pût jamais la quitter : il pria son ami Zadig de faire pour lui le voyage. « Hélas ! disait Zadig, faut-il que je mette encore un plus vaste espace entre la belle Astarté et moi ? Mais il faut servir mes bienfaiteurs. » Il dit, il pleura, et il partit.

Il ne fut pas longtemps dans l'île de Serendib sans y être regardé comme un homme extraordinaire. Il devint l'arbitre de tous les différends entre les négociants, l'ami des sages, le conseil du petit nombre de gens qui prennent conseil. Le roi voulut le voir et l'entendre. Il connut bientôt tout ce que valait Zadig ; il eut confiance en sa sagesse, et en fit son ami. La familiarité et l'estime du roi fit trembler Zadig. Il était nuit et jour pénétré du malheur que lui avaient attiré les bontés de Moabdar. « Je plais au roi, disait-il, ne serai-je pas perdu ? » Cependant il ne pouvait se dérober aux caresses de Sa Majesté : car il faut avouer que Nabussan, roi de Serendib, fils de Nussanab, fils de Nabassun, fils de Sanbusna, était un des meilleurs princes de l'Asie et que, quand on lui parlait, il était difficile de ne le pas aimer.

Ce bon prince était toujours loué, trompé et volé : c'était à qui pillerait ses trésors. Le receveur général de l'île de Serendib donnait toujours cet exemple, fidèlement suivi par les autres. Le roi le savait ; il avait changé de trésorier plusieurs fois ; mais il n'avait pu changer la mode établie de partager les revenus du roi en deux moitiés inégales, dont la plus petite revenait toujours à Sa Majesté, et la plus grosse aux administrateurs.

Le roi Nabussan confia sa peine au sage Zadig. « Vous qui savez tant de belles choses, lui dit-il, ne sauriez-vous point le moyen de me faire trouver un trésorier qui ne me vole point ? — Assurément, répondit Zadig, je sais une façon infaillible de vous donner un homme qui ait les mains nettes. » Le roi, charmé, lui demanda, en l'embrassant, comment il fallait s'y prendre. « Il n'y a, dit Zadig, qu'à faire danser tous ceux qui se présenteront pour la dignité

de trésorier, et celui qui dansera avec le plus de
légèreté sera infailliblement le plus honnête homme.
— Vous vous moquez, dit le roi ; voilà une plaisante
façon de choisir un receveur de mes finances ! Quoi,
vous prétendez que celui qui fera le mieux un entre-
chat[62] sera le financier le plus intègre et le plus
habile ! — Je ne vous réponds pas qu'il sera le plus
habile, repartit Zadig ; mais je vous assure que ce
sera indubitablement le plus honnête homme. »
Zadig parlait avec tant de confiance que le roi crut
qu'il avait quelque secret surnaturel pour connaître
les financiers. « Je n'aime pas le surnaturel, dit
Zadig, les gens et les livres à prodiges m'ont toujours
déplu : si Votre Majesté veut me laisser faire
l'épreuve que je lui propose, elle sera bien convain-
cue que mon secret est la chose la plus simple et la
plus aisée. » Nabussan, roi de Serendib, fut bien plus
étonné d'entendre que ce secret était simple, que si
on le lui avait donné pour un miracle : « Or bien,
dit-il, faites comme vous l'entendrez. — Laissez-moi
faire, dit Zadig, vous gagnerez à cette épreuve plus
que vous ne pensez. » Le jour même il fit publier, au
nom du roi, que tous ceux qui prétendaient à
l'emploi de haut receveur des derniers de Sa Gra-
cieuse Majesté Nabussan, fils de Nussanab, eussent
à se rendre, en habits de soie légère, le premier de la
lune du crocodile[63], dans l'antichambre du roi. Ils
s'y rendirent au nombre de soixante et quatre. On
avait fait venir des violons dans un salon voisin ; tout
était préparé pour le bal ; mais la porte de ce salon
était fermée, et il fallait, pour y entrer, passer par
une petite galerie assez obscure. Un huissier vint
chercher et introduire chaque candidat, l'un après
l'autre, par ce passage dans lequel on le laissait seul,
quelques minutes. Le roi, qui avait le mot, avait étalé
tous ses trésors dans cette galerie. Lorsque tous les
prétendants furent arrivés dans le salon, Sa Majesté
ordonna qu'on les fît danser. Jamais on ne dansa
plus pesamment et avec moins de grâce ; ils avaient
tous la tête baissée, les reins courbés, les mains

collées à leurs côtés. « Quels fripons ! » disait tout
bas Zadig. Un seul d'entre eux formait des pas avec
agilité, la tête haute, le regard assuré, les bras éten-
dus, le corps droit, le jarret ferme. « Ah ! l'honnête
homme ! le brave homme ! » disait Zadig. Le roi
embrassa ce bon danseur, le déclara trésorier, et tous
les autres furent punis et taxés avec la plus grande
justice du monde : car chacun, dans le temps qu'il
avait été dans la galerie, avait rempli ses poches, et
pouvait à peine marcher. Le roi fut fâché pour la
nature humaine que de ces soixante et quatre dan-
seurs il y eût soixante et trois filous. La galerie
obscure fut appelée *le corridor de la tentation*. On
aurait en Perse empalé ces soixante et trois sei-
gneurs ; en d'autres pays on eût fait une chambre de
justice qui eût consommé en frais le triple de l'argent
volé, et qui n'eût rien remis dans les coffres du
souverain ; dans un autre royaume, ils se seraient
pleinement justifiés, et auraient fait disgracier ce
danseur si léger : à Serendib, ils ne furent condam-
nés qu'à augmenter le trésor public, car Nabussan
était fort indulgent.

Il était aussi fort reconnaissant ; il donna à Zadig
une somme d'argent plus considérable qu'aucun tré-
sorier n'en avait jamais volé au roi son maître. Zadig
s'en servit pour envoyer des exprès à Babylone, qui
devaient l'informer de la destinée d'Astarté. Sa voix
trembla en donnant cet ordre, son sang reflua vers
son cœur, ses yeux se couvrirent de ténèbres, son
âme fut prête à l'abandonner. Le courrier partit,
Zadig le vit embarquer ; il rentra chez le roi, ne
voyant personne, croyant être dans sa chambre, et
prononçant le nom d'amour. « Ah ! l'amour, dit le
roi ; c'est précisément ce dont il s'agit ; vous avez
deviné ce qui fait ma peine. Que vous êtes un grand
homme ! J'espère que vous m'apprendrez à
connaître une femme à toute épreuve, comme vous
m'avez fait trouver un trésorier désintéressé. »
Zadig, ayant repris ses sens, lui promit de le servir
en amour comme en finance, quoique la chose parût
plus difficile encore.

LES YEUX BLEUS

« Le corps et le cœur... », dit le roi à Zadig. A ces
mots, le Babylonien ne put s'empêcher d'interrompre
Sa Majesté. « Que je vous sais bon gré, dit-il, de
n'avoir point dit *l'esprit et le cœur !* Car on n'entend
que ces mots dans les conversations de Babylone ; on
ne voit que des livres où il est question du cœur et de
l'esprit[64], composés par des gens qui n'ont ni de l'un
ni de l'autre ; mais de grâce, sire, poursuivez. » Nabus-
san continua ainsi : « Le corps et le cœur sont chez
moi destinés à aimer ; la première de ces deux puis-
sances a tout lieu d'être satisfaite. J'ai ici cent femmes
à mon service, toutes belles, complaisantes, préve-
nantes, voluptueuses même, ou feignant de l'être avec
moi. Mon cœur n'est pas à beaucoup près si heureux.
Je n'ai que trop éprouvé qu'on caresse beaucoup le roi
de Serendib, et qu'on se soucie fort peu de Nabussan.
Ce n'est pas que je croie mes femmes infidèles ; mais
je voudrais trouver une âme qui fût à moi ; je donne-
rais pour un pareil trésor les cent beautés dont je
possède les charmes : voyez si, sur ces cent sultanes,
vous pouvez m'en trouver une dont je sois sûr d'être
aimé. »

Zadig lui répondit comme il avait fait sur l'article
des financiers : « Sire, laissez-moi faire ; mais permet-
tez d'abord que je dispose de ce que vous aviez étalé
dans la galerie de la tentation ; je vous en rendrai bon
compte, et vous n'y perdrez rien. » Le roi le laissa le
maître absolu. Il choisit dans Serendib trente-trois
petits bossus des plus vilains qu'il put trouver, trente-
trois pages des plus beaux, et trente-trois bonzes des
plus éloquents et des plus robustes. Il leur laissa à tous
la liberté d'entrer dans les cellules des sultanes ;
chaque petit bossu eut quatre mille pièces d'or à don-
ner, et dès le premier jour tous les bossus furent
heureux. Les pages, qui n'avaient rien à donner
qu'eux-mêmes, ne triomphèrent qu'au bout de deux
ou trois jours. Les bonzes eurent un peu plus de
peine ; mais enfin trente-trois dévotes se rendirent à

eux. Le roi, par des jalousies qui avaient vue sur toutes les cellules, vit toutes ces épreuves, et fut émerveillé. De ses cent femmes, quatre-vingt-dix-neuf succombèrent à ses yeux.

Il en restait une toute jeune, toute neuve, de qui Sa Majesté n'avait jamais approché. On lui détacha, un, deux, trois bossus, qui lui offrirent jusqu'à vingt mille pièces ; elle fut incorruptible, et ne put s'empêcher de rire de l'idée qu'avaient ces bossus de croire que de l'argent les rendrait mieux faits. On lui présenta les deux plus beaux pages ; elle dit qu'elle trouvait le roi encore plus beau. On lui lâcha le plus éloquent des bonzes, et ensuite le plus intrépide ; elle trouva le premier un bavard, et ne daigna pas même soupçonner le mérite du second. « Le cœur fait tout, disait-elle ; je ne céderai jamais ni à l'or d'un bossu, ni aux grâces d'un jeune homme, ni aux séductions d'un bonze : j'aimerai uniquement Nabussan, fils de Nussanab, et j'attendrai qu'il daigne m'aimer. » Le roi fut transporté de joie, d'étonnement et de tendresse. Il reprit tout l'argent qui avait fait réussir les bossus, et en fit présent à la belle Falide : c'était le nom de cette jeune personne. Il lui donna son cœur : elle le méritait bien. Jamais la fleur de la jeunesse ne fut si brillante ; jamais les charmes de la beauté ne furent si enchanteurs. La vérité de l'histoire ne permet pas de taire qu'elle faisait mal la révérence ; mais elle dansait comme les fées, chantait comme les sirènes, et parlait comme les Grâces : elle était pleine de talents et de vertus.

Nabussan, aimé, l'adora ; mais elle avait les yeux bleus, et ce fut la source des plus grands malheurs. Il y avait une ancienne loi qui défendait aux rois d'aimer une de ces femmes que les Grecs ont appelées depuis boopies[65]. Le chef des bonzes avait établi cette loi il y avait plus de cinq mille ans ; c'était pour s'approprier la maîtresse du premier roi de l'île de Serendib que ce premier bonze avait fait passer l'anathème des yeux bleus en constitution fondamentale d'Etat. Tous les ordres de l'empire vinrent faire à Nabussan des

remontrances. On disait publiquement que les der-
niers jours du royaume étaient arrivés, que l'abomina-
tion était à son comble, que toute la nature était
menacée d'un événement sinistre ; qu'en un mot
Nabussan, fils de Nussanab, aimait deux grands yeux
bleus. Les bossus, les financiers, les bonzes, et les
brunes, remplirent le royaume de leurs plaintes.

Les peuples sauvages qui habitent le nord de Seren-
dib profitèrent de ce mécontentement général. Ils
firent une irruption dans les Etats du bon Nabussan. Il
demanda des subsides à ses sujets ; les bonzes, qui
possédaient la moitié des revenus de l'Etat, se conten-
tèrent de lever les mains au ciel, et refusèrent de les
mettre dans leurs coffres pour aider le roi[66]. Ils firent
de belles prières en musique, et laissèrent l'Etat en
proie aux barbares.

« O mon cher Zadig, me tireras-tu encore de cet
horrible embarras ? s'écria douloureusement Nabus-
san. — Très volontiers, répondit Zadig ; vous aurez de
l'argent des bonzes tant que vous en voudrez. Laissez
à l'abandon les terres où sont situés leurs châteaux, et
défendez seulement les vôtres. » Nabussan n'y man-
qua pas : les bonzes vinrent se jeter aux pieds du roi,
et implorer son assistance. Le roi leur répondit par
une belle musique dont les paroles étaient des prières
au ciel pour la conservation de leurs terres. Les bonzes
enfin donnèrent de l'argent, et le roi finit heureuse-
ment la guerre. Ainsi Zadig, par ses conseils sages et
heureux, et par les plus grands services, s'était attiré
l'irréconciliable inimitié des hommes les plus puissants
de l'Etat ; les bonzes et les brunes jurèrent sa perte ; les
financiers et les bossus ne l'épargnèrent pas ; on le
rendit suspect au bon Nabussan. Les services rendus
restent souvent dans l'antichambre, et les soupçons
entrent dans le cabinet, selon la sentence de
Zoroastre : c'était tous les jours de nouvelles accusa-
tions ; la première est repoussée, la seconde effleure, la
troisième blesse, la quatrième tue.

Zadig, intimidé, qui avait bien fait les affaires de son
ami Sétoc, et qui lui avait fait tenir son argent, ne

songea plus qu'à partir de l'île, et résolut d'aller lui-
même chercher des nouvelles d'Astarté. « Car,
disait-il, si je reste dans Serendib, les bonzes me feront
empaler ; mais où aller ? je serai esclave en Egypte,
brûlé selon toutes les apparences en Arabie, étranglé à
Babylone. Cependant il faut savoir ce qu'Astarté est
devenue : partons, et voyons à quoi me réserve ma
triste destinée. »

*C'est ici que finit le manuscrit qu'on a retrouvé de
l'histoire de Zadig. Ces deux chapitres doivent être cer-
tainement placés après le douzième, et avant l'arrivée de
Zadig en Syrie. On sait qu'il a essuyé bien d'autres
aventures qui ont été fidèlement écrites. On prie messieurs
les interprètes des langues orientales de les communiquer,
si elles parviennent jusqu'à eux*[67].

CANDIDE OU L'OPTIMISME[1]

TRADUIT DE L'ALLEMAND

DE MR. LE DOCTEUR RALPH,

AVEC LES ADDITIONS[2] QU'ON A TROUVÉES DANS LA
POCHE DU DOCTEUR, LORSQU'IL MOURUT À
MINDEN[3], L'AN DE GRACE 1759

CHAPITRE PREMIER

Il y avait en Vestphalie[5] dans le château de monsieur le baron de Thunder-ten-tronckh, un jeune garçon à qui la nature avait donné les mœurs les plus douces. Sa physionomie annonçait son âme. Il avait le jugement assez droit, avec l'esprit le plus simple ; c'est, je crois, pour cette raison qu'on le nommait Candide. Les anciens domestiques de la maison soupçonnaient qu'il était fils de la sœur de monsieur le baron, et d'un bon et honnête gentilhomme du voisinage, que cette demoiselle ne voulut jamais épouser parce qu'il n'avait pu prouver que soixante et onze quartiers[6], et que le reste de son arbre généalogique avait été perdu par l'injure du temps.

Monsieur le baron était un des plus puissants seigneurs de la Vestphalie, car son château avait une porte et des fenêtres. Sa grande salle même était ornée d'une tapisserie. Tous les chiens de ses basses-cours composaient une meute dans le besoin[7] ; ses palefreniers étaient ses piqueurs ; le vicaire du village était son grand aumônier. Ils l'appelaient tous Monseigneur, et ils riaient quand il faisait des contes.

Madame la baronne, qui pesait environ trois cent cinquante livres, s'attirait par là une très grande considération, et faisait les honneurs de la maison avec une dignité qui la rendait encore plus respectable. Sa fille Cunégonde, âgée de dix-sept ans, était haute en couleur, fraîche, grasse, appétissante. Le fils du baron

paraissait en tout digne de son père. Le précepteur
Pangloss était l'oracle de la maison, et le petit Candide
écoutait ses leçons avec toute la bonne foi de son âge
et de son caractère.

Pangloss enseignait la métaphysico-théologo-cos-
molonigologie[8]. Il prouvait admirablement qu'il n'y a
point d'effet sans cause, et que, dans ce meilleur des
mondes possibles, le château de monseigneur le baron
était le plus beau des châteaux, et madame la meilleure
des baronnes possibles.

« Il est démontré, disait-il, que les choses ne peuvent
être autrement : car tout étant fait pour une fin, tout
est nécessairement pour la meilleure fin. Remarquez
bien que les nez ont été faits pour porter des lunettes ;
aussi avons-nous des lunettes. Les jambes sont visible-
ment instituées pour être chaussées, et nous avons des
chausses[9]. Les pierres ont été formées pour être tail-
lées et pour en faire des châteaux ; aussi monseigneur
a un très beau château : le plus grand baron de la
province doit être le mieux logé ; et les cochons étant
faits pour être mangés, nous mangeons du porc toute
l'année. Par conséquent, ceux qui ont avancé que tout
est bien ont dit une sottise : il fallait dire que tout est
au mieux. »

Candide écoutait attentivement, et croyait innocem-
ment ; car il trouvait mademoiselle Cunégonde extrê-
mement belle, quoiqu'il ne prît jamais la hardiesse de
le lui dire. Il concluait qu'après le bonheur d'être né
baron de Thunder-ten-tronckh, le second degré de
bonheur était d'être mademoiselle Cunégonde ; le
troisième, de la voir tous les jours ; et le quatrième,
d'entendre maître Pangloss, le plus grand philosophe
de la province, et par conséquent de toute la terre.

Un jour, Cunégonde, en se promenant auprès du
château, dans le petit bois qu'on appelait parc, vit
entre des broussailles le docteur Pangloss qui donnait
une leçon de physique expérimentale à la femme de
chambre de sa mère, petite brune très jolie et très
docile. Comme mademoiselle Cunégonde avait beau-
coup de disposition pour les sciences, elle observa,

sans souffler, les expériences réitérées dont elle fut témoin ; elle vit clairement la raison suffisante du docteur, les effets et les causes, et s'en retourna tout agitée, toute pensive, toute remplie du désir d'être savante, songeant qu'elle pourrait bien être la raison suffisante du jeune Candide, qui pouvait aussi être la sienne [10].

Elle rencontra Candide en revenant au château, et rougit ; Candide rougit aussi ; elle lui dit bonjour d'une voix entrecoupée, et Candide lui parla sans savoir ce qu'il disait. Le lendemain, après le dîner [11], comme on sortait de table, Cunégonde et Candide se trouvèrent derrière un paravent ; Cunégonde laissa tomber son mouchoir, Candide le ramassa ; elle lui prit innocemment la main ; le jeune homme baisa innocemment la main de la jeune demoiselle avec une vivacité, une sensibilité, une grâce toute particulière ; leurs bouches se rencontrèrent, leurs yeux s'enflammèrent, leurs genoux tremblèrent, leurs mains s'égarèrent. Monsieur le baron de Thunder-ten-tronckh passa auprès du paravent, et, voyant cette cause et cet effet, chassa Candide du château à grands coups de pied dans le derrière ; Cunégonde s'évanouit : elle fut souffletée par madame la baronne dès qu'elle fut revenue à elle-même ; et tout fut consterné dans le plus beau et le plus agréable des châteaux possibles.

CHAPITRE SECOND

CE QUE DEVINT CANDIDE PARMI LES BULGARES

Candide, chassé du paradis terrestre, marcha longtemps sans savoir où, pleurant, levant les yeux au ciel, les tournant souvent vers le plus beau des châteaux, qui renfermait la plus belle des baronnettes, il se coucha sans souper au milieu des champs entre deux sillons ; la neige tombait à gros flocons. Candide, tout

transi, se traîna le lendemain vers la ville voisine, qui
s'appelle Valdberghoff-trarbk-dikdorff, n'ayant point
d'argent, mourant de faim, et de lassitude. Il s'arrêta
tristement à la porte d'un cabaret.

Deux hommes habillés de bleu[12] le remarquèrent :
« Camarade, dit l'un, voilà un jeune homme très bien
fait, et qui a la taille requise. » Ils s'avancèrent vers
Candide, et le prièrent à dîner très civilement. « Mes-
sieurs, leur dit Candide avec une modestie charmante,
vous me faites beaucoup d'honneur, mais je n'ai pas
de quoi payer mon écot. — Ah ! monsieur, lui dit un
des bleus, les personnes de votre figure et de votre
mérite ne payent jamais rien : n'avez-vous pas cinq
pieds cinq pouces de haut[13] ? — Oui, messieurs, c'est
ma taille, dit-il en faisant la révérence. — Ah ! mon-
sieur, mettez-vous à table ; non seulement nous vous
défrayerons, mais nous ne souffrirons jamais qu'un
homme comme vous manque d'argent ; les hommes
ne sont faits que pour se secourir les uns les autres. —
Vous avez raison, dit Candide ; c'est ce que monsieur
Pangloss m'a toujours dit, et je vois bien que tout est
au mieux. » On le prie d'accepter quelques écus, il les
prend et veut faire son billet ; on n'en veut point, on se
met à table. « N'aimez-vous pas tendrement ?... —
Oh ! oui, répond-il, j'aime tendrement mademoiselle
Cunégonde. — Non, dit l'un de ces messieurs, nous
vous demandons si vous n'aimez pas tendrement le roi
des Bulgares[14] ? — Point du tout, dit-il, car je ne l'ai
jamais vu. — Comment ! c'est le plus charmant des
rois, et il faut boire à sa santé. — Oh ! très volontiers,
messieurs. » Et il boit. « C'en est assez, lui dit-on, vous
voilà l'appui, le soutien, le défenseur, le héros des
Bulgares ; votre fortune est faite, et votre gloire est
assurée. » On lui met sur-le-champ les fers aux pieds,
et on le mène au régiment. On le fait tourner à droite,
à gauche, hausser la baguette[15], remettre la baguette,
coucher en joue, tirer, doubler le pas, et on lui donne
trente coups de bâton ; le lendemain, il fait l'exercice

un peu moins mal, et il ne reçoit que vingt coups ; le surlendemain, on ne lui en donne que dix, et il est regardé par ses camarades comme un prodige.

Candide, tout stupéfait, ne démêlait pas encore trop bien comment il était un héros. Il s'avisa un beau jour de printemps de s'aller promener, marchant tout droit devant lui, croyant que c'était un privilège de l'espèce humaine, comme de l'espèce animale, de se servir de ses jambes à son plaisir. Il n'eut pas fait deux lieues que voilà quatre autres héros de six pieds qui l'atteignent, qui le lient, qui le mènent dans un cachot. On lui demanda juridiquement ce qu'il aimait le mieux d'être fustigé trente-six fois par tout le régiment, ou de recevoir à la fois douze balles de plomb dans la cervelle. Il eut beau dire que les volontés sont libres, et qu'il ne voulait ni l'un ni l'autre, il fallut faire un choix ; il se détermina, en vertu du don de Dieu qu'on nomme *liberté*, à passer trente-six fois par les baguettes ; il essuya deux promenades. Le régiment était composé de deux mille hommes. Cela lui composa quatre mille coups de baguettes, qui, depuis la nuque du cou jusqu'au cul, lui découvrirent les muscles et les nerfs. Comme on allait procéder à la troisième course, Candide, n'en pouvant plus, demanda en grâce qu'on voulût bien avoir la bonté de lui casser la tête ; il obtint cette faveur ; on lui bande les yeux ; on le fait mettre à genoux. Le roi des Bulgares passe dans ce moment, s'informe du crime du patient ; et comme ce roi avait un grand génie, il comprit, par tout ce qu'il apprit de Candide, que c'était un jeune métaphysicien fort ignorant des choses de ce monde, et il lui accorda sa grâce avec une clémence qui sera louée dans tous les journaux et dans tous les siècles [16]. Un brave chirurgien guérit Candide en trois semaines avec les émollients enseignés par Dioscoride [17]. Il avait déjà un peu de peau, et pouvait marcher, quand le roi des Bulgares livra bataille au roi des Abares.

CHAPITRE TROISIÈME

COMMENT CANDIDE SE SAUVA D'ENTRE LES BULGARES, ET CE QU'IL DEVINT

Rien n'était si beau, si leste, si brillant, si bien ordonné que les deux armées. Les trompettes, les fifres, les hautbois, les tambours, les canons, formaient une harmonie telle qu'il n'y en eut jamais en enfer. Les canons renversèrent d'abord à peu près six mille hommes de chaque côté ; ensuite la mousqueterie ôta du meilleur des mondes environ neuf à dix mille coquins qui en infectaient la surface. La baïonnette fut aussi la raison suffisante de la mort de quelques milliers d'hommes[18]. Le tout pouvait bien se monter à une trentaine de mille âmes. Candide, qui tremblait comme un philosophe, se cacha du mieux qu'il put pendant cette boucherie héroïque.

Enfin, tandis que les deux rois faisaient chanter des *Te Deum*, chacun dans son camp[19], il prit le parti d'aller raisonner ailleurs des effets et des causes. Il passa par-dessus des tas de morts et de mourants, et gagna d'abord un village voisin ; il était en cendres : c'était un village abare que les Bulgares avaient brûlé, selon les lois du droit public[20]. Ici des vieillards criblés de coups regardaient mourir leurs femmes égorgées, qui tenaient leurs enfants à leurs mamelles sanglantes ; là des filles, éventrées après avoir assouvi les besoins naturels de quelques héros, rendaient les derniers soupirs ; d'autres, à demi brûlées, criaient qu'on achevât de leur donner la mort. Des cervelles étaient répandues sur la terre à côté de bras et de jambes coupés.

Candide s'enfuit au plus vite dans un autre village : il appartenait à des Bulgares, et les héros abares l'avaient traité de même. Candide, toujours marchant sur des membres palpitants, ou à travers des ruines, arriva enfin hors du théâtre de la guerre, portant quelques petites provisions dans son bissac, et n'oubliant jamais mademoiselle Cunégonde. Ses pro-

visions lui manquèrent quand il fut en Hollande ; mais
ayant entendu dire que tout le monde était riche dans
ce pays-là, et qu'on y était chrétien, il ne douta pas
qu'on ne le traitât aussi bien qu'il l'avait été dans le
château de monsieur le baron, avant qu'il en eût été
chassé pour les beaux yeux de mademoiselle Cuné-
gonde.

Il demanda l'aumône à plusieurs graves person-
nages, qui lui répondirent tous que, s'il continuait à
faire ce métier, on l'enfermerait dans une maison de
correction pour lui apprendre à vivre.

Il s'adressa ensuite à un homme qui venait de parler
tout seul une heure de suite sur la charité dans une
grande assemblée[21]. Cet orateur, le regardant de tra-
vers, lui dit : « Que venez-vous faire ici ? y êtes-vous
pour la bonne cause ? — Il n'y a point d'effet sans
cause, répondit modestement Candide ; tout est
enchaîné nécessairement, et arrangé pour le mieux. Il
a fallu que je fusse chassé d'auprès de mademoiselle
Cunégonde, que j'aie passé par les baguettes, et il faut
que je demande mon pain, jusqu'à ce que je puisse en
gagner ; tout cela ne pouvait être autrement. — Mon
ami, lui dit l'orateur, croyez-vous que le pape soit
l'Antéchrist ? — Je ne l'avais pas encore entendu dire,
répondit Candide ; mais, qu'il le soit ou qu'il ne le soit
pas, je manque de pain. — Tu ne mérites pas d'en
manger, dit l'autre ; va, coquin ; va, misérable, ne
m'approche de ta vie. » La femme de l'orateur ayant
mis la tête à la fenêtre, et avisant un homme qui
doutait que le pape fût antéchrist, lui répandit sur le
chef un plein... O ciel ! à quel excès se porte le zèle de
la religion dans les dames !

Un homme qui n'avait point été baptisé, un bon
anabaptiste[22], nommé Jacques, vit la manière cruelle
et ignominieuse dont on traitait ainsi un de ses frères,
un être à deux pieds sans plumes, qui avait une âme ;
il l'amena chez lui, le nettoya, lui donna du pain et de
la bière, lui fit présent de deux florins, et voulut même
lui apprendre à travailler dans ses manufactures aux
étoffes de Perse qu'on fabrique en Hollande. Candide,

se prosternant presque devant lui, s'écriait : « Maître
Pangloss me l'avait bien dit que tout est au mieux dans
ce monde, car je suis infiniment plus touché de votre
extrême générosité que de la dureté de ce monsieur à
manteau noir, et de madame son épouse. »

Le lendemain, en se promenant, il rencontra un
gueux tout couvert de pustules, les yeux morts, le bout
du nez rongé, la bouche de travers, les dents noires, et
parlant de la gorge, tourmenté d'une toux violente, et
crachant une dent à chaque effort.

CHAPITRE QUATRIÈME

COMMENT CANDIDE RENCONTRA SON ANCIEN
MAÎTRE DE PHILOSOPHIE,
LE DOCTEUR PANGLOSS, ET CE QUI EN ADVINT

Candide, plus ému encore de compassion que
d'horreur, donna à cet épouvantable gueux les deux
florins qu'il avait reçus de son honnête anabaptiste
Jacques. Le fantôme le regarda fixement, versa des
larmes, et sauta à son cou. Candide, effrayé, recule.
« Hélas ! dit le misérable à l'autre misérable, ne
reconnaissez-vous plus votre cher Pangloss ? —
Qu'entends-je ? Vous, mon cher maître ! vous, dans
cet état horrible ! Quel malheur vous est-il donc
arrivé ? Pourquoi n'êtes-vous plus dans le plus beau
des châteaux ? Qu'est devenue mademoiselle Cuné-
gonde, la perle des filles, le chef-d'œuvre de la nature ?
— Je n'en peux plus, dit Pangloss. » Aussitôt Candide
le mena dans l'étable de l'anabaptiste, où il lui fit
manger un peu de pain ; et quand Pangloss fut refait :
« Eh bien ! lui dit-il, Cunégonde ? — Elle est morte »,
reprit l'autre. Candide s'évanouit à ce mot ; son ami
rappela ses sens avec un peu de mauvais vinaigre qui
se trouva par hasard dans l'étable[23]. Candide rouvre
les yeux. « Cunégonde est morte ! Ah ! meilleur des

mondes, où êtes-vous ? Mais de quelle maladie est-elle
morte ? Ne serait-ce point de m'avoir vu chasser du
beau château de monsieur son père à grands coups de
pied ? — Non, dit Pangloss, elle a été éventrée par des
soldats bulgares, après avoir été violée autant qu'on
peut l'être ; ils ont cassé la tête à monsieur le baron,
qui voulait la défendre ; madame la baronne a été
coupée en morceaux ; mon pauvre pupille, traité pré-
cisément comme sa sœur ; et quant au château, il n'est
pas resté pierre sur pierre, pas une grange, pas un
mouton, pas un canard, pas un arbre ; mais nous
avons été bien vengés, car les Abares en ont fait autant
dans une baronnie voisine qui appartenait à un sei-
gneur bulgare. »

A ce discours, Candide s'évanouit encore ; mais,
revenu à soi et ayant dit tout ce qu'il devait dire, il
s'enquit de la cause et de l'effet, et de la raison suffi-
sante qui avaient mis Pangloss dans un si piteux état.
« Hélas ! dit l'autre, c'est l'amour : l'amour, le consola-
teur du genre humain, le conservateur de l'univers,
l'âme de tous les êtres sensibles, le tendre amour. —
Hélas ! dit Candide, je l'ai connu, cet amour, ce souve-
rain des cœurs, cette âme de notre âme ; il ne m'a
jamais valu qu'un baiser et vingt coups de pied au cul.
Comment cette belle cause a-t-elle pu produire en
vous un effet si abominable ? »

Pangloss répondit en ces termes : « O mon cher
Candide ! vous avez connu Paquette[24], cette jolie sui-
vante de notre auguste baronne ; j'ai goûté dans ses
bras les délices du paradis, qui ont produit ces tour-
ments d'enfer dont vous me voyez dévoré ; elle en
était infectée, elle en est peut-être morte. Paquette
tenait ce présent d'un cordelier très savant qui avait
remonté à la source, car il l'avait eue[25] d'une vieille
comtesse, qui l'avait reçue d'un capitaine de cavalerie,
qui le devait à une marquise, qui le tenait d'un page,
qui l'avait reçue d'un jésuite[26] qui, étant novice, l'avait
eue en droite ligne d'un des compagnons de Christ-
ophe Colomb[27]. Pour moi, je ne le donnerai à per-
sonne, car je me meurs.

— O Pangloss ! s'écria Candide, voilà une étrange généalogie ! n'est-ce pas le diable qui en fut la souche ? — Point du tout, répliqua ce grand homme ; c'était une chose indispensable dans le meilleur des mondes, un ingrédient nécessaire : car si Colomb n'avait pas attrapé dans une île de l'Amérique cette maladie qui empoisonne la source de la génération, qui souvent même empêche la génération, et qui est évidemment l'opposé du grand but de la nature, nous n'aurions ni le chocolat ni la cochenille[28] ; il faut encore observer que jusqu'aujourd'hui, dans notre continent, cette maladie nous est particulière, comme la controverse. Les Turcs, les Indiens, les Persans, les Chinois, les Siamois, les Japonais, ne la connaissent pas encore ; mais il y a une raison suffisante pour qu'ils la connaissent à leur tour dans quelques siècles. En attendant, elle a fait un merveilleux progrès parmi nous, et surtout dans ces grandes armées composées d'honnêtes stipendiaires bien élevés, qui décident du destin des Etats ; on peut assurer que, quand trente mille hommes combattent en bataille rangée contre des troupes égales en nombre, il y a environ vingt mille vérolés de chaque côté.

— Voilà qui est admirable, dit Candide ; mais il faut vous faire guérir. — Et comment le puis-je ? dit Pangloss ; je n'ai pas le sou, mon ami, et dans toute l'étendue de ce globe on ne peut ni se faire saigner, ni prendre un lavement sans payer, ou sans qu'il y ait quelqu'un qui paye pour nous. »

Ce dernier discours détermina Candide ; il alla se jeter aux pieds de son charitable anabaptiste Jacques, et lui fit une peinture si touchante de l'état où son ami était réduit, que le bonhomme n'hésita pas à recueillir le docteur Pangloss ; il le fit guérir à ses dépens. Pangloss, dans la cure, ne perdit qu'un œil et une oreille. Il écrivait bien, et savait parfaitement l'arithmétique. L'anabaptiste Jacques en fit son teneur de livres. Au bout de deux mois, étant obligé d'aller à Lisbonne pour les affaires de son commerce, il mena dans son vaisseau ses deux philosophes. Pangloss lui

expliqua comment tout était on ne peut mieux.
Jacques n'était pas de cet avis. « Il faut bien, disait-il,
que les hommes aient un peu corrompu la nature, car
ils ne sont point nés loups, et ils sont devenus loups.
Dieu ne leur a donné ni canons de vingt-quatre[29], ni
baïonnettes ; et ils se sont fait des baïonnettes et des
canons pour se détruire. Je pourrais mettre en ligne de
compte les banqueroutes, et la justice, qui s'empare
des biens des banqueroutiers pour en frustrer les
créanciers. — Tout cela était indispensable, répliquait
le docteur borgne, et les malheurs particuliers font le
bien général ; de sorte que plus il y a de malheurs
particuliers, et plus tout est bien. » Tandis qu'il raison-
nait, l'air s'obscurcit, les vents soufflèrent des quatre
coins du monde, et le vaisseau fut assailli de la plus
horrible tempête, à la vue du port de Lisbonne.

CHAPITRE CINQUIÈME

TEMPÊTE, NAUFRAGE, TREMBLEMENT DE TERRE, ET
CE QUI ADVINT DU DOCTEUR PANGLOSS, DE
CANDIDE, ET DE L'ANABAPTISTE JACQUES

La moitié des passagers affaiblis, expirants de ces
angoisses inconcevables que le roulis d'un vaisseau
porte dans les nerfs et dans toutes les humeurs du
corps agitées en sens contraires, n'avait pas même la
force de s'inquiéter du danger. L'autre moitié jetait
des cris et faisait des prières ; les voiles étaient
déchirées, les mâts brisés, le vaisseau entr'ouvert. Tra-
vaillait qui pouvait, personne ne s'entendait, personne
ne commandait. L'anabaptiste aidait un peu à la
manœuvre ; il était sur le tillac[30] ; un matelot furieux le
frappe rudement et l'étend sur les planches ; mais du
coup qu'il lui donna, il eut lui-même une si violente
secousse qu'il tomba hors du vaisseau, la tête la pre-
mière. Il restait suspendu et accroché à une partie de

mât rompue. Le bon Jacques court à son secours l'aide
à remonter, et de l'effort qu'il fait il est précipité dans
la mer à la vue du matelot, qui le laissa périr sans
daigner seulement le regarder. Candide approche, voit
son bienfaiteur qui reparaît un moment, et qui est
englouti pour jamais. Il veut se jeter après lui dans la
mer : le philosophe Pangloss l'en empêche, en lui
prouvant que la rade de Lisbonne avait été formée
exprès pour que cet anabaptiste s'y noyât. Tandis
qu'il le prouvait *a priori*, le vaisseau s'entr'ouvre[31] ;
tout périt, à la réserve de Pangloss, de Candide, et de
ce brutal de matelot qui avait noyé le vertueux ana-
baptiste ; le coquin nagea heureusement jusqu'au
rivage, où Pangloss et Candide furent portés sur une
planche.

Quand ils furent revenus un peu à eux, ils mar-
chèrent vers Lisbonne ; il leur restait quelque argent,
avec lequel ils espéraient se sauver de la faim après
avoir échappé à la tempête.

A peine ont-ils mis le pied dans la ville, en pleurant
la mort de leur bienfaiteur, qu'ils sentent la terre trem-
bler sous leurs pas, la mer s'élève en bouillonnant dans
le port, et brise les vaisseaux qui sont à l'ancre[32]. Des
tourbillons de flammes et de cendres couvrent les rues
et les places publiques[33] ; les maisons s'écroulent, les
toits sont renversés sur les fondements, et les fonde-
ments se dispersent ; trente mille habitants de tout âge
et de tout sexe sont écrasés sous les ruines. Le matelot
disait en sifflant et en jurant : « Il y aura quelque chose
à gagner ici. — Quelle peut être la raison suffisante de
ce phénomène ? disait Pangloss. — Voici le dernier
jour du monde ! » s'écriait Candide. Le matelot court
incontinent au milieu des débris, affronte la mort pour
trouver de l'argent, en trouve, s'en empare, s'enivre,
et, ayant cuvé son vin, achète les faveurs de la pre-
mière fille de bonne volonté qu'il rencontre sur les
ruines des maisons détruites, et au milieu des mou-
rants et des morts. Pangloss le tirait cependant par la
manche : « Mon ami, lui disait-il, cela n'est pas bien,
vous manquez à la raison universelle, vous prenez mal

votre temps. — Tête et sang, répondit l'autre, je suis matelot et né à Batavia ; j'ai marché quatre fois sur le crucifix dans quatre voyages au Japon[34] ; tu as bien trouvé ton homme avec ta raison universelle ! »

Quelques éclats de pierre avaient blessé Candide ; il était étendu dans la rue et couvert de débris. Il disait à Pangloss : « Hélas ! procure-moi un peu de vin et d'huile ; je me meurs. — Ce tremblement de terre n'est pas une chose nouvelle, répondit Pangloss ; la ville de Lima éprouva les mêmes secousses en Amérique l'année passée ; mêmes causes, mêmes effets : il y a certainement une traînée de soufre sous terre depuis Lima jusqu'à Lisbonne. — Rien n'est plus probable, dit Candide ; mais, pour Dieu, un peu d'huile et de vin. — Comment, probable ? répliqua le philosophe, je soutiens que la chose est démontrée. » Candide perdit connaissance, et Pangloss lui apporta un peu d'eau d'une fontaine voisine.

Le lendemain, ayant trouvé quelques provisions de bouche en se glissant à travers des décombres, ils réparèrent un peu leurs forces. Ensuite ils travaillèrent comme les autres à soulager les habitants échappés à la mort. Quelques citoyens, secourus par eux, leur donnèrent un aussi bon dîner qu'on le pouvait dans un tel désastre : il est vrai que le repas était triste ; les convives arrosaient leur pain de leurs larmes ; mais Pangloss les consola, en les assurant que les choses ne pouvaient être autrement : « Car, dit-il, tout ceci est ce qu'il y a de mieux ; car s'il y a un volcan à Lisbonne, il ne pouvait être ailleurs ; car il est impossible que les choses ne soient pas où elles sont ; car tout est bien. »

Un petit homme noir, familier de l'Inquisition[35], lequel était à côté de lui, prit poliment la parole et dit : « Apparemment que monsieur ne croit pas au péché originel ; car si tout est au mieux, il n'y a donc eu ni chute ni punition.

— Je demande très humblement pardon à Votre Excellence, répondit Pangloss encore plus poliment, car la chute de l'homme et la malédiction entraient nécessairement dans le meilleur des mondes possibles.

— Monsieur ne croit donc pas à la liberté ? dit le familier. — Votre Excellence m'excusera, dit Pangloss ; la liberté peut subsister avec la nécessité absolue : car il était nécessaire que nous fussions libres ; car enfin la volonté déterminée... » Pangloss était au milieu de sa phrase, quand le familier fit un signe de tête à son estafier[36] qui lui servait à boire du vin de Porto ou d'Oporto.

CHAPITRE SIXIÈME

COMMENT ON FIT UN BEL AUTO-DA-FÉ POUR EMPÊCHER LES TREMBLEMENTS DE TERRE, ET COMMENT CANDIDE FUT FESSÉ

Après le tremblement de terre qui avait détruit les trois quarts de Lisbonne, les sages du pays n'avaient pas trouvé un moyen plus efficace pour prévenir une ruine totale que de donner au peuple un bel auto-da-fé[37] ; il était décidé par l'université de Coïmbre que le spectacle de quelques personnes brûlées à petit feu, en grande cérémonie, est un secret infaillible pour empêcher la terre de trembler.

On avait en conséquence saisi un Biscayen convaincu d'avoir épousé sa commère, et deux Portugais qui en mangeant un poulet en avaient arraché le lard[38] : on vint lier après le dîner le docteur Pangloss et son disciple Candide, l'un pour avoir parlé, et l'autre pour avoir écouté avec un air d'approbation : tous deux furent menés séparément dans des appartements d'une extrême fraîcheur, dans lesquels on n'était jamais incommodé du soleil : huit jours après ils furent tous deux revêtus d'un *san-benito*, et on orna leurs têtes de mitres de papier : la mitre et le san-benito de Candide étaient peints de flammes renversées, et de diables qui n'avaient ni queues ni griffes ; mais les diables de Pangloss portaient griffes et

flammes étaient droites[39]. Ils marchèrent en procession ainsi vêtus, et entendirent un sermon très pathétique, suivi d'une belle musique en faux-bourdon[40]. Candide fut fessé en cadence, pendant qu'on chantait ; le Biscayen et les deux hommes qui n'avaient point voulu manger de lard furent brûlés, et Pangloss fut pendu, quoique ce ne soit pas la coutume. Le même jour, la terre trembla de nouveau avec un fracas épouvantable[41].

Candide, épouvanté, interdit, éperdu, tout sanglant, tout palpitant, se disait à lui-même : « Si c'est ici le meilleur des mondes possibles, que sont donc les autres ? Passe encore si je n'étais que fessé, je l'ai été chez les Bulgares ; mais, ô mon cher Pangloss ! le plus grand des philosophes, faut-il vous avoir vu pendre, sans que je sache pourquoi ! O mon cher anabaptiste ! le meilleur des hommes, faut-il que vous ayez été noyé dans le port ! ô mademoiselle Cunégonde ! la perle des filles, faut-il qu'on vous ait fendu le ventre ! »

Il s'en retournait, se soutenant à peine, prêché, fessé, absous et béni, lorsqu'une vieille l'aborda, et lui dit : « Mon fils, prenez courage, suivez-moi. »

CHAPITRE SEPTIÈME

COMMENT UNE VIEILLE PRIT SOIN DE CANDIDE, ET COMMENT IL RETROUVA CE QU'IL AIMAIT

Candide ne prit point courage, mais il suivit la vieille dans une masure : elle lui donna un pot de pommade pour se frotter, lui laissa à manger et à boire ; elle lui montra un petit lit assez propre ; il y avait auprès du lit un habit complet. « Mangez, buvez, dormez, lui dit-elle, et que Notre-Dame d'Atocha, monseigneur Saint-Antoine de Padoue[42], et monseigneur Saint-Jacques de Compostelle prennent soin de vous ! je reviendrai demain. » Candide, toujours

étonné de tout ce qu'il avait vu, de tout ce qu'il avait souffert, et encore plus de la charité de la vieille, voulut lui baiser la main. « Ce n'est pas ma main qu'il faut baiser, dit la vieille ; je reviendrai demain. Frottez-vous de pommade, mangez et dormez. »

Candide, malgré tant de malheurs, mangea et dormit. Le lendemain, la vieille lui apporte à déjeuner, visite son dos, le frotte elle-même d'une autre pommade ; elle lui apporte ensuite à dîner ; elle revient sur le soir, et apporte à souper. Le surlendemain, elle fit encore les mêmes cérémonies. « Qui êtes-vous ? lui disait toujours Candide ; qui vous a inspiré tant de bonté ? quelles grâces puis-je vous rendre ? » La bonne femme ne répondait jamais rien ; elle revint sur le soir, et n'apporta point à souper : « Venez avec moi, dit-elle, et ne dites mot. » Elle le prend sous le bras, et marche avec lui dans la campagne environ un quart de mille : ils arrivent à une maison isolée, entourée de jardins et de canaux. La vieille frappe à une petite porte. On ouvre ; elle mène Candide, par un escalier dérobé, dans un cabinet doré, le laisse sur un canapé de brocart, referme la porte, et s'en va. Candide croyait rêver, et regardait toute sa vie comme un songe funeste, et le moment présent comme un songe agréable.

La vieille reparut bientôt ; elle soutenait avec peine une femme tremblante, d'une taille majestueuse, brillante de pierreries, et couverte d'un voile. « Otez ce voile », dit la vieille à Candide. Le jeune homme approche ; il lève le voile d'une main timide. Quel moment ! quelle surprise ! il croit voir mademoiselle Cunégonde ; il la voyait en effet, c'était elle-même. La force lui manque, il ne peut proférer une parole, il tombe à ses pieds. Cunégonde tombe sur le canapé. La vieille les accable d'eaux spiritueuses, ils reprennent leurs sens, ils se parlent ; ce sont d'abord des mots entrecoupés, des demandes et des réponses qui se croisent, des soupirs, des larmes, des cris. La vieille leur recommande de faire moins de bruit, et les laisse en liberté. « Quoi ! c'est vous, lui dit Candide ;

vous vivez ! je vous retrouve en Portugal ! On ne vous a donc pas violée ? On ne vous a point fendu le ventre, comme le philosophe Pangloss me l'avait assuré ? — Si fait, dit la belle Cunégonde ; mais on ne meurt pas toujours de ces deux accidents. — Mais votre père et votre mère ont-ils été tués ? — Il n'est que trop vrai, dit Cunégonde en pleurant. — Et votre frère ? — Mon frère a été tué aussi. — Et pourquoi êtes-vous en Portugal ? et comment avez-vous su que j'y étais et par quelle étrange aventure m'avez-vous fait conduire dans cette maison ? — Je vous dirai tout cela, répliqua la dame ; mais il faut auparavant que vous m'appreniez tout ce qui vous est arrivé depuis le baiser innocent que vous me donnâtes, et les coups de pied que vous reçûtes. »

Candide lui obéit avec un profond respect ; et quoiqu'il fût interdit, quoique sa voix fût faible et tremblante, quoique l'échine lui fît encore un peu mal, il lui raconta de la manière la plus naïve tout ce qu'il avait éprouvé depuis le moment de leur séparation. Cunégonde levait les yeux au ciel : elle donna des larmes à la mort du bon anabaptiste et de Pangloss ; après quoi elle parla en ces termes à Candide, qui ne perdait pas une parole, et qui la dévorait des yeux.

CHAPITRE HUITIÈME

HISTOIRE DE CUNÉGONDE

« J'étais dans mon lit et je dormais profondément, quand il plut au Ciel d'envoyer les Bulgares dans notre beau château de Thunder-ten-tronckh ; ils égorgèrent mon père et mon frère, et coupèrent ma mère par morceaux. Un grand Bulgare, haut de six pieds, voyant qu'à ce spectacle j'avais perdu connaissance, se mit à me violer ; cela me fit revenir, je repris mes sens, je criai, je me débattis, je mordis, j'égratignai, je vou-

lais arracher les yeux à ce grand Bulgare, ne sachant
pas que tout ce qui arrivait dans le château de mon
père était une chose d'usage : le brutal me donna un
coup de couteau dans le flanc gauche dont je porte
encore la marque. — Hélas ! j'espère bien la voir, dit le
naïf Candide. — Vous la verrez, dit Cunégonde ; mais
continuons. — Continuez », dit Candide.

Elle reprit ainsi le fil de son histoire : « Un capitaine
bulgare entra, il me vit toute sanglante, et le soldat ne
se dérangeait pas. Le capitaine se mit en colère du peu
de respect que lui témoignait ce brutal, et le tua sur
mon corps. Ensuite il me fit panser, et m'emmena
prisonnière de guerre dans son quartier. Je blan-
chissais le peu de chemises qu'il avait, je faisais sa
cuisine ; il me trouvait fort jolie, il faut l'avouer ; et je
ne nierai pas qu'il ne fût très bien fait, et qu'il n'eût la
peau blanche et douce ; d'ailleurs peu d'esprit, peu de
philosophie : on voyait bien qu'il n'avait pas été élevé
par le docteur Pangloss. Au bout de trois mois, ayant
perdu tout son argent, et s'étant dégoûté de moi, il me
vendit à un juif nommé don Issachar[43], qui trafiquait
en Hollande et en Portugal, et qui aimait passionné-
ment les femmes. Ce juif s'attacha beaucoup à ma
personne, mais il ne pouvait en triompher ; je lui ai
mieux résisté qu'au soldat bulgare : une personne
d'honneur peut être violée une fois, mais sa vertu s'en
affermit. Le juif, pour m'apprivoiser, me mena dans
cette maison de campagne que vous voyez. J'avais cru
jusque-là qu'il n'y avait rien sur la terre de si beau que
le château de Thunder-ten-tronckh ; j'ai été détrom-
pée.

« Le grand inquisiteur m'aperçut un jour à la
messe ; il me lorgna beaucoup, et me fit dire qu'il avait
à me parler pour des affaires secrètes. Je fus conduite à
son palais ; je lui appris ma naissance ; il me repré-
senta combien il était au-dessous de mon rang
d'appartenir à un israélite. On proposa de sa part à
don Issachar de me céder à Monseigneur. Don Issa-
char, qui est le banquier de la cour, et homme de
crédit, n'en voulut rien faire. L'inquisiteur le menaça

d'un auto-da-fé. Enfin mon juif, intimidé, conclut un marché par lequel la maison et moi leur appartiendraient à tous deux en commun ; que le juif aurait pour lui les lundis, mercredis et le jour du sabbat, et que l'inquisiteur aurait les autres jours de la semaine. Il y a six mois que cette convention subsiste. Ce n'a pas été sans querelles ; car souvent il a été indécis si la nuit du samedi au dimanche appartenait à l'ancienne loi ou à la nouvelle. Pour moi, j'ai résisté jusqu'à présent à toutes les deux [44] ; et je crois que c'est pour cette raison que j'ai toujours été aimée.

« Enfin, pour détourner le fléau des tremblements de terre, et pour intimider don Issachar, il plut à monseigneur l'inquisiteur de célébrer un auto-da-fé. Il me fit l'honneur de m'y inviter. Je fus très bien placée ; on servit aux dames des rafraîchissements entre la messe et l'exécution. Je fus, à la vérité, saisie d'horreur en voyant brûler ces deux juifs et cet honnête Biscayen qui avait épousé sa commère ; mais quelle fut ma surprise, mon effroi, mon trouble, quand je vis, dans un san-benito et sous une mitre, une figure qui ressemblait à celle de Pangloss ! Je me frottai les yeux, je regardai attentivement, je le vis pendre ; je tombai en faiblesse. A peine reprenais-je mes sens que je vous vis dépouillé tout nu ; ce fut là le comble de l'horreur, de la consternation, de la douleur, du désespoir. Je vous dirai, avec vérité, que votre peau est encore plus blanche, et d'un incarnat plus parfait que celle de mon capitaine des Bulgares. Cette vue redoubla tous les sentiments qui m'accablaient, qui me dévoraient. Je m'écriai, je voulus dire : « Arrêtez, barbares ! » Mais la voix me manqua, et mes cris auraient été inutiles. Quand vous eûtes été bien fessé : « Comment se peut-il faire, disais-je, que l'aimable Candide et le sage Pangloss se trouvent à Lisbonne, l'un pour recevoir cent coups de fouet, et l'autre pour être pendu par l'ordre de monseigneur l'inquisiteur, dont je suis la bien-aimée ? Pangloss m'a donc bien cruellement trompée, quand il me disait que tout va le mieux du monde. »

« Agitée, éperdue, tantôt hors de moi-même, et tantôt prête de[45] mourir de faiblesse, j'avais la tête remplie du massacre de mon père, de ma mère, de mon frère, de l'insolence de mon vilain soldat bulgare, du coup de couteau qu'il me donna, de ma servitude, de mon métier de cuisinière, de mon capitaine bulgare, de mon vilain don Issachar, de mon abominable inquisiteur, de la pendaison du docteur Pangloss, de ce grand *miserere* en faux-bourdon pendant lequel on vous fessait, et surtout du baiser que je vous avais donné derrière un paravent, le jour que je vous avais vu pour la dernière fois. Je louai Dieu, qui vous ramenait à moi par tant d'épreuves. Je recommandai à ma vieille d'avoir soin de vous, et de vous amener ici dès qu'elle le pourrait. Elle a très bien exécuté ma commission ; j'ai goûté le plaisir inexprimable de vous revoir, de vous entendre, de vous parler. Vous devez avoir une faim dévorante ; j'ai grand appétit ; commençons par souper. »

Les voilà qui se mettent tous deux à table, et après le souper ils se replacent sur ce beau canapé dont on a déjà parlé ; ils y étaient quand le signor don Issachar, l'un des maîtres de la maison, arriva. C'était le jour du sabbat. Il venait jouir de ses droits, et expliquer son tendre amour.

CHAPITRE NEUVIÈME

CE QUI ADVINT DE CUNÉGONDE, DE CANDIDE, DU GRAND INQUISITEUR, ET D'UN JUIF

Cet Issachar était le plus colérique Hébreu qu'on eût vu dans Israël, depuis la captivité en Babylone. « Quoi ! dit-il, chienne de galiléenne, ce n'est pas assez de monsieur l'inquisiteur ? Il faut que ce coquin partage aussi avec moi ? » En disant cela il tire un long poignard dont il était toujours pourvu, et, ne croyant

pas que son adverse partie eût des armes, il se jette sur Candide ; mais notre bon Vestphalien avait reçu une belle épée de la vieille avec l'habit complet. Il tire son épée, quoiqu'il eût les mœurs fort douces, et vous étend l'israélite roide mort sur le carreau, aux pieds de la belle Cunégonde.

« Sainte Vierge ! s'écria-t-elle, qu'allons-nous devenir ? Un homme tué chez moi ! si la justice vient, nous sommes perdus. — Si Pangloss n'avait pas été pendu, dit Candide, il nous donnerait un bon conseil dans cette extrémité, car c'était un grand philosophe. A son défaut, consultons la vieille. » Elle était fort prudente, et commençait à dire son avis quand une autre petite porte s'ouvrit. Il était une heure après minuit, c'était le commencement du dimanche. Ce jour appartenait à monseigneur l'inquisiteur. Il entre et voit le fessé Candide, l'épée à la main, un mort étendu par terre, Cunégonde effarée, et la vieille donnant des conseils.

Voici dans ce moment ce qui se passa dans l'âme de Candide, et comment il raisonna : « Si ce saint homme appelle du secours, il me fera infailliblement brûler, il pourra en faire autant de Cunégonde ; il m'a fait fouetter impitoyablement ; il est mon rival ; je suis en train de tuer ; il n'y a pas à balancer. » Ce raisonnement fut net et rapide ; et, sans donner le temps à l'inquisiteur de revenir de sa surprise, il le perce d'outre en outre, et le jette à côté du juif. « En voici bien d'une autre, dit Cunégonde ; il n'y a plus de rémission ; nous sommes excommuniés, notre dernière heure est venue ! Comment avez-vous fait, vous qui êtes né si doux, pour tuer en deux minutes un juif et un prélat ? — Ma belle demoiselle, répondit Candide, quand on est amoureux, jaloux, et fouetté par l'Inquisition, on ne se connaît plus. »

La vieille prit alors la parole, et dit : « Il y a trois chevaux andalous dans l'écurie, avec leurs selles et leurs brides : que le brave Candide les prépare ; madame a des moyadors[46] et des diamants, montons vite à cheval, quoique je ne puisse me tenir que sur une fesse, et allons à Cadix ; il fait le plus beau temps

du monde, et c'est un grand plaisir de voyager pendant la fraîcheur de la nuit. »

Aussitôt Candide selle les trois chevaux. Cunégonde, la vieille et lui font trente milles d'une traite. Pendant qu'ils s'éloignaient, la Sainte Hermandad[47] arrive dans la maison, on enterre monseigneur dans une belle église et on jette Issachar à la voirie.

Candide, Cunégonde, et la vieille, étaient déjà dans la petite ville d'Avacéna[48] au milieu des montagnes de la Sierra-Morena ; et ils parlaient ainsi dans un cabaret.

CHAPITRE DIXIÈME

DANS QUELLE DÉTRESSE CANDIDE, CUNÉGONDE ET LA VIEILLE ARRIVENT À CADIX, ET DE LEUR EMBARQUEMENT

« Qui a donc pu me voler mes pistoles et mes diamants ? disait en pleurant Cunégonde ; de quoi vivrons-nous ? comment ferons-nous ? où trouver des inquisiteurs et des juifs qui m'en donnent d'autres ? — Hélas ! dit la vieille, je soupçonne fort un révérend père cordelier qui coucha hier dans la même auberge que nous à Badajos ; Dieu me garde de faire un jugement téméraire ! mais il entra deux fois dans notre chambre, et il partit longtemps avant nous. — Hélas ! dit Candide, le bon Pangloss m'avait souvent prouvé que les biens de la terre sont communs à tous les hommes, que chacun y a un droit égal. Ce cordelier devait bien, suivant ces principes, nous laisser de quoi achever notre voyage. Il ne vous reste donc rien du tout, ma belle Cunégonde ? — Pas un maravédis[49], dit-elle. — Quel parti prendre ? dit Candide. — Vendons un des chevaux, dit la vieille ; je monterai en croupe derrière mademoiselle, quoique je ne puisse me tenir que sur une fesse, et nous arriverons à Cadix. »

Il y avait dans la même hôtellerie un prieur de bénédictins ; il acheta le cheval bon marché. Candide, Cunégonde, et la vieille passèrent par Lucena, par Chillas, par Lebrixa [50], et arrivèrent enfin à Cadix [51]. On y équipait une flotte, et on y assemblait des troupes pour mettre à la raison les révérends pères jésuites du Paraguai, qu'on accusait d'avoir fait révolter une de leurs hordes contre les rois d'Espagne et de Portugal, auprès de la ville du Saint-Sacrement [52]. Candide, ayant servi chez les Bulgares, fit l'exercice bulgarien devant le général de la petite armée avec tant de grâce, de célérité, d'adresse, de fierté, d'agilité, qu'on lui donna une compagnie d'infanterie à commander. Le voilà capitaine ; il s'embarque avec mademoiselle Cunégonde, la vieille, deux valets, et les deux chevaux andalous qui avaient appartenu à monsieur le grand inquisiteur de Portugal.

Pendant toute la traversée ils raisonnèrent beaucoup sur la philosophie du pauvre Pangloss. « Nous allons dans un autre univers, disait Candide ; c'est dans celui-là, sans doute, que tout est bien. Car il faut avouer qu'on pourrait gémir un peu de ce qui se passe dans le nôtre en physique et en morale. — Je vous aime de tout mon cœur, disait Cunégonde ; mais j'ai encore l'âme tout effarouchée de ce que j'ai vu, de ce que j'ai éprouvé. — Tout ira bien, répliquait Candide ; la mer de ce nouveau monde vaut déjà mieux que les mers de notre Europe ; elle est plus calme, les vents plus constants. C'est certainement le nouveau monde qui est le meilleur des univers possibles. — Dieu le veuille ! disait Cunégonde ; mais j'ai été si horriblement malheureuse dans le mien que mon cœur est presque fermé à l'espérance. — Vous vous plaignez, leur dit la vieille ; hélas ! vous n'avez pas éprouvé des infortunes telles que les miennes. » Cunégonde se mit presque à rire, et trouva cette bonne femme fort plaisante de prétendre être plus malheureuse qu'elle. « Hélas ! lui dit-elle, ma bonne, à moins que vous n'ayez été violée par deux Bulgares, que vous n'ayez reçu deux coups de couteau dans le ventre, qu'on n'ait

démoli deux de vos châteaux, qu'on n'ait égorgé à vos yeux deux mères et deux pères, et que vous n'ayez vu deux de vos amants fouettés dans un auto-da-fé, je ne vois pas que vous puissiez l'emporter sur moi ; ajoutez que je suis née baronne avec soixante et douze quartiers, et que j'ai été cuisinière. — Mademoiselle, répondit la vieille, vous ne savez pas quelle est ma naissance ; et si je vous montrais mon derrière, vous ne parleriez pas comme vous faites, et vous suspendriez votre jugement. » Ce discours fit naître une extrême curiosité dans l'esprit de Cunégonde et de Candide. La vieille leur parla en ces termes.

CHAPITRE ONZIÈME

HISTOIRE DE LA VIEILLE

« Je n'ai pas eu toujours les yeux éraillés et bordés d'écarlate ; mon nez n'a pas toujours touché à mon menton, et je n'ai pas toujours été servante. Je suis la fille du pape Urbain X et de la princesse de Palestrine[a] ». On m'éleva jusqu'à quatorze ans dans un palais auquel tous les châteaux de vos barons allemands n'auraient pas servi d'écurie ; et une de mes robes valait mieux que toutes les magnificences de la Vestphalie. Je croissais en beauté, en grâces, en talents, au milieu des plaisirs, des respects, et des espérances. J'inspirais déjà de l'amour. Ma gorge se formait ; et quelle gorge ! blanche, ferme, taillée comme celle de la Vénus de Médicis[54] ; et quels yeux ! quelles paupières ! quels sourcils noirs ! quelles flammes brillaient dans mes deux prunelles, et effaçaient la scintillation des étoiles, comme me disaient les poètes du quartier.

a. Voyez l'extrême discrétion de l'auteur ; il n'y eut jusqu'à présent aucun pape nommé Urbain X ; il craint de donner une bâtarde à un pape connu. Quelle circonspection ! quelle délicatesse de conscience[53] !

Les femmes qui m'habillaient et qui me déshabillaient tombaient en extase en me regardant par-devant et par-derrière ; et tous les hommes auraient voulu être à leur place.

« Je fus fiancée à un prince souverain de Massa-Carrara [55]. Quel prince ! aussi beau que moi, pétri de douceur et d'agréments, brillant d'esprit et brûlant d'amour. Je l'aimais comme on aime pour la première fois, avec idolâtrie, avec emportement. Les noces furent préparées. C'était une pompe, une magnificence inouïe ; c'étaient des fêtes, des carrousels, des opéra-buffa continuels ; et toute l'Italie fit pour moi des sonnets dont il n'y eut pas un seul de passable. Je touchais au moment de mon bonheur, quand une vieille marquise qui avait été maîtresse de mon prince l'invita à prendre du chocolat chez elle. Il mourut en moins de deux heures avec des convulsions épouvantables. Mais ce n'est qu'une bagatelle. Ma mère, au désespoir, et bien moins affligée que moi, voulut s'arracher pour quelque temps à un séjour si funeste. Elle avait une très belle terre auprès de Gaète. Nous nous embarquâmes sur une galère du pays, dorée comme l'autel de Saint-Pierre de Rome. Voilà qu'un corsaire de Salé [56] fond sur nous et nous aborde ; nos soldats se défendirent comme des soldats du pape : ils se mirent tous à genoux en jetant leurs armes, et en demandant au corsaire une absolution *in articulo mortis* [57].

« Aussitôt on les dépouilla nus comme des singes, et ma mère aussi, nos filles d'honneur aussi, et moi aussi. C'est une chose admirable que la diligence avec laquelle ces messieurs déshabillent le monde. Mais ce qui me surprit davantage, c'est qu'ils nous mirent à tous le doigt dans un endroit où nous autres femmes nous ne nous laissons mettre d'ordinaire que des canules. Cette cérémonie me paraissait bien étrange : voilà comme on juge de tout quand on n'est pas sorti de son pays. J'appris bientôt que c'était pour voir si nous n'avions pas caché là quelques diamants : c'est un usage établi de temps immémorial parmi les

nations policées qui courent sur mer[58]. J'ai su que messieurs les religieux chevaliers de Malte n'y manquent jamais quand ils prennent des Turcs et des Turques. C'est une loi du droit des gens à laquelle on n'a jamais dérogé.

« Je ne vous dirai point combien il est dur pour une jeune princesse d'être menée esclave à Maroc avec sa mère. Vous concevez assez tout ce que nous eûmes à souffrir dans le vaisseau corsaire. Ma mère était encore très belle ; nos filles d'honneur, nos simples femmes de chambre, avaient plus de charmes qu'on n'en peut trouver dans toute l'Afrique. Pour moi, j'étais ravissante, j'étais la beauté, la grâce même, et j'étais pucelle. Je ne le fus pas longtemps : cette fleur, qui avait été réservée pour le beau prince de Massa-Carrara, me fut ravie par le capitaine corsaire. C'était un nègre abominable, qui croyait encore me faire beaucoup d'honneur. Certes il fallait que madame la princesse de Palestrine et moi fussions bien fortes pour résister à tout ce que nous éprouvâmes jusqu'à notre arrivée à Maroc. Mais, passons ; ce sont des choses si communes qu'elles ne valent pas la peine qu'on en parle.

« Maroc nageait dans le sang quand nous arrivâmes. Cinquante fils de l'empereur Mulei-Ismaël[59] avaient chacun leur parti : ce qui produisait en effet cinquante guerres civiles, de noirs contre noirs, de noirs contre basanés, de basanés contre basanés, de mulâtres contre mulâtres. C'était un carnage continuel dans toute l'étendue de l'empire.

« A peine fûmes-nous débarquées que des noirs d'une faction ennemie de celle de mon corsaire se présentèrent pour lui enlever son butin. Nous étions, après les diamants et l'or, ce qu'il avait de plus précieux. Je fus témoin d'un combat tel que vous n'en voyez jamais dans vos climats d'Europe. Les peuples septentrionaux n'ont pas le sang assez ardent. Ils n'ont pas la rage des femmes au point où elle est commune en Afrique. Il semble que vos Européens aient du lait dans les veines ; c'est du vitriol, c'est du feu qui coule

dans celles de habitants du mont Atlas et des pays voisins. On combattit avec la fureur des lions, des tigres et des serpents de la contrée, pour savoir à qui nous aurait. Un Maure saisit ma mère par le bras droit, le lieutenant de mon capitaine la retint par le bras gauche ; un soldat maure la prit par une jambe, un de nos pirates la tenait par l'autre. Nos filles se trouvèrent presque toutes en un moment tirées ainsi à quatre soldats. Mon capitaine me tenait cachée derrière lui. Il avait le cimeterre au poing, et tuait tout ce qui s'opposait à sa rage. Enfin je vis toutes nos Italiennes et ma mère déchirées, coupées, massacrées par les monstres qui se les disputaient. Les captifs, mes compagnons, ceux qui les avaient pris, soldats, matelots, noirs, basanés, blancs, mulâtres, et enfin mon capitaine, tout fut tué, et je demeurai mourante sur un tas de morts. Des scènes pareilles se passaient, comme on sait, dans l'étendue de plus de trois cents lieues, sans qu'on manquât aux cinq prières par jour ordonnées par Mahomet.

« Je me débarrassai avec beaucoup de peine de la foule de tant de cadavres sanglants entassés, et je me traînai sous un grand oranger au bord d'un ruisseau voisin ; j'y tombai d'effroi, de lassitude, d'horreur, de désespoir et de faim. Bientôt après, mes sens accablés se livrèrent à un sommeil qui tenait plus de l'évanouissement que du repos. J'étais dans cet état de faiblesse et d'insensibilité, entre la mort et la vie, quand je me sentis pressée de quelque chose qui s'agitait sur mon corps. J'ouvris les yeux, je vis un homme blanc et de bonne mine qui soupirait, et qui disait entre ses dents : *O che sciagura d'essere senza c...!*[60]

CHAPITRE DOUZIÈME

SUITE DES MALHEURS DE LA VIEILLE

« Etonnée et ravie d'entendre la langue de ma patrie, et non moins surprise des paroles que proférait cet homme, je lui répondis qu'il y avait de plus grands

malheurs que celui dont il se plaignait. Je l'instruisis en peu de mots des horreurs que j'avais essuyées, et je retombai en faiblesse. Il m'emporta dans une maison voisine, me fit mettre au lit, me fit donner à manger, me servit, me consola, me flatta, me dit qu'il n'avait rien vu de si beau que moi, et que jamais il n'avait tant regretté ce que personne ne pouvait lui rendre. « Je suis né à Naples, me dit-il ; on y chaponne deux ou trois mille enfants tous les ans ; les uns en meurent, les autres acquièrent une voix plus belle que celle des femmes, les autres vont gouverner des Etats[61]. On me fit cette opération avec un très grand succès, et j'ai été musicien de la chapelle de madame la princesse de Palestrine. — De ma mère ! m'écriai-je. — De votre mère ! s'écria-t-il en pleurant ; quoi ! vous seriez cette jeune princesse que j'ai élevée jusqu'à l'âge de six ans, et qui promettait déjà d'être aussi belle que vous êtes ? — C'est moi-même ; ma mère est à quatre cents pas d'ici, coupée en quartiers sous un tas de morts... »

« Je lui contai tout ce qui m'était arrivé ; il me conta aussi ses aventures, et m'apprit comment il avait été envoyé chez le roi de Maroc par une puissance chrétienne, pour conclure avec ce monarque un traité par lequel on lui fournirait de la poudre, des canons, et des vaisseaux, pour l'aider à exterminer le commerce des autres chrétiens[62]. « Ma mission est faite, dit cet honnête eunuque ; je vais m'embarquer à Ceuta, et je vous ramènerai en Italie. *Ma che sciagura d'essere senza c... !* »

« Je le remerciai avec des larmes d'attendrissement ; et au lieu de me mener en Italie, il me conduisit à Alger, et me vendit au dey de cette province[63]. A peine fus-je vendue que cette peste qui a fait le tour de l'Afrique, de l'Asie et de l'Europe, se déclara dans Alger avec fureur. Vous avez vu des tremblements de terre ; mais, mademoiselle, avez-vous jamais eu la peste ? — Jamais, répondit la baronne.

— Si vous l'aviez eue, reprit la vieille, vous avoueriez qu'elle est bien au-dessus d'un tremblement de terre. Elle est fort commune en Afrique ; j'en fus

attaquée. Figurez-vous quelle situation pour la fille d'un pape, âgée de quinze ans, qui en trois mois de temps avait éprouvé la pauvreté, l'esclavage, avait été violée presque tous les jours, avait vu couper sa mère en quatre, avait essuyé la faim et la guerre, et mourait pestiférée dans Alger. Je n'en mourus pourtant pas ; mais mon eunuque et le dey, et presque tout le sérail d'Alger périrent.

« Quand les premiers ravages de cette épouvantable peste furent passés, on vendit les esclaves du dey. Un marchand m'acheta, et me mena à Tunis ; il me vendit à un autre marchand, qui me revendit à Tripoli ; de Tripoli je fus revendue à Alexandrie, d'Alexandrie revendue à Smyrne, de Smyrne à Constantinople. J'appartins enfin à un aga des janissaires, qui fut bientôt commandé pour aller défendre Azof contre les Russes, qui l'assiégeaient[64].

« L'aga, qui était un très galant homme, mena avec lui tout son sérail, et nous logea dans un petit fort sur les Palus-Méotides[65], gardé par deux eunuques noirs et vingt soldats. On tua prodigieusement de Russes, mais ils nous le rendirent bien. Azof fut mis à feu et à sang, et on ne pardonna ni au sexe, ni à l'âge ; il ne resta que notre petit fort ; les ennemis voulurent nous prendre par famine. Les vingt janissaires avaient juré de ne se jamais rendre. Les extrémités de la faim où ils furent réduits les contraignirent à manger nos deux ennuques, de peur de violer leur serment. Au bout de quelques jours ils résolurent de manger les femmes.

« Nous avions un iman très pieux et très compatissant, qui leur fit un beau sermon par lequel il leur persuada de ne nous pas tuer tout à fait. « Coupez, dit-il, seulement une fesse à chacune de ces dames, vous ferez très bonne chère[66] ; s'il faut y revenir, vous en aurez encore autant dans quelques jours ; le ciel vous saura gré d'une action si charitable, et vous serez secourus. »

« Il avait beaucoup d'éloquence ; il les persuada. On nous fit cette horrible opération. L'iman nous appliqua le même baume qu'on met aux enfants qu'on vient de circoncire. Nous étions toutes à la mort.

« A peine les janissaires eurent-ils fait le repas que nous leur avions fourni, que les Russes arrivent sur des bateaux plats : il ne réchappa pas un janissaire. Les Russes ne firent aucune attention à l'état où nous étions. Il y a partout des chirurgiens français ; un d'eux, qui était fort adroit, prit soin de nous ; il nous guérit, et je me souviendrai toute ma vie que, quand mes plaies furent bien fermées, il me fit des propositions. Au reste, il nous dit à toutes de nous consoler ; il nous assura que dans plusieurs sièges pareille chose était arrivée, et que c'était la loi de la guerre.

« Dès que mes compagnes purent marcher, on les fit aller à Moscou. J'échus en partage à un boïard qui me fit sa jardinière, et qui me donnait vingt coups de fouet par jour. Mais ce seigneur ayant été roué au bout de deux ans avec une trentaine de boïards pour quelque tracasserie de cour, je profitai de cette aventure : je m'enfuis ; je traversai toute la Russie ; je fus long-temps servante de cabaret à Riga, puis à Rostock, à Vismar, à Leipsick, à Cassel, à Utrecht, à Leyde, à La Haye, à Rotterdam ; j'ai vieilli dans la misère et dans l'opprobre, n'ayant que la moitié d'un derrière, me souvenant toujours que j'étais fille d'un pape ; je voulus cent fois me tuer, mais j'aimais encore la vie. Cette faiblesse ridicule est peut-être un de nos penchants les plus funestes : car y a-t-il rien de plus sot que de vouloir porter continuellement un fardeau qu'on veut toujours jeter par terre ? d'avoir son être en horreur, et de tenir à son être ? enfin de caresser le serpent qui nous dévore, jusqu'à ce qu'il nous ait mangé le cœur ?

« J'ai vu dans les pays que le sort m'a fait parcourir, et dans les cabarets où j'ai servi, un nombre prodigieux de personnes qui avaient leur existence en exécration ; mais je n'en ai vu que douze qui aient mis volontairement fin à leur misère : trois nègres, quatre Anglais, quatre Genevois, et un professeur Allemand nommé Robeck[67]. J'ai fini par être servante chez le juif don Issachar ; il me mit auprès de vous, ma belle demoiselle ; je me suis attachée à votre destinée, et j'ai été plus occupée de vos aventures que des miennes. Je

ne vous aurais même jamais parlé de mes malheurs si vous ne m'aviez pas un peu piquée, et s'il n'était d'usage dans un vaisseau de conter des histoires pour se désennuyer. Enfin, mademoiselle, j'ai de l'expérience, je connais le monde ; donnez-vous un plaisir, engagez chaque passager à vous conter son histoire, et s'il s'en trouve un seul qui n'ait souvent maudit sa vie, qui ne se soit souvent dit à lui-même qu'il était le plus malheureux des hommes, jetez-moi dans la mer la tête la première. »

CHAPITRE TREIZIÈME

COMMENT CANDIDE FUT OBLIGÉ DE SE SÉPARER DE LA BELLE CUNÉGONDE ET DE LA VIEILLE

La belle Cunégonde, ayant entendu l'histoire de la vieille, lui fit toutes les politesses qu'on devait à une personne de son rang et de son mérite. Elle accepta la proposition ; elle engagea tous les passagers, l'un après l'autre, à lui conter leurs aventures. Candide et elle avouèrent que la vieille avait raison. « C'est bien dommage, disait Candide, que le sage Pangloss ait été pendu contre la coutume dans un auto-da-fé ; il nous dirait des choses admirables sur le mal physique et sur le mal moral qui couvrent la terre et la mer, et je me sentirais assez de force pour oser lui faire respectueusement quelques objections. »

A mesure que chacun racontait son histoire, le vaisseau avançait. On aborda dans Buenos-Ayres. Cunégonde, le capitaine Candide et la vieille allèrent chez le gouverneur don Fernando d'Ibaraa, y Figueora, y Mascarenes, y Lampourdos, y Souza. Ce seigneur avait une fierté convenable à un homme qui portait tant de noms. Il parlait aux hommes avec le dédain le plus noble, portant le nez si haut, élevant si impitoyablement la voix, prenant un ton si imposant,

affectant une démarche si altière, que tous ceux qui le saluaient étaient tentés de le battre. Il aimait les femmes à la fureur. Cunégonde lui parut ce qu'il avait jamais vu de plus beau. La première chose qu'il fit fut de demander si elle n'était point la femme du capitaine. L'air dont il fit cette question alarma Candide : il n'osa pas dire qu'elle était sa femme, parce qu'en effet elle ne l'était point ; il n'osait pas dire que c'était sa sœur, parce qu'elle ne l'était pas non plus ; et quoique ce mensonge officieux eût été autrefois très à la mode chez les anciens[68], et qu'il pût être utile aux modernes, son âme était trop pure pour trahir la vérité. « Mademoiselle Cunégonde, dit-il, doit me faire l'honneur de m'épouser et nous supplions Votre Excellence de daigner faire notre noce. »

Don Fernando d'Ibaraa, y Figueora, y Mascarenes, y Lampourdos, y Souza, relevant sa moustache, sourit amèrement, et ordonna au capitaine Candide d'aller faire la revue de sa compagnie. Candide obéit ; le gouverneur demeura avec mademoiselle Cunégonde. Il lui déclara sa passion, lui protesta que le lendemain il l'épouserait à la face de l'Eglise, ou autrement, ainsi qu'il plairait à ses charmes. Cunégonde lui demanda un quart d'heure pour se recueillir, pour consulter la vieille, et pour se déterminer.

La vieille dit à Cunégonde : « Mademoiselle, vous avez soixante et douze quartiers et pas une obole ; il ne tient qu'à vous d'être la femme du plus grand seigneur de l'Amérique méridionale, qui a une très belle moustache ; est-ce à vous de vous piquer d'une fidélité à toute épreuve ? Vous avez été violée par les Bulgares ; un juif et un inquisiteur ont eu vos bonnes grâces : les malheurs donnent des droits. J'avoue que, si j'étais à votre place, je ne ferais aucun scrupule d'épouser monsieur le gouverneur, et de faire la fortune de monsieur le capitaine Candide. » Tandis que la vieille parlait avec toute la prudence que l'âge et l'expérience donnent, on vit entrer dans le port un petit vaisseau ; il portait un alcade et des alguazils[69], et voici ce qui était arrivé.

La vieille avait très bien deviné que ce fut un cordelier à la grande manche qui vola l'argent et les bijoux de Cunégonde dans la ville de Badajos, lorsqu'elle fuyait en hâte avec Candide. Ce moine voulut vendre quelques-unes des pierreries à un joaillier. Le marchand les reconnut pour celles du grand inquisiteur. Le cordelier, avant d'être pendu, avoua qu'il les avait volées : il indiqua les personnes, et la route qu'elles prenaient. La fuite de Cunégonde et de Candide était déjà connue. On les suivit à Cadix. On envoya sans perdre de temps un vaisseau à leur poursuite. Le vaisseau était déjà dans le port de Buenos-Ayres. Le bruit se répandit qu'un alcade allait débarquer, et qu'on poursuivait les meurtriers de monseigneur le grand inquisiteur. La prudente vieille vit dans l'instant tout ce qui était à faire. « Vous ne pouvez fuir, dit-elle à Cunégonde, et vous n'avez rien à craindre : ce n'est pas vous qui avez tué monseigneur, et d'ailleurs le gouverneur, qui vous aime, ne souffrira pas qu'on vous maltraite ; demeurez. » Elle court sur-le-champ à Candide : « Fuyez, dit-elle, ou dans une heure vous allez être brûlé. » Il n'y avait pas un moment à perdre ; mais comment se séparer de Cunégonde, et où se réfugier ?

CHAPITRE QUATORZIÈME

COMMENT CANDIDE ET CACAMBO FURENT REÇUS CHEZ LES JÉSUITES DU PARAGUAI

Candide avait amené de Cadix un valet tel qu'on en trouve beaucoup sur les côtes d'Espagne et dans les colonies. C'était un quart d'Espagnol [70], né d'un métis dans le Tucuman ; il avait été enfant de chœur, sacristain, matelot, moine, facteur [71], soldat, laquais. Il s'appelait Cacambo, et aimait fort son maître, parce que son maître était un fort bon homme. Il sella au

plus vite les deux chevaux andalous. « Allons, mon
maître, suivons le conseil de la vieille ; partons, et
courons sans regarder derrière nous. » Candide versa
des larmes : « O ma chère Cunégonde ! faut-il vous
abandonner dans le temps que monsieur le gouver-
neur va faire nos noces ! Cunégonde amenée de si
loin, que deviendrez-vous ? — Elle deviendra ce
qu'elle pourra, dit Cacambo ; les femmes ne sont
jamais embarrassées d'elles ; Dieu y pourvoit ; cou-
rons. — Où me mènes-tu ? où allons-nous ? que
ferons-nous sans Cunégonde ? disait Candide. — Par
Saint-Jacques de Compostelle, dit Cacambo, vous
alliez faire la guerre aux jésuites ; allons la faire pour
eux : je sais assez les chemins, je vous mènerai dans
leur royaume, ils seront charmés d'avoir un capitaine
qui fasse l'exercice à la bulgare ; vous ferez une for-
tune prodigieuse : quand on n'a pas son compte dans
un monde, on le trouve dans un autre. C'est un très
grand plaisir de voir et de faire des choses nouvelles.
 — Tu as donc été déjà dans le Paraguai ? dit Can-
dide. — Eh vraiment oui ! dit Cacambo ; j'ai été
cuistre dans le collège de l'Assomption, et je connais le
gouvernement de Los Padres comme je connais les
rues de Cadix. C'est une chose admirable que ce
gouvernement. Le royaume[72] a déjà plus de trois cents
lieues de diamètre ; il est divisé en trente provinces.
Los Padres y ont tout, et les peuples rien ; c'est le
chef-d'œuvre de la raison et de la justice. Pour moi, je
ne vois rien de si divin que Los Padres, qui font ici la
guerre au roi d'Espagne et au roi de Portugal, et qui
en Europe confessent ces rois ; qui tuent ici des Espa-
gnols, et qui à Madrid les envoient au ciel : cela me
ravit ; avançons : vous allez être le plus heureux de
tous les hommes. Quel plaisir auront Los Padres
quand ils sauront qu'il leur vient un capitaine qui sait
l'exercice bulgare ! »
 Dès qu'ils furent arrivés à la première barrière,
Cacambo dit à la garde avancée qu'un capitaine
demandait à parler à monseigneur le commandant.
On alla avertir la grande garde. Un officier paraguain

courut aux pieds du commandant lui donner part de
la nouvelle. Candide et Cacambo furent d'abord
désarmés ; on se saisit de leurs deux chevaux anda-
lous. Les deux étrangers sont introduits au milieu de
deux files de soldats ; le commandant était au bout, le
bonnet à trois cornes[73] en tête, la robe retroussée,
l'épée au côté, l'esponton[74] à la main. Il fit un signe ;
aussitôt vingt-quatre soldats entourent les deux nou-
veaux venus. Un sergent leur dit qu'il faut attendre,
que le commandant ne peut leur parler, que le révé-
rend père provincial ne permet pas qu'aucun Espa-
gnol ouvre la bouche qu'en sa présence, et demeure
plus de trois heures dans le pays. « Et où est le révé-
rend père provincial ? dit Cacambo. — Il est à la
parade après avoir dit sa messe, répondit le sergent, et
vous ne pourrez baiser ses éperons que dans trois
heures. — Mais, dit Cacambo, monsieur le capitaine,
qui meurt de faim comme moi, n'est point Espagnol, il
est Allemand ; ne pourrions-nous point déjeuner en
attendant Sa Révérence ? »

Le sergent alla sur-le-champ rendre compte de ce
discours au commandant. « Dieu soit béni ! dit ce
seigneur, puisqu'il est Allemand, je peux lui parler ;
qu'on le mène dans ma feuillée. » Aussitôt on conduit
Candide dans un cabinet de verdure, orné d'une très
jolie colonnade de marbre vert et or, et de treillages
qui renfermaient des perroquets, des colibris, des
oiseaux-mouches, des pintades, et tous les oiseaux les
plus rares. Un excellent déjeuner était préparé dans
des vases d'or ; et tandis que les Paraguains mangèrent
du maïs dans des écuelles de bois, en plein champ, à
l'ardeur du soleil, le révérend père commandant entra
dans la feuillée.

C'était un très beau jeune homme, le visage plein,
assez blanc, haut en couleur, le sourcil relevé, l'œil vif,
l'oreille rouge, les lèvres vermeilles, l'air fier, mais
d'une fierté qui n'était ni celle d'un Espagnol ni celle
d'un jésuite. On rendit à Candide et à Cacambo leurs
armes, qu'on leur avait saisies, ainsi que les deux
chevaux andalous ; Cacambo leur fit manger l'avoine

auprès de la feuillée, ayant toujours l'œil sur eux, crainte de surprise.

Candide baisa d'abord le bas de la robe du commandant, ensuite ils se mirent à table. « Vous êtes donc Allemand ? lui dit le jésuite en cette langue. — Oui, mon révérend père », dit Candide. L'un et l'autre, en prononçant ces paroles, se regardaient avec une extrême surprise, et une émotion dont ils n'étaient pas les maîtres. « Et de quel pays d'Allemagne êtes-vous ? dit le jésuite. — De la sale province de Vestphalie, dit Candide ; je suis né dans le château de Thunder-ten-tronckh. — O ciel ! est-il possible ! s'écria le commandant. — Quel miracle ! s'écria Candide. — Serait-ce vous ? dit le commandant. — Cela n'est pas possible », dit Candide. Ils se laissent tomber tous deux à la renverse, ils s'embrassent, ils versent des ruisseaux de larmes. « Quoi ! serait-ce vous, mon révérend père ? vous, le frère de la belle Cunégonde ! vous, qui fûtes tué par les Bulgares ! vous, le fils de monsieur le baron ! vous, jésuite au Paraguai ! Il faut avouer que ce monde est une étrange chose. O Pangloss ! Pangloss ! que vous seriez aise si vous n'aviez pas été pendu ! »

Le commandant fit retirer les esclaves nègres et les Paraguains qui servaient à boire dans des gobelets de cristal de roche. Il remercia Dieu et saint Ignace[75] mille fois ; il serrait Candide entre ses bras, leurs visages étaient baignés de pleurs. « Vous seriez bien plus étonné, plus attendri, plus hors de vous-même, dit Candide, si je vous disais que mademoiselle Cunégonde, votre sœur, que vous avez crue éventrée, est pleine de santé. — Où ? — Dans votre voisinage, chez monsieur le gouverneur de Buenos-Ayres ; et je venais pour vous faire la guerre. » Chaque mot qu'ils prononcèrent dans cette longue conversation accumulait prodige sur prodige. Leur âme tout entière volait sur leur langue, était attentive dans leurs oreilles, et étincelante dans leurs yeux. Comme ils étaient Allemands, ils tinrent table longtemps, en attendant le révérend père provincial ; et le commandant parla ainsi à son cher Candide.

CHAPITRE QUINZIÈME

COMMENT CANDIDE TUA LE FRÈRE
DE SA CHÈRE CUNÉGONDE

« J'aurai toute ma vie présent à la mémoire le jour horrible où je vis tuer mon père et ma mère, et violer ma sœur. Quand les Bulgares furent retirés, on ne trouva point cette sœur adorable, et on mit dans une charrette ma mère, mon père, et moi, deux servantes et trois petits garçons égorgés, pour nous aller enterrer dans une chapelle de jésuites, à deux lieues du château de mes pères. Un jésuite nous jeta de l'eau bénite, elle était horriblement salée ; il en entra quelques gouttes dans mes yeux : le père s'aperçut que ma paupière faisait un petit mouvement : il mit la main sur mon cœur, et le sentit palpiter ; je fus secouru, et au bout de trois semaines il n'y paraissait pas. Vous savez, mon cher Candide, que j'étais fort joli ; je le devins encore davantage ; aussi le révérend père Croust [76], supérieur de la maison, prit pour moi la plus tendre amitié : il me donna l'habit de novice ; quelque temps après je fus envoyé à Rome. Le père général avait besoin d'une recrue de jeunes jésuites allemands. Les souverains du Paraguai reçoivent le moins qu'ils peuvent de jésuites espagnols ; ils aiment mieux les étrangers, dont ils se croient plus maîtres. Je fus jugé propre par le révérend père général pour aller travailler dans cette vigne [77]. Nous partîmes, un Polonais, un Tyrolien, et moi. Je fus honoré, en arrivant, du sous-diaconat et d'une lieutenance ; je suis aujourd'hui colonel et prêtre. Nous recevrons vigoureusement les troupes du roi d'Espagne ; je vous réponds qu'elles seront excommuniées et battues. La Providence vous envoie ici pour nous seconder. Mais est-il bien vrai que ma chère sœur Cunégonde soit dans le voisinage, chez le gouverneur de Buenos-Ayres ? » Candide l'assura par serment que rien n'était plus vrai. Leurs larmes recommencèrent à couler.

Le baron ne pouvait se lasser d'embrasser Candide ;
il l'appelait son frère, son sauveur. « Ah ! peut-être, lui
dit-il, nous pourrons ensemble, mon cher Candide,
entrer en vainqueurs dans la ville, et reprendre ma
sœur Cunégonde. — C'est tout ce que je souhaite, dit
Candide ; car je comptais l'épouser, et je l'espère
encore. — Vous, insolent ! répondit le baron, vous
auriez l'impudence d'épouser ma sœur, qui a soixante
et douze quartiers ! Je vous trouve bien effronté d'oser
me parler d'un dessein si téméraire ! » Candide, pétri-
fié d'un tel discours, lui répondit : « Mon révérend
père, tous les quartiers du monde n'y font rien ; j'ai
tiré votre sœur des bras d'un juif et d'un inquisiteur ;
elle m'a assez d'obligations, elle veut m'épouser.
Maître Pangloss m'a toujours dit que les hommes sont
égaux ; et assurément je l'épouserai. — C'est ce que
nous verrons, coquin ! » dit le jésuite baron de Thun-
der-ten-tronckh ; et en même temps il lui donna un
grand coup du plat de son épée sur le visage. Candide
dans l'instant tire la sienne, et l'enfonce jusqu'à la
garde dans le ventre du baron jésuite ; mais en la
retirant toute fumante, il se mit à pleurer : « Hélas !
mon Dieu, dit-il, j'ai tué mon ancien maître, mon ami,
mon beau-frère ; je suis le meilleur homme du monde,
et voilà déjà trois hommes que je tue ; et dans ces trois
il y a deux prêtres. »

Cacambo, qui faisait sentinelle à la porte de la
feuillée, accourut. « Il ne nous reste qu'à vendre cher
notre vie, lui dit son maître ; on va sans doute entrer
dans la feuillée ; il faut mourir les armes à la main. »
Cacambo, qui en avait bien vu d'autres, ne perdit
point la tête ; il prit la robe de jésuite que portait le
baron, la mit sur le corps de Candide, lui donna le
bonnet carré[78] du mort, et le fit monter à cheval. Tout
cela se fit en un clin d'œil. « Galopons, mon maître ;
tout le monde vous prendra pour un jésuite qui va
donner des ordres ; et nous aurons passé les frontières
avant qu'on puisse courir après nous. » Il volait déjà en
prononçant ces paroles, et en criant en espagnol :
« Place, place pour le révérend père colonel ! »

CHAPITRE SEIZIÈME

CE QUI ADVINT AUX DEUX VOYAGEURS
AVEC DEUX FILLES, DEUX SINGES,
ET LES SAUVAGES NOMMÉS OREILLONS

Candide et son valet furent au-delà des barrières, et personne ne savait encore dans le camp la mort du jésuite allemand. Le vigilant Cacambo avait eu soin de remplir sa valise de pain, de chocolat, de jambon, de fruit et de quelques mesures de vin. Ils s'enfoncèrent avec leurs chevaux andalous dans un pays inconnu où ils ne découvrirent aucune route. Enfin une belle prairie entrecoupée de ruisseaux se présenta devant eux. Nos deux voyageurs font repaître leurs montures. Cacambo propose à son maître de manger, et lui en donne l'exemple. « Comment veux-tu, disait Candide, que je mange du jambon, quand j'ai tué le fils de monsieur le baron, et que je me vois condamné à ne revoir la belle Cunégonde de ma vie ? A quoi me servira de prolonger mes misérables jours, puisque je dois les traîner loin d'elle dans les remords et dans le désespoir ? Et que dira le Journal de Trévoux [79] ? »

En parlant ainsi, il ne laissa pas de manger. Le soleil se couchait. Les deux égarés entendirent quelques petits cris qui paraissaient poussés par des femmes. Ils ne savaient si ces cris étaient de douleur ou de joie ; mais ils se levèrent précipitamment avec cette inquiétude et cette alarme que tout inspire dans un pays inconnu. Ces clameurs partaient de deux filles toutes nues qui couraient légèrement au bord de la prairie, tandis que deux singes les suivaient en leur mordant les fesses. Candide fut touché de pitié ; il avait appris à tirer chez les Bulgares, et il aurait abattu une noisette dans un buisson sans toucher aux feuilles. Il prend son fusil espagnol à deux coups, tire, et tue les deux singes. « Dieu soit loué, mon cher Cacambo ! j'ai délivré d'un grand péril ces deux pauvres créatures : si j'ai commis un péché en tuant un inquisiteur et un jésuite,

je l'ai bien réparé en sauvant la vie à deux filles. Ce sont peut-être deux demoiselles de condition, et cette aventure nous peut procurer de très grands avantages dans le pays. »

Il allait continuer, mais sa langue devint percluse quand il vit ces deux filles embrasser tendrement les deux singes, fondre en larmes sur leurs corps, et remplir l'air des cris les plus douloureux. « Je ne m'attendais pas à tant de bonté d'âme », dit-il enfin à Cacambo ; lequel lui répliqua : « Vous avez fait là un beau chef-d'œuvre, mon maître ; vous avez tué les deux amants de ces demoiselles. — Leurs amants ! serait-il possible ? Vous vous moquez de moi, Cacambo ; le moyen de vous croire ? — Mon cher maître, repartit Cacambo, vous êtes toujours étonné de tout ; pourquoi trouvez-vous si étrange que dans quelques pays il y ait des singes qui obtiennent les bonnes grâces des dames ? Ils sont des quarts d'homme, comme je suis un quart d'Espagnol. — Hélas ! reprit Candide, je me souviens d'avoir entendu dire à maître Pangloss qu'autrefois pareils accidents étaient arrivés, et que ces mélanges avaient produit des égypans, des faunes, des satyres ; que plusieurs grands personnages de l'antiquité en avaient vu ; mais je prenais cela pour des fables[80]. — Vous devez être convaincu à présent, dit Cacambo, que c'est une vérité, et vous voyez comment en usent les personnes qui n'ont pas reçu une certaine éducation ; tout ce que je crains, c'est que ces dames ne nous fassent quelque méchante affaire. »

Ces réflexions solides engagèrent Candide à quitter la prairie, et à s'enfoncer dans un bois. Il y soupa avec Cacambo ; et tous deux, après avoir maudit l'inquisiteur de Portugal, le gouverneur de Buenos-Ayres, et le baron, s'endormirent sur de la mousse. A leur réveil, ils sentirent qu'ils ne pouvaient remuer ; la raison en était que pendant la nuit les Oreillons, habitants du pays[81] à qui les deux dames les avaient dénoncés, les avaient garrottés avec des cordes d'écorces d'arbre. Ils étaient entourés d'une cinquantaine d'Oreillons tout

nus, armés de flèches, de massues et de haches de caillou : les uns faisaient bouillir une grande chaudière ; les autres préparaient des broches, et tous criaient : « C'est un jésuite, c'est un jésuite ! nous serons vengés, et nous ferons bonne chère ; mangeons du jésuite, mangeons du jésuite ! »

« Je vous l'avais bien dit, mon cher maître, s'écria tristement Cacambo, que ces deux filles nous joueraient d'un mauvais tour. » Candide, apercevant la chaudière et les broches, s'écria : « Nous allons certainement être rôtis ou bouillis. Ah ! que dirait maître Pangloss, s'il voyait comme la pure nature est faite ? Tout est bien ; soit, mais j'avoue qu'il est bien cruel d'avoir perdu mademoiselle Cunégonde et d'être mis à la broche par des Oreillons. » Cacambo ne perdait jamais la tête. « Ne désespérez de rien, dit-il au désolé Candide ; j'entends un peu le jargon de ces peuples, je vais leur parler. — Ne manquez pas, dit Candide, de leur représenter quelle est l'inhumanité affreuse de faire cuire des hommes, et combien cela est peu chrétien. »

« Messieurs, dit Cacambo, vous comptez donc manger aujourd'hui un jésuite ? C'est très bien fait ; rien n'est plus juste que de traiter ainsi ses ennemis. En effet le droit naturel nous enseigne à tuer notre prochain, et c'est ainsi qu'on en agit dans toute la terre. Si nous n'usons pas du droit de le manger, c'est que nous avons d'ailleurs de quoi faire bonne chère ; mais vous n'avez pas les mêmes ressources que nous : certainement il vaut mieux manger ses ennemis que d'abandonner aux corbeaux et aux corneilles le fruit de sa victoire. Mais, messieurs, vous ne voudriez pas manger vos amis. Vous croyez aller mettre un jésuite en broche, et c'est votre défenseur, c'est l'ennemi de vos ennemis que vous allez rôtir. Pour moi, je suis né dans votre pays ; monsieur que vous voyez est mon maître, et bien loin d'être jésuite, il vient de tuer un jésuite, il en porte les dépouilles ; voilà le sujet de votre méprise. Pour vérifier ce que je vous dis, prenez sa robe, portez-la à la première barrière du royaume de

Los Padres ; informez-vous si mon maître n'a pas tué un officier jésuite. Il vous faudra peu de temps ; vous pourrez toujours nous manger, si vous trouvez que je vous ai menti. Mais, si je vous ai dit la vérité, vous connaissez trop les principes du droit public, les mœurs et les lois, pour ne nous pas faire grâce. »

Les Oreillons trouvèrent ce discours très raisonnable ; ils députèrent deux notables pour aller en diligence s'informer de la vérité ; les deux députés s'acquittèrent de leur commission en gens d'esprit, et revinrent bientôt apporter de bonnes nouvelles. Les Oreillons délièrent leurs deux prisonniers, leur firent toutes sortes de civilités, leur offrirent des filles, leur donnèrent des rafraîchissements, et les reconduisirent jusqu'aux confins de leurs Etats, en criant avec allégresse : « Il n'est point jésuite, il n'est point jésuite ! »

Candide ne se lassait point d'admirer le sujet de sa délivrance. « Quel peuple ! disait-il, quels hommes ! quelles mœurs ! si je n'avais pas eu le bonheur de donner un grand coup d'épée au travers du corps du frère de mademoiselle Cunégonde, j'étais mangé sans rémission. Mais, après tout, la pure nature est bonne, puisque ces gens-ci, au lieu de me manger, m'ont fait mille honnêtetés dès qu'ils ont su que je n'étais pas jésuite. »

CHAPITRE DIX-SEPTIÈME

ARRIVÉE DE CANDIDE ET DE SON VALET
AU PAYS D'ELDORADO, ET CE QU'ILS Y VIRENT

Quand ils furent aux frontières des Oreillons : « Vous voyez, dit Cacambo à Candide, que cet hémisphère-ci ne vaut pas mieux que l'autre ; croyez-moi, retournons en Europe par le plus court. — Comment y retourner, dit Candide, et où aller ? Si je vais dans mon pays, les Bulgares et les Abares y égorgent tout ;

si je retourne en Portugal, j'y suis brûlé ; si nous restons dans ce pays-ci, nous risquons à tout moment d'être mis en broche. Mais comment se résoudre à quitter la partie du monde que mademoiselle Cunégonde habite ?

— Tournons vers la Cayenne, dit Cacambo, nous y trouverons des Français, qui vont par tout le monde ; ils pourront nous aider. Dieu aura peut-être pitié de nous. »

Il n'était pas facile d'aller à la Cayenne ; ils savaient bien à peu près de quel côté il fallait marcher ; mais des montagnes, des fleuves, des précipices, des brigands, des sauvages, étaient partout de terribles obstacles. Leurs chevaux moururent de fatigue ; leurs provisions furent consumées ; ils se nourrirent un mois entier de fruits sauvages, et se trouvèrent enfin auprès d'une petite rivière bordée de cocotiers, qui soutinrent leur vie et leurs espérances.

Cacambo, qui donnait toujours d'aussi bons conseils que la vieille, dit à Candide : « Nous n'en pouvons plus, nous avons assez marché ; j'aperçois un canot vide sur le rivage, emplissons-le de cocos, jetons-nous dans cette petite barque, laissons-nous aller au courant ; une rivière mène toujours à quelque endroit habité. Si nous ne trouvons pas des choses agréables, nous trouverons du moins des choses nouvelles. — Allons, dit Candide, recommandons-nous à la Providence. »

Ils voguèrent quelques lieues entre des bords tantôt fleuris, tantôt arides, tantôt unis, tantôt escarpés. La rivière s'élargissait toujours ; enfin elle se perdait sous une voûte de rochers épouvantables qui s'élevaient jusqu'au ciel. Les deux voyageurs eurent la hardiesse de s'abandonner aux flots sous cette voûte. Le fleuve, resserré en cet endroit, les porta avec une rapidité et un bruit horrible. Au bout de vingt-quatre heures ils revirent le jour ; mais leur canot se fracassa contre les écueils. Il fallut se traîner de rocher en rocher pendant une lieue entière ; enfin ils découvrirent un horizon immense, bordé de montagnes inaccessibles. Le pays

était cultivé pour le plaisir comme pour le besoin ;
partout l'utile était agréable. Les chemins étaient cou-
verts ou plutôt ornés de voitures d'une forme et d'une
matière brillante, portant des hommes et des femmes
d'une beauté singulière, traînés rapidement par de
gros moutons rouges[82] qui surpassaient en vitesse les
plus beaux chevaux d'Andalousie, de Tétuan et de
Méquinez.

« Voilà pourtant, dit Candide, un pays qui vaut
mieux que la Vestphalie. » Il mit pied à terre[83] avec
Cacambo auprès du premier village qu'il rencontra.
Quelques enfants du village, couverts de brocarts d'or
tout déchirés, jouaient au palet à l'entrée du bourg.
Nos deux hommes de l'autre monde s'amusèrent à les
regarder : leurs palets étaient d'assez larges pièces
rondes, jaunes, rouges, vertes, qui jetaient un éclat
singulier. Il prit envie aux voyageurs d'en ramasser
quelques-uns ; c'était de l'or, c'étaient des émeraudes,
des rubis, dont le moindre aurait été le plus grand
ornement du trône du Mogol. « Sans doute, dit
Cacambo, ces enfants sont les fils du roi du pays, qui
jouent au petit palet. » Le magister du village parut
dans ce moment pour les faire rentrer à l'école.
« Voilà, dit Candide, le précepteur de la famille
royale. »

Les petits gueux quittèrent aussitôt le jeu, en lais-
sant à terre leurs palets, et tout ce qui avait servi à
leurs divertissements. Candide les ramasse, court au
précepteur, et les lui présente humblement, lui faisant
entendre par signes que leurs altesses royales avaient
oublié leur or et leurs pierreries. Le magister du vil-
lage, en souriant, les jeta par terre, regarda un moment
la figure de Candide avec beaucoup de surprise, et
continua son chemin.

Les voyageurs ne manquèrent pas de ramasser l'or,
les rubis, et les émeraudes. « Où sommes-nous ?
s'écria Candide. Il faut que les enfants des rois de ce
pays soient bien élevés, puisqu'on leur apprend à
mépriser l'or et les pierreries. » Cacambo était aussi
surpris que Candide. Ils approchèrent enfin de la

première maison du village ; elle était bâtie comme un palais d'Europe. Une foule de monde s'empressait à la porte, et encore plus dans le logis ; une musique très agréable se faisait entendre, et une odeur délicieuse de cuisine se faisait sentir. Cacambo s'approcha de la porte, et entendit qu'on parlait péruvien ; c'était sa langue maternelle ; car tout le monde sait que Cacambo était né au Tucuman, dans un village où l'on ne connaissait que cette langue. « Je vous servirai d'interprète, dit-il à Candide ; entrons, c'est ici un cabaret. »

Aussitôt deux garçons et deux filles de l'hôtellerie, vêtus de drap d'or, et les cheveux renoués avec des rubans, les invitent à se mettre à la table de l'hôte. On servit quatre potages garnis chacun de deux perroquets, un contour[84] bouilli qui pesait deux cents livres, deux singes rôtis d'un goût excellent, trois cents colibris dans un plat, et six cents oiseaux-mouches dans un autre ; des ragoûts exquis, des pâtisseries délicieuses ; le tout dans des plats d'une espèce de cristal de roche. Les garçons et les filles de l'hôtellerie versaient plusieurs liqueurs faites de canne de sucre.

Les convives étaient pour la plupart des marchands et des voituriers, tous d'une politesse extrême, qui firent quelques questions à Cacambo avec la discrétion la plus circonspecte, et qui répondirent aux siennes d'une manière à le satisfaire.

Quand le repas fut fini, Cacambo crut, ainsi que Candide, bien payer son écot en jetant sur la table de l'hôte deux de ces larges pièces d'or qu'il avait ramassées ; l'hôte et l'hôtesse éclatèrent de rire, et se tinrent longtemps les côtés. Enfin ils se remirent. « Messieurs, dit l'hôte, nous voyons bien que vous êtes des étrangers ; nous ne sommes pas accoutumés à en voir. Pardonnez-nous si nous nous sommes mis à rire quand vous nous avez offert en payement les cailloux de nos grands chemins. Vous n'avez pas sans doute de la monnaie du pays, mais il n'est pas nécessaire d'en avoir pour dîner ici. Toutes les hôtelleries établies pour la commodité du commerce sont payées par le

gouvernement[85]. Vous avez fait mauvaise chère ici,
parce que c'est un pauvre village ; mais partout ail-
leurs vous serez reçus comme vous méritez de l'être. »
Cacambo expliquait à Candide tous les discours de
l'hôte, et Candide les écoutait avec la même admira-
tion et le même égarement que son ami Cacambo les
rendait. « Quel est donc ce pays, disaient-ils l'un et
l'autre, inconnu à tout le reste de la terre, et où toute la
nature est d'une espèce si différente de la nôtre ? C'est
probablement le pays où tout va bien : car il faut
absolument qu'il y en ait un de cette espèce. Et, quoi
qu'en dît maître Pangloss, je me suis souvent aperçu
que tout allait assez mal en Vestphalie. »

CHAPITRE DIX-HUITIÈME

CE QU'ILS VIRENT DANS LE PAYS D'ELDORADO

Cacambo témoigna à son hôte toute sa curiosité ;
l'hôte lui dit : « Je suis fort ignorant, et je m'en trouve
bien ; mais nous avons ici un vieillard retiré de la cour
qui est le plus savant homme du royaume, et le plus
communicatif. » Aussitôt il mène Cacambo chez le
vieillard. Candide ne jouait plus que le second person-
nage, et accompagnait son valet. Ils entrèrent dans une
maison fort simple, car la porte n'était que d'argent, et
les lambris des appartements n'étaient que d'or, mais
travaillés avec tant de goût que les plus riches lambris
ne l'effaçaient pas. L'antichambre n'était à la vérité
incrustée que de rubis et d'émeraudes ; mais l'ordre
dans lequel tout était arrangé réparait bien cette
extrême simplicité.
Le vieillard reçut les deux étrangers sur un sofa
matelassé de plumes de colibri, et leur fit présenter des
liqueurs dans des vases de diamant ; après quoi il
satisfit à leur curiosité en ces termes :
« Je suis âgé de cent soixante et douze ans, et j'ai

appris de feu mon père, écuyer du roi, les étonnantes
révolutions du Pérou dont il avait été témoin. Le
royaume où nous sommes est l'ancienne patrie des
Incas, qui en sortirent très imprudemment pour aller
subjuguer une partie du monde et qui furent enfin
détruits par les Espagnols. Les princes de leur famille
qui restèrent dans leur pays natal furent plus sages ; ils
ordonnèrent, du consentement de la nation, qu'aucun
habitant ne sortirait jamais de notre petit royaume ; et
c'est ce qui nous a conservé notre innocence et notre
félicité. Les Espagnols ont eu une connaissance
confuse de ce pays, ils l'ont appelé *El Dorado* ; et un
Anglais, nommé le chevalier Raleigh, en a même
approché il y a environ cent années[86] ; mais, comme
nous sommes entourés de rochers inabordables et de
précipices, nous avons toujours été jusqu'à présent à
l'abri de la rapacité des nations de l'Europe, qui ont
une fureur inconcevable pour les cailloux et pour la
fange de notre terre, et qui, pour en avoir, nous tue-
raient tous jusqu'au dernier. »

La conversation fut longue ; elle roula sur la forme
du gouvernement, sur les mœurs, sur les femmes, sur
les spectacles publics, sur les arts. Enfin Candide, qui
avait toujours du goût pour la métaphysique, fit
demander par Cacambo si dans le pays il y avait une
religion.

Le vieillard rougit un peu. « Comment donc, dit-il,
en pouvez-vous douter ? Est-ce que vous nous prenez
pour des ingrats ? » Cacambo demanda humblement
quelle était la religion d'Eldorado. Le vieillard rougit
encore : « Est-ce qu'il peut y avoir deux religions ?
dit-il. Nous avons, je crois, la religion de tout le
monde ; nous adorons Dieu du soir jusqu'au matin. —
N'adorez-vous qu'un seul Dieu ? dit Cacambo, qui
servait toujours d'interprète aux doutes de Candide.
— Apparemment, dit le vieillard, qu'il n'y en a ni
deux, ni trois, ni quatre. Je vous avoue que les gens de
votre monde font des questions bien singulières. »
Candide ne se lassait pas de faire interroger ce bon
vieillard ; il voulut savoir comment on priait Dieu dans

l'Eldorado. « Nous ne le prions point, dit le bon et respectable sage ; nous n'avons rien à lui demander, il nous a donné tout ce qu'il nous faut ; nous le remercions sans cesse. » Candide eut la curiosité de voir des prêtres ; il fit demander où ils étaient. Le bon vieillard sourit. « Mes amis, dit-il, nous sommes tous prêtres ; le roi et tous les chefs de famille chantent des cantiques d'actions de grâces solennellement tous les matins, et cinq ou six mille musiciens les accompagnent. — Quoi ! Vous n'avez point de moines qui enseignent, qui disputent, qui gouvernent, qui cabalent, et qui font brûler les gens qui ne sont pas de leur avis ? — Il faudrait que nous fussions fous, dit le vieillard ; nous sommes tous ici du même avis, et nous n'entendons pas ce que vous voulez dire avec vos moines. » Candide à tous ces discours demeurait en extase, et disait en lui-même : « Ceci est bien différent de la Vestphalie et du château de monsieur le baron : si notre ami Pangloss avait vu Eldorado, il n'aurait plus dit que le château de Thunder-ten-tronckh était ce qu'il y avait de mieux sur la terre ; il est certain qu'il faut voyager. »

Après cette longue conversation, le bon vieillard fit atteler un carrosse à six moutons, et donna douze de ses domestiques aux deux voyageurs pour les conduire à la cour. « Excusez-moi, leur dit-il, si mon âge me prive de l'honneur de vous accompagner. Le roi vous recevra d'une manière dont vous ne serez pas mécontents, et vous pardonnerez sans doute aux usages du pays, s'il y en a quelques-uns qui vous déplaisent. »

Candide et Cacambo montent en carrosse ; les six moutons volaient, et en moins de quatre heures on arriva au palais du roi, situé à un bout de la capitale. Le portail était de deux cent vingt pieds de haut, et de cent de large[87] ; il est impossible d'exprimer quelle en était la matière. On voit assez quelle supériorité prodigieuse elle devait avoir sur ces cailloux et sur ce sable que nous nommons or et pierreries.

Vingt belles filles de la garde reçurent Candide et

Cacambo à la descente du carrosse, les conduisirent
aux bains, les vêtirent de robes d'un tissu de duvet de
colibri ; après quoi les grands officiers et les grandes
officières de la couronne les menèrent à l'appartement
de Sa Majesté au milieu de deux files, chacune de
mille musiciens, selon l'usage ordinaire. Quand ils
approchèrent de la salle du trône, Cacambo demanda
à un grand officier comment il fallait s'y prendre pour
saluer Sa Majesté : si on se jetait à genoux ou ventre à
terre ; si on mettait les mains sur la tête ou sur le
derrière ; si on léchait la poussière de la salle ; en un
mot, quelle était la cérémonie. « L'usage, dit le grand
officier, est d'embrasser le roi et de le baiser des deux
côtés. » Candide et Cacambo sautèrent au cou de Sa
Majesté, qui les reçut avec toute la grâce imaginable,
et qui les pria poliment à souper.

En attendant, on leur fit voir la ville, les édifices
publics élevés jusqu'aux nues, les marchés ornés de
mille colonnes, les fontaines d'eau pure, les fontaines
d'eau rose, celles de liqueurs de canne de sucre qui
coulaient continuellement dans de grandes places
pavées d'une espèce de pierreries qui répandaient une
odeur semblable à celle du gérofle et de la cannelle.
Candide demanda à voir la cour de justice, le parle-
ment[88] ; on lui dit qu'il n'y en avait point, et qu'on ne
plaidait jamais. Il s'informa s'il y avait des prisons, et
on lui dit que non. Ce qui le surprit davantage, et qui
lui fit le plus de plaisir, ce fut le palais des sciences,
dans lequel il vit une galerie de deux mille pas[89], toute
pleine d'instruments de mathématique et de physique.

Après avoir parcouru toute l'après-dînée[90] à peu
près la millième partie de la ville, on les ramena chez le
roi. Candide se mit à table entre Sa Majesté, son valet
Cacambo, et plusieurs dames. Jamais on ne fit meil-
leure chère, et jamais on n'eut plus d'esprit à souper
qu'en eut Sa Majesté. Cacambo expliquait les bons
mots du roi à Candide, et quoique traduits, ils parais-
saient toujours des bons mots. De tout ce qui étonnait
Candide, ce n'était pas ce qui l'étonna le moins.

Ils passèrent un mois dans cet hospice. Candide ne

cessait de dire à Cacambo : « Il est vrai, mon ami,
encore une fois, que le château où je suis né ne vaut
pas le pays où nous sommes ; mais enfin mademoiselle
Cunégonde n'y est pas, et vous avez sans doute quel-
que maîtresse en Europe. Si nous restons ici, nous n'y
serons que comme les autres ; au lieu que si nous
retournons dans notre monde, seulement avec douze
moutons chargés de cailloux d'Eldorado, nous serons
plus riches que tous les rois ensemble, nous n'aurons
plus d'inquisiteurs à craindre, et nous pourrons aisé-
ment reprendre mademoiselle Cunégonde. »

Ce discours plut à Cacambo ; on aime tant à courir,
à se faire valoir chez les siens, à faire parade de ce
qu'on a vu dans ses voyages, que les deux heureux
résolurent de ne plus l'être, et de demander leur congé
à Sa Majesté.

« Vous faites une sottise, leur dit le roi ; je sais bien
que mon pays est peu de chose ; mais, quand on est
passablement quelque part, il faut y rester. Je n'ai pas
assurément le droit de retenir des étrangers ; c'est une
tyrannie qui n'est ni dans nos mœurs ni dans nos lois :
tous les hommes sont libres ; partez quand vous vou-
drez, mais la sortie est bien difficile. Il est impossible
de remonter la rivière rapide sur laquelle vous êtes
arrivés par miracle, et qui court sous des voûtes de
rochers. Les montagnes qui entourent tout mon
royaume ont dix mille pieds de hauteur[91], et sont
droites comme des murailles : elles occupent chacune
en largeur un espace de plus de dix lieues ; on ne peut
en descendre que par des précipices. Cependant,
puisque vous voulez absolument partir, je vais donner
ordre aux intendants des machines d'en faire une qui
puisse vous transporter commodément. Quand on
vous aura conduits au revers des montagnes, personne
ne pourra vous accompagner : car mes sujets ont fait
vœu de ne jamais sortir de leur enceinte, et ils sont
trop sages pour rompre leur vœu. Demandez-moi
d'ailleurs tout ce qu'il vous plaira. — Nous ne deman-
dons à Votre Majesté, dit Cacambo, que quelques
moutons chargés de vivres, de cailloux, et de la boue

du pays. » Le roi rit : « Je ne conçois pas, dit-il, quel goût vos gens d'Europe ont pour notre boue jaune ; mais emportez-en tant que vous voudrez, et grand bien vous fasse. »

Il donna l'ordre sur-le-champ à ses ingénieurs de faire une machine pour guinder [92] ces deux hommes extraordinaires hors du royaume. Trois mille bons physiciens y travaillèrent ; elle fut prête au bout de quinze jours, et ne coûta pas plus de vingt millions de livres sterling, monnaie du pays. On mit sur la machine Candide et Cacambo ; il y avait deux grands moutons rouges sellés et bridés pour leur servir de monture quand ils auraient franchi les montagnes, vingt moutons de bât chargés de vivres, trente qui portaient des présents de ce que le pays a de plus curieux, et cinquante chargés d'or, de pierreries et de diamants. Le roi embrassa tendrement les deux vagabonds.

Ce fut un beau spectacle que leur départ, et la manière ingénieuse dont ils furent hissés, eux et leurs moutons, au haut des montagnes. Les physiciens prirent congé d'eux après les avoir mis en sûreté, et Candide n'eut plus d'autre désir et d'autre objet que d'aller présenter ses moutons à mademoiselle Cunégonde. « Nous avons, dit-il, de quoi payer le gouverneur de Buenos-Ayres, si mademoiselle Cunégonde peut être mise à prix. Marchons vers la Cayenne, embarquons-nous, et nous verrons ensuite quel royaume nous pourrons acheter. »

CHAPITRE DIX-NEUVIÈME

CE QUI LEUR ARRIVA A SURINAM, ET COMMENT CANDIDE FIT CONNAISSANCE AVEC MARTIN

La première journée de nos deux voyageurs fut assez agréable. Ils étaient encouragés par l'idée de se voir possesseurs de plus de trésors que l'Asie, l'Europe

et l'Afrique n'en pouvaient rassembler. Candide, transporté, écrivit le nom de Cunégonde sur les arbres. A la seconde journée, deux de leurs moutons s'enfoncèrent dans des marais, et y furent abîmés avec leurs charges ; deux autres moutons moururent de fatigue quelques jours après ; sept ou huit périrent ensuite de faim dans un désert ; d'autres tombèrent au bout de quelques jours dans des précipices. Enfin, après cent jours de marche, il ne leur resta que deux moutons. Candide dit à Cacambo : « Mon ami, vous voyez comme les richesses de ce monde sont périssables ; il n'y a rien de solide que la vertu et le bonheur de revoir mademoiselle Cunégonde. — Je l'avoue, dit Cacambo ; mais il nous reste encore deux moutons avec plus de trésors que n'en aura jamais le roi d'Espagne ; et je vois de loin une ville que je soupçonne être Surinam, appartenante aux Hollandais[93]. Nous sommes au bout de nos peines et au commencement de notre félicité[94]. »

En approchant de la ville, ils rencontrèrent un nègre étendu par terre, n'ayant plus que la moitié de son habit, c'est-à-dire d'un caleçon de toile bleue ; il manquait à ce pauvre homme la jambe gauche et la main droite. « Eh ! mon Dieu ! lui dit Candide en hollandais, que fais-tu là, mon ami, dans l'état horrible où je te vois ? — J'attends mon maître, M. Vanderdendur, le fameux négociant[95], répondit le nègre. — Est-ce M. Vanderdendur, dit Candide, qui t'a traité ainsi ? — Oui, monsieur, dit le nègre, c'est l'usage. On nous donne un caleçon de toile pour tout vêtement deux fois l'année. Quand nous travaillons aux sucreries, et que la meule nous attrape le doigt, on nous coupe la main ; quand nous voulons nous enfuir, on nous coupe la jambe : je me suis trouvé dans les deux cas[96]. C'est à ce prix que vous mangez du sucre en Europe. Cependant, lorsque ma mère me vendit dix écus patagons sur la côte de Guinée, elle me disait : « Mon cher enfant, bénis nos fétiches[97], adore-les toujours, ils te feront vivre heureux ; tu as l'honneur d'être esclave de nos seigneurs les blancs, et tu fais par là la fortune de

ton père et de ta mère. » Hélas ! je ne sais pas si j'ai fait leur fortune, mais ils n'ont pas fait la mienne. Les chiens, les singes et les perroquets sont mille fois moins malheureux que nous ; les fétiches hollandais qui m'ont converti me disent tous les dimanches que nous sommes tous enfants d'Adam, blancs et noirs. Je ne suis pas généalogiste ; mais si ces prêcheurs disent vrai, nous sommes tous cousins issus de germains. Or vous m'avouerez qu'on ne peut pas en user avec ses parents d'une manière plus horrible.

— O Pangloss ! s'écria Candide, tu n'avais pas deviné cette abomination ; c'en est fait, il faudra qu'à la fin je renonce à ton optimisme. — Qu'est-ce qu'optimisme [98] ? disait Cacambo. — Hélas ! dit Candide, c'est la rage de soutenir que tout est bien quand on est mal ». Et il versait des larmes en regardant son nègre ; et en pleurant, il entra dans Surinam.

La première chose dont ils s'informent, c'est s'il n'y a point au port quelque vaisseau qu'on pût envoyer à Buenos-Ayres. Celui à qui ils s'adressèrent était justement un patron espagnol qui s'offrit à faire avec eux un marché honnête. Il leur donna rendez-vous dans un cabaret. Candide et le fidèle Cacambo allèrent l'y attendre avec leurs deux moutons.

Candide, qui avait le cœur sur les lèvres, conta à l'Espagnol toutes ses aventures, et lui avoua qu'il voulait enlever mademoiselle Cunégonde. « Je me garderai bien de vous passer à Buenos-Ayres, dit le patron ; je serais pendu, et vous aussi. La belle Cunégonde est la maîtresse favorite de monseigneur [99]. » Ce fut un coup de foudre pour Candide, il pleura longtemps ; enfin il tira à part Cacambo. « Voici, mon cher ami, lui dit-il, ce qu'il faut que tu fasses. Nous avons chacun dans nos poches pour cinq ou six millions de diamants ; tu es plus habile que moi ; va prendre mademoiselle Cunégonde à Buenos-Ayres. Si le gouverneur fait quelques difficultés, donne-lui un million ; s'il ne se rend pas, donne-lui-en deux ; tu n'as point tué d'inquisiteur, on ne se défiera point de toi. J'équiperai un autre vaisseau, j'irai t'attendre à Venise : c'est un

pays libre où l'on n'a rien à craindre ni des Bulgares, ni des Abares, ni des Juifs, ni des inquisiteurs. » Cacambo applaudit à cette sage résolution. Il était au désespoir de se séparer d'un bon maître devenu son ami intime ; mais le plaisir de lui être utile l'emporta sur la douleur de le quitter. Ils s'embrassèrent en versant des larmes : Candide lui recommanda de ne point oublier la bonne vieille. Cacambo partit dès le jour même. C'était un très bon homme que ce Cacambo.

Candide resta encore quelque temps à Surinam, et attendit qu'un autre patron voulût le mener en Italie, lui et les deux moutons qui lui restaient. Il prit des domestiques, et acheta tout ce qui lui était nécessaire pour un long voyage ; enfin monsieur Vanderdendur, maître d'un gros vaisseau, vint se présenter à lui. « Combien voulez-vous, demanda-t-il à cet homme, pour me mener en droiture à Venise, moi, mes gens, mon bagage, et les deux moutons que voilà ? » Le patron s'accorda à dix mille piastres ; Candide n'hésita pas.

« Oh ! oh ! dit à part soi le prudent Vanderdendur, cet étranger donne dix mille piastres tout d'un coup ! il faut qu'il soit bien riche. » Puis, revenant un moment après, il signifia qu'il ne pouvait partir à moins de vingt mille. « Eh ! bien vous les aurez, dit Candide.

— Ouais, se dit tout bas le marchand, cet homme donne vingt mille piastres aussi aisément que dix mille. » Il revint encore, et dit qu'il ne pouvait le conduire à Venise à moins de trente mille piastres. « Vous en aurez donc trente mille, répondit Candide.

— Oh ! oh ! se dit encore le marchand hollandais, trente mille piastres ne coûtent rien à cet homme-ci ; sans doute les deux moutons portent des trésors immenses : n'insistons pas davantage ; faisons-nous d'abord payer les trente mille piastres, et puis nous verrons. » Candide vendit deux petits diamants, dont le moindre valait plus que tout l'argent que demandait le patron. Il le paya d'avance. Les deux moutons furent embarqués. Candide suivait dans un petit

bateau pour joindre le vaisseau à la rade ; le patron prend son temps, met à la voile, démarre[100] ; le vent le favorise. Candide, éperdu et stupéfait, le perd bientôt de vue. « Hélas ! cria-t-il, voilà un tour digne de l'ancien monde. » Il retourne au rivage, abîmé dans la douleur : car enfin il avait perdu de quoi faire la fortune de vingt monarques.

Il se transporte chez le juge hollandais ; et, comme il était un peu troublé, il frappe rudement à la porte ; il entre, expose son aventure, et crie un peu plus haut qu'il ne convenait. Le juge commença par lui faire payer dix mille piastres pour le bruit qu'il avait fait ; ensuite il l'écouta patiemment, lui promit d'examiner son affaire sitôt que le marchand serait revenu, et se fit payer dix mille autres piastres pour les frais de l'audience.

Ce procédé acheva de désespérer Candide ; il avait à la vérité essuyé des malheurs mille fois plus douloureux ; mais le sang-froid du juge, et celui du patron dont il était volé, alluma sa bile, et le plongea dans une noire mélancolie. La méchanceté des hommes se présentait à son esprit dans toute sa laideur, il ne se nourrissait que d'idées tristes. Enfin un vaisseau français étant sur le point de partir pour Bordeaux, comme il n'avait plus de moutons chargés de diamants à embarquer, il loua une chambre du vaisseau à juste prix, et fit signifier dans la ville qu'il payerait le passage, la nourriture, et donnerait deux mille piastres à un honnête homme qui voudrait faire le voyage avec lui, à condition que cet homme serait le plus dégoûté de son état et le plus malheureux de la province.

Il se présenta une foule de prétendants qu'une flotte n'aurait pu contenir. Candide voulant choisir entre les plus apparents, il distingua une vingtaine de personnes qui lui paraissaient assez sociables, et qui toutes prétendaient mériter la préférence. Il les assembla dans son cabaret, et leur donna à souper, à condition que chacun ferait serment de raconter fidèlement son histoire, promettant de choisir celui qui lui paraîtrait le plus à plaindre et le plus mécontent de son état,

à plus juste titre, et de donner aux autres quelques gratifications.

La séance dura jusqu'à quatre heures du matin. Candide, en écoutant toutes leurs aventures, se ressouvenait de ce que lui avait dit la vieille en allant à Buenos-Ayres, et de la gageure qu'elle avait faite, qu'il n'y avait personne sur le vaisseau à qui il ne fût arrivé de très grands malheurs. Il songeait à Pangloss à chaque aventure qu'on lui contait. « Ce Pangloss, disait-il, serait bien embarrassé à démontrer son système. Je voudrais qu'il fût ici. Certainement si tout va bien, c'est dans Eldorado, et non pas dans le reste de la terre. » Enfin il se détermina en faveur d'un pauvre savant qui avait travaillé dix ans pour les libraires à Amsterdam. Il jugea qu'il n'y avait point de métier au monde dont on dût être plus dégoûté.

Ce savant, qui était d'ailleurs un bon homme, avait été volé par sa femme, battu par son fils, et abandonné de sa fille, qui s'était fait enlever par un Portugais. Il venait d'être privé d'un petit emploi duquel il subsistait ; et les prédicants de Surinam le persécutaient parce qu'ils le prenaient pour un socinien[101]. Il faut avouer que les autres étaient pour le moins aussi malheureux que lui ; mais Candide espérait que le savant le désennuierait dans le voyage. Tous ses autres rivaux trouvèrent que Candide leur faisait une grande injustice ; mais il les apaisa en leur donnant à chacun cent piastres.

CHAPITRE VINGTIÈME

CE QUI ARRIVA SUR MER A CANDIDE ET A MARTIN

Le vieux savant, qui s'appelait Martin, s'embarqua donc pour Bordeaux avec Candide. L'un et l'autre avaient beaucoup vu et beaucoup souffert ; et quand le vaisseau aurait dû faire voile de Surinam au Japon

par le cap de Bonne-Espérance, ils auraient eu de quoi s'entretenir du mal moral et du mal physique pendant tout le voyage.

Cependant Candide avait un grand avantage sur Martin, c'est qu'il espérait toujours revoir mademoiselle Cunégonde, et que Martin n'avait rien à espérer ; de plus il avait de l'or et des diamants ; et quoiqu'il eût perdu cent gros moutons rouges chargés des plus grands trésors de la terre, quoiqu'il eût toujours sur le cœur la friponnerie du patron hollandais, cependant, quand il songeait à ce qui lui restait dans ses poches, et quand il parlait de Cunégonde, surtout à la fin du repas, il penchait alors pour le système de Pangloss.

« Mais vous, monsieur Martin, dit-il au savant, que pensez-vous de tout cela ? Quelle est votre idée sur le mal moral et le mal physique ? — Monsieur, répondit Martin, mes prêtres m'ont accusé d'être socinien ; mais la vérité du fait est que je suis manichéen[102]. — Vous vous moquez de moi, dit Candide ; il n'y a plus de manichéens dans le monde. — Il y a moi, dit Martin ; je ne sais qu'y faire, mais je ne peux penser autrement. — Il faut que vous ayez le diable au corps, dit Candide. — Il se mêle si fort des affaires de ce monde, dit Martin, qu'il pourrait bien être dans mon corps, comme partout ailleurs ; mais je vous avoue qu'en jetant la vue sur ce globe, ou plutôt sur ce globule, je pense que Dieu l'a abandonné à quelque être malfaisant ; j'en excepte toujours Eldorado. Je n'ai guère vu de ville qui ne désirât la ruine de la ville voisine, point de famille qui ne voulût exterminer quelque autre famille. Partout les faibles ont en exécration les puissants devant lesquels ils rampent, et les puissants les traitent comme des troupeaux dont on vend la laine et la chair. Un million d'assassins enrégimentés, courant d'un bout de l'Europe à l'autre, exerce le meurtre et le brigandage avec discipline pour gagner son pain, parce qu'il n'a pas de métier plus honnête ; et dans les villes qui paraissent jouir de la paix, et où les arts fleurissent, les hommes sont dévorés de plus d'envie, de soins et d'inquiétudes qu'une

ville assiégée n'éprouve de fléaux. Les chagrins secrets
sont encore plus cruels que les misères publiques. En
un mot, j'en ai tant vu et tant éprouvé que je suis
manichéen.

— Il y a pourtant du bon, répliquait Candide. —
Cela peut être, disait Martin ; mais je ne le connais
pas. »

Au milieu de cette dispute, on entendit un bruit de
canon. Le bruit redouble de moment en moment.
Chacun prend sa lunette. On aperçoit deux vaisseaux
qui combattaient à la distance d'environ trois milles.
Le vent les amena l'un et l'autre si près du vaisseau
français qu'on eut le plaisir de voir le combat tout à
son aise. Enfin l'un des deux vaisseaux lâcha à l'autre
une bordée si bas et si juste, qu'il le coula à fond.
Candide et Martin aperçurent distinctement une cen-
taine d'hommes sur le tillac du vaisseau qui s'enfon-
çait ; ils levaient tous les mains au ciel, et jetaient des
clameurs effroyables : en un moment tout fut englouti.

« Eh bien ! dit Martin, voilà comme les hommes se
traitent les uns les autres. — Il est vrai, dit Candide,
qu'il y a quelque chose de diabolique dans cette
affaire. » En parlant ainsi, il aperçut je ne sais quoi
d'un rouge éclatant, qui nageait auprès de son vais-
seau. On détacha la chaloupe pour voir ce que ce
pouvait être : c'était un de ses moutons. Candide eut
plus de joie de retrouver ce mouton qu'il n'avait été
affligé d'en perdre cent tous chargés de gros diamants
d'Eldorado.

Le capitaine français aperçut bientôt que le capi-
taine du vaisseau submergeant était espagnol, et que
celui du vaisseau submergé était un pirate hollandais ;
c'était celui-là même qui avait volé Candide. Les
richesses immenses dont ce scélérat s'était emparé
furent ensevelies avec lui dans la mer, et il n'y eut
qu'un mouton de sauvé. « Vous voyez, dit Candide à
Martin, que le crime est puni quelquefois ; ce coquin
de patron hollandais a eu le sort qu'il méritait. — Oui,
dit Martin ; mais fallait-il que les passagers qui étaient

sur son vaisseau périssent aussi ? Dieu a puni ce fripon, le diable a noyé les autres. »

Cependant le vaisseau français et l'espagnol continuèrent leur route, et Candide continua ses conversations avec Martin. Ils disputèrent quinze jours de suite, et au bout de quinze jours ils étaient aussi avancés que le premier. Mais enfin ils parlaient, ils se communiquaient des idées, ils se consolaient. Candide caressait son mouton. « Puisque je t'ai retrouvé, dit-il, je pourrai bien retrouver Cunégonde. »

CHAPITRE VINGT-UNIÈME

CANDIDE ET MARTIN APPROCHENT DES CÔTES DE FRANCE, ET RAISONNENT

On aperçut enfin les côtes de France. « Avez-vous jamais été en France, monsieur Martin ? dit Candide. — Oui, dit Martin, j'ai parcouru plusieurs provinces. Il y en a où la moitié des habitants est folle, quelques-unes où l'on est trop rusé, d'autres où l'on est communément assez doux et assez bête, d'autres où l'on fait le bel esprit ; et dans toutes la principale occupation est l'amour ; la seconde, de médire ; et la troisième, de dire des sottises. — Mais, monsieur Martin, avez-vous vu Paris ? — Oui, j'ai vu Paris ; il tient de toutes ces espèces-là ; c'est un chaos, c'est une presse dans laquelle tout le monde cherche le plaisir, et où presque personne ne le trouve, du moins à ce qu'il m'a paru. J'y ai séjourné peu ; j'y fus volé, en arrivant, de tout ce que j'avais, par des filous, à la foire Saint-Germain[103]. On me prit moi-même pour un voleur, et je fus huit jours en prison ; après quoi je me fis correcteur d'imprimerie pour gagner de quoi retourner à pied en Hollande. Je connus la canaille écrivante, la canaille cabalante, et la canaille convulsionnaire[104]. On dit qu'il y a des gens fort polis dans cette ville-là : je le veux croire.

— Pour moi, je n'ai nulle curiosité de voir la
France, dit Candide ; vous devinez aisément que
quand on a passé un mois dans Eldorado, on ne se
soucie plus de rien voir sur la terre que mademoiselle
Cunégonde : je vais l'attendre à Venise ; nous traver-
serons la France pour aller en Italie ; ne m'accompa-
gnerez-vous pas ? — Très volontiers, dit Martin ; on
dit que Venise n'est bonne que pour les nobles véni-
tiens, mais que cependant on y reçoit très bien les
étrangers quand ils ont beaucoup d'argent : je n'en ai
point ; vous en avez, je vous suivrai partout. — A
propos, dit Candide, pensez-vous que la terre ait été
originairement une mer, comme on l'assure dans ce
gros livre qui appartient au capitaine du vaisseau [105] ?
— Je n'en crois rien du tout, dit Martin, non plus que
toutes les rêveries qu'on nous débite depuis quelque
temps. — Mais à quelle fin ce monde a-t-il donc été
formé ? dit Candide. — Pour nous faire enrager,
répondit Martin. — N'êtes-vous pas bien étonné,
continua Candide, de l'amour que ces deux filles du
pays des Oreillons avaient pour ces deux singes, et
dont je vous ai conté l'aventure ? — Point du tout, dit
Martin ; je ne vois pas ce que cette passion a
d'étrange : j'ai tant vu de choses extraordinaires qu'il
n'y a plus rien d'extraordinaire. — Croyez-vous, dit
Candide, que les hommes se soient toujours mutuelle-
ment massacrés comme ils font aujourd'hui ? qu'ils
aient toujours été menteurs, fourbes, perfides, ingrats,
brigands, faibles, volages, lâches, envieux, gourmands,
ivrognes, avares, ambitieux, sanguinaires, calomnia-
teurs, débauchés, fanatiques, hypocrites et sots ? —
Croyez-vous, dit Martin, que les éperviers aient tou-
jours mangé des pigeons quand ils en ont trouvé ? —
Oui, sans doute, dit Candide. — Eh bien ! dit Martin,
si les éperviers ont toujours eu le même caractère,
pourquoi voulez-vous que les hommes aient changé le
leur ? — Oh ! dit Candide, il y a bien de la différence,
car le libre arbitre... » En raisonnant ainsi, ils arrivèrent
à Bordeaux.

CHAPITRE VINGT-DEUXIÈME

CE QUI ARRIVA EN FRANCE A CANDIDE
ET A MARTIN [106]

Candide ne s'arrêta dans Bordeaux qu'autant de temps qu'il en fallait pour vendre quelques cailloux du Dorado, et pour s'accommoder d'une bonne chaise à deux places [107] ; car il ne pouvait plus se passer de son philosophe Martin ; il fut seulement très fâché de se séparer de son mouton, qu'il laissa à l'Académie des sciences de Bordeaux, laquelle proposa pour le sujet du prix de cette année de trouver pourquoi la laine de ce mouton était rouge ; et le prix fut adjugé à un savant du Nord, qui démontra par A, plus B, moins C divisé par Z, que le mouton devait être rouge, et mourir de la clavelée [108].

Cependant tous les voyageurs que Candide rencontra dans les cabarets de la route lui disaient : « Nous allons à Paris. » Cet empressement général lui donna enfin l'envie de voir cette capitale ; ce n'était pas beaucoup se détourner du chemin de Venise.

Il entra par le faubourg Saint-Marceau, et crut être dans le plus vilain village de la Vestphalie [109].

A peine Candide fut-il dans son auberge, qu'il fut attaqué d'une maladie légère, causée par ses fatigues. Comme il avait au doigt un diamant énorme, et qu'on avait aperçu dans son équipage une cassette prodigieusement pesante, il eut aussitôt auprès de lui deux médecins qu'il n'avait pas mandés, quelques amis intimes qui ne le quittèrent pas, et deux dévotes qui faisaient chauffer ses bouillons. Martin disait : « Je me souviens d'avoir été malade aussi à Paris dans mon premier voyage ; j'étais fort pauvre : aussi n'eus-je ni amis, ni dévotes, ni médecins, et je guéris. »

Cependant, à force de médecines et de saignées, la maladie de Candide devint sérieuse. Un habitué du quartier vint avec douceur lui demander un billet payable au porteur pour l'autre monde [110] : Candide

n'en voulut rien faire. Les dévotes l'assurèrent que
c'était une nouvelle mode. Candide répondit qu'il
n'était point homme à la mode. Martin voulut jeter
l'habitué par les fenêtres. Le clerc jura qu'on n'enter-
rerait point Candide. Martin jura qu'il enterrerait le
clerc s'il continuait à les importuner. La querelle
s'échauffa : Martin le prit par les épaules, et le chassa
rudement ; ce qui causa un grand scandale, dont on fit
un procès-verbal.

Candide guérit ; et pendant sa convalescence il eut
très bonne compagnie à souper chez lui. On jouait
gros jeu. Candide était tout étonné que jamais les as ne
lui vinssent ; et Martin ne s'en étonnait pas.

Parmi ceux qui lui faisaient les honneurs de la ville,
il y avait un petit abbé périgourdin, l'un de ces gens
empressés, toujours alertes, toujours serviables,
effrontés, caressants, accommodants, qui guettent les
étrangers à leur passage, leur content l'histoire scanda-
leuse de la ville, et leur offrent des plaisirs à tout prix.
Celui-ci mena d'abord Candide et Martin à la comé-
die. On y jouait une tragédie nouvelle[111]. Candide se
trouva placé auprès de quelques beaux esprits. Cela ne
l'empêcha pas de pleurer à des scènes jouées parfaite-
ment. Un des raisonneurs qui étaient à ses côtés lui dit
dans un entr'acte : « Vous avez grand tort de pleurer,
cette actrice est fort mauvaise ; l'acteur qui joue avec
elle est plus mauvais acteur encore ; la pièce est encore
plus mauvaise que les acteurs ; l'auteur ne sait pas un
mot d'arabe[112], et cependant la scène est en Arabie ;
et, de plus, c'est un homme qui ne croit pas aux idées
innées[113] ; je vous apporterai demain vingt brochures
contre lui[114]. — Monsieur, combien avez-vous de
pièces de théâtre en France ? » dit Candide à l'abbé ;
lequel répondit : « Cinq ou six mille. — C'est beau-
coup, dit Candide ; combien y en a-t-il de bonnes ? —
Quinze ou seize, répliqua l'autre. — C'est beaucoup »,
dit Martin.

Candide fut très content d'une actrice qui faisait la
reine Elisabeth, dans une assez plate tragédie que l'on
joue quelquefois[115]. « Cette actrice, dit-il à Martin, me

plaît beaucoup ; elle a un faux air de mademoiselle Cunégonde ; je serais bien aise de la saluer. » L'abbé périgourdin s'offrit à l'introduire chez elle. Candide, élevé en Allemagne, demanda quelle était l'étiquette, et comment on traitait en France les reines d'Angleterre. « Il faut distinguer, dit l'abbé ; en province, on les mène au cabaret ; à Paris, on les respecte quand elles sont belles, et on les jette à la voirie quand elles sont mortes. — Des reines à la voirie ! dit Candide. — Oui vraiment, dit Martin ; monsieur l'abbé a raison : j'étais à Paris quand mademoiselle Monime passa, comme on dit, de cette vie à l'autre ; on lui refusa ce que ces gens-ci appellent *les honneurs de la sépulture*, c'est-à-dire de pourrir avec tous les gueux du quartier dans un vilain cimetière ; elle fut enterrée toute seule de sa bande au coin de la rue de Bourgogne[116] ; ce qui dut lui faire une peine extrême, car elle pensait très noblement. — Cela est bien impoli, dit Candide. — Que voulez-vous ? dit Martin ; ces gens-ci sont ainsi faits. Imaginez toutes les contradictions, toutes les incompatibilités possibles, vous les verrez dans le gouvernement, dans les tribunaux, dans les églises, dans les spectacles de cette drôle de nation. — Est-il vrai qu'on rit toujours à Paris ? dit Candide. — Oui, dit l'abbé ; mais c'est en enrageant : car on s'y plaint de tout avec de grands éclats de rire ; même on y fait en riant les actions les plus détestables.

— Quel est, dit Candide, ce gros cochon qui me disait tant de mal de la pièce où j'ai tant pleuré, et des acteurs qui m'ont fait tant de plaisir ? — C'est un mal vivant, répondit l'abbé, qui gagne sa vie à dire du mal de toutes les pièces et de tous les livres ; il hait quiconque réussit, comme les eunuques haïssent les jouissants ; c'est un de ces serpents de la littérature qui se nourrissent de fange et de venin ; c'est un folliculaire. — Qu'appelez-vous folliculaire ? dit Candide. — C'est, dit l'abbé, un faiseur de feuilles, un Fréron[117]. »

C'est ainsi que Candide, Martin, et le Périgourdin, raisonnaient sur l'escalier, en voyant défiler le monde au sortir de la pièce. « Quoique je sois très empressé de

revoir mademoiselle Cunégonde, dit Candide, je vou-
drais pourtant souper avec mademoiselle Clairon, car
elle m'a paru admirable[118]. »

L'abbé n'était pas homme à approcher de made-
moiselle Clairon, qui ne voyait que bonne compagnie.
« Elle est engagée pour ce soir, dit-il ; mais j'aurai
l'honneur de vous mener chez une dame de qualité, et
là vous connaîtrez Paris comme si vous y aviez été
quatre ans. »

Candide, qui était naturellement curieux, se laissa
mener chez la dame, au fond du faubourg Saint-
Honoré ; on y était occupé d'un pharaon[119] ; douze
tristes pontes tenaient chacun en main un petit livre de
cartes, registre cornu de leurs infortunes. Un profond
silence régnait, la pâleur était sur le front des pontes,
l'inquiétude sur celui du banquier ; et la dame du
logis, assise auprès de ce banquier impitoyable, remar-
quait avec des yeux de lynx tous les parolis, tous les
sept-et-le-va de campagne, dont chaque joueur cor-
nait ses cartes ; elle les faisait décorner avec une atten-
tion sévère, mais polie, et ne se fâchait point, de peur
de perdre ses pratiques. La dame se faisait appeler la
marquise de Parolignac. Sa fille, âgée de quinze ans,
était au nombre des pontes, et avertissait d'un clin
d'œil des friponneries de ces pauvres gens qui
tâchaient de réparer les cruautés du sort. L'abbé péri-
gourdin, Candide, et Martin, entrèrent ; personne ne
se leva, ni les salua, ni les regarda ; tous étaient pro-
fondément occupés de leurs cartes. « Madame la
baronne de Thunder-ten-tronckh était plus civile », dit
Candide.

Cependant l'abbé s'approcha de l'oreille de la mar-
quise, qui se leva à moitié, honora Candide d'un
sourire gracieux, et Martin d'un air de tête tout à fait
noble ; elle fit donner un siège et un jeu de cartes à
Candide, qui perdit cinquante mille francs en deux
tailles : après quoi on soupa très gaiement, et tout le
monde était étonné que Candide ne fût pas ému de sa
perte ; les laquais disaient entre eux, dans leur langage
de laquais : « Il faut que ce soit quelque milord
anglais. »

Le souper fut comme la plupart des soupers de Paris : d'abord du silence, ensuite un bruit de paroles qu'on ne distingue point, puis des plaisanteries dont la plupart sont insipides, de fausses nouvelles, de mauvais raisonnements, un peu de politique et beaucoup de médisance ; on parla même de livres nouveaux. « Avez-vous vu, dit l'abbé périgourdin, le roman du sieur Gauchat, docteur en théologie [120] ? — Oui, répondit un des convives ; mais je n'ai pu l'achever. Nous avons une foule d'écrits impertinents ; mais tous ensemble n'approchent pas de l'impertinence de Gauchat, docteur en théologie ; je suis si rassasié de cette immensité de détestables livres qui nous inondent que je me suis mis à ponter au pharaon. — Et les *Mélanges* de l'archidiacre T... [121], qu'en dites-vous ? dit l'abbé. — Ah ! dit madame de Parolignac, l'ennuyeux mortel ! comme il vous dit curieusement tout ce que le monde sait ! comme il discute pesamment ce qui ne vaut pas la peine d'être remarqué légèrement ! comme il s'approprie, sans esprit, l'esprit des autres ! comme il gâte ce qu'il pille ! comme il me dégoûte ! mais il ne me dégoûtera plus ; c'est assez d'avoir lu quelques pages de l'archidiacre. »

Il y avait à table un homme savant et de goût qui appuya ce que disait la marquise. On parla ensuite de tragédies ; la dame demanda pourquoi il y avait des tragédies qu'on jouait quelquefois, et qu'on ne pouvait lire. L'homme de goût expliqua très bien comment une pièce pouvait avoir quelque intérêt, et n'avoir presque aucun mérite ; il prouva en peu de mots que ce n'était pas assez d'amener une ou deux de ces situations qu'on trouve dans tous les romans, et qui séduisent toujours les spectateurs, mais qu'il faut être neuf sans être bizarre, souvent sublime et toujours naturel ; connaître le cœur humain et le faire parler ; être grand poète sans que jamais aucun personnage de la pièce paraisse poète ; savoir parfaitement sa langue, la parler avec pureté, avec une harmonie continue, sans que jamais la rime coûte rien au sens. « Quiconque, ajouta-t-il, n'observe pas toutes ces règles

peut faire une ou deux tragédies applaudies au théâtre, mais il ne sera jamais compté au rang des bons écrivains ; il y a très peu de bonnes tragédies : les unes sont des idylles en dialogues bien écrits et bien rimés ; les autres, des raisonnements politiques qui endorment, ou des amplifications qui rebutent ; les autres, des rêves d'énergumène, en style barbare, des propos interrompus, de longues apostrophes aux dieux, parce qu'on ne sait point parler aux hommes, des maximes fausses, des lieux communs ampoulés. »

Candide écouta ce propos avec attention, et conçut une grande idée du discoureur ; et, comme la marquise avait eu soin de le placer à côté d'elle, il s'approcha de son oreille, et prit la liberté de lui demander qui était cet homme qui parlait si bien. « C'est un savant, dit la dame, qui ne ponte point, et que l'abbé m'amène quelquefois à souper : il se connaît parfaitement en tragédies et en livres, et il a fait une tragédie sifflée, et un livre dont on n'a jamais vu hors de la boutique de son libraire qu'un exemplaire, qu'il m'a dédié. — Le grand homme ! dit Candide, c'est un autre Pangloss. »

Alors, se tournant vers lui, il lui dit : « Monsieur, vous pensez sans doute que tout est au mieux dans le monde physique et dans le moral, et que rien ne pouvait être autrement ? — Moi, monsieur, lui répondit le savant, je ne pense rien de tout cela ; je trouve que tout va de travers chez nous, que personne ne sait ni quel est son rang, ni quelle est sa charge, ni ce qu'il fait, ni ce qu'il doit faire, et qu'excepté le souper, qui est assez gai, et où il paraît assez d'union, tout le reste du temps se passe en querelles impertinentes : jansénistes contre molinistes, gens du parlement contre gens d'église, gens de lettres contre gens de lettres, courtisans contre courtisans, financiers contre le peuple, femmes contre maris, parents contre parents ; c'est une guerre éternelle. »

Candide lui répliqua : « J'ai vu pis ; mais un sage, qui depuis a eu le malheur d'être pendu, m'apprit que tout cela est à merveille : ce sont des ombres à un beau tableau. — Votre pendu se moquait du monde, dit

Martin ; vos ombres sont des taches horribles. — Ce sont les hommes qui font les taches, dit Candide, et ils ne peuvent pas s'en dispenser. — Ce n'est donc pas leur faute », dit Martin. La plupart des pontes, qui n'entendaient rien à ce langage, buvaient ; et Martin raisonna avec le savant, et Candide raconta une partie de ses aventures à la dame du logis.

Après souper, la marquise mena Candide dans son cabinet, et le fit asseoir sur un canapé. « Eh bien ! lui dit-elle, vous aimez donc toujours éperdument mademoiselle Cunégonde de Thunder-ten-tronckh ? — Oui, madame », répondit Candide. La marquise lui répliqua avec un sourire tendre : « Vous me répondez comme un jeune homme de Vestphalie ; un Français m'aurait dit : « Il est vrai que j'ai aimé mademoiselle Cunégonde ; mais, en vous voyant, madame, je crains de ne la plus aimer. » — Hélas ! madame, dit Candide, je répondrai comme vous voudrez. — Votre passion pour elle, dit la marquise, a commencé en ramassant son mouchoir ; je veux que vous ramassiez ma jarretière. — De tout mon cœur », dit Candide ; et il la ramassa. « Mais je veux que vous me la remettiez », dit la dame ; et Candide la lui remit. « Voyez-vous, dit la dame, vous êtes étranger ; je fais quelquefois languir mes amants de Paris quinze jours, mais je me rends à vous dès la première nuit, parce qu'il faut faire les honneurs de son pays à un jeune homme de Vestphalie. » La belle, ayant aperçu deux énormes diamants aux deux mains de son jeune étranger, les loua de si bonne foi que des doigts de Candide ils passèrent aux doigts de la marquise.

Candide, en s'en retournant avec son abbé périgourdin, sentit quelques remords d'avoir fait une infidélité à mademoiselle Cunégonde ; monsieur l'abbé entra dans sa peine ; il n'avait qu'une légère part aux cinquante mille livres perdues au jeu par Candide, et à la valeur des deux brillants moitié donnés, moitié extorqués. Son dessein était de profiter, autant qu'il le pourrait, des avantages que la connaissance de Candide pouvait lui procurer. Il lui parla beaucoup de

Cunégonde, et Candide lui dit qu'il demanderait bien pardon à cette belle de son infidélité, quand il la verrait à Venise.

Le Périgourdin redoublait de politesses et d'attentions, et prenait un intérêt tendre à tout ce que Candide disait, à tout ce qu'il faisait, à tout ce qu'il voulait faire. « Vous avez donc, monsieur, lui dit-il, un rendez-vous à Venise ? — Oui, monsieur l'abbé, dit Candide ; il faut absolument que j'aille trouver mademoiselle Cunégonde. » Alors, engagé par le plaisir de parler de ce qu'il aimait, il conta, selon son usage, une partie de ses aventures avec cette illustre Vestphalienne[122].

« Je crois, dit l'abbé, que mademoiselle Cunégonde a bien de l'esprit, et qu'elle écrit des lettres charmantes. — Je n'en ai jamais reçu, dit Candide ; car, figurez-vous qu'ayant été chassé du château pour l'amour d'elle, je ne pus lui écrire ; que bientôt après j'appris qu'elle était morte, qu'ensuite je la retrouvai, et que je la perdis, et que je lui ai envoyé à deux mille cinq cents lieues d'ici un exprès dont j'attends la réponse. »

L'abbé écoutait attentivement, et paraissait un peu rêveur. Il prit bientôt congé des deux étrangers, après les avoir tendrement embrassés. Le lendemain Candide reçut à son réveil une lettre conçue en ces termes :

« Monsieur mon très cher amant, il y a huit jours que je suis malade en cette ville ; j'apprends que vous y êtes. Je volerais dans vos bras si je pouvais remuer. J'ai su votre passage à Bordeaux ; j'y ai laissé le fidèle Cacambo et la vieille, qui doivent bientôt me suivre. Le gouverneur de Buenos-Ayres a tout pris, mais il me reste votre cœur. Venez ; votre présence me rendra la vie ou me fera mourir de plaisir. »

Cette lettre charmante, cette lettre inespérée, transporta Candide d'une joie inexprimable ; et la maladie de sa chère Cunégonde l'accabla de douleur. Partagé entre ces deux sentiments, il prend son or et ses diamants, et se fait conduire avec Martin à l'hôtel où

mademoiselle Cunégonde demeurait. Il entre en trem-
blant d'émotion, son cœur palpite, sa voix sanglote ; il
veut ouvrir les rideaux du lit ; il veut faire apporter de
la lumière. « Gardez-vous-en bien, lui dit la suivante ;
la lumière la tue » ; et soudain elle referme le rideau.
« Ma chère Cunégonde, dit Candide en pleurant,
comment vous portez-vous ? si vous ne pouvez me
voir, parlez-moi du moins. — Elle ne peut parler », dit
la suivante. La dame alors tire du lit une main potelée
que Candide arrose longtemps de ses larmes, et qu'il
remplit ensuite de diamants, en laissant un sac plein
d'or sur le fauteuil.

Au milieu de ses transports arrive un exempt suivi
de l'abbé périgourdin et d'une escouade. « Voilà donc,
dit-il, ces deux étrangers suspects ? » Il les fait
incontinent saisir, et ordonne à ses braves de les traî-
ner en prison. « Ce n'est pas ainsi qu'on traite les
voyageurs dans le Dorado, dit Candide. — Je suis plus
manichéen que jamais, dit Martin. — Mais, monsieur,
où nous menez-vous ? dit Candide. — Dans un cul-
de-basse-fosse », dit l'exempt.

Martin, ayant repris son sang-froid, jugea que la
dame qui se prétendait Cunégonde était une friponne,
monsieur l'abbé périgourdin un fripon qui avait abusé
au plus vite de l'innocence de Candide, et l'exempt un
autre fripon dont on pouvait aisément se débarrasser.

Plutôt que de s'exposer aux procédures de la justice,
Candide, éclairé par son conseil, et d'ailleurs toujours
impatient de revoir la véritable Cunégonde, propose à
l'exempt trois petits diamants d'environ trois mille
pistoles chacun [123]. « Ah ! monsieur, lui dit l'homme au
bâton d'ivoire [124], eussiez-vous commis tous les crimes
imaginables, vous êtes le plus honnête homme du
monde. Trois diamants ! chacun de trois mille pis-
toles ! Monsieur ! je me ferais tuer pour vous, au lieu
de vous mener dans un cachot. On arrête tous les
étrangers [125], mais laissez-moi faire ; j'ai un frère à
Dieppe en Normandie ; je vais vous y mener ; et si
vous avez quelque diamant à lui donner, il aura soin
de vous comme moi-même. — Et pourquoi arrête-

t-on tous les étrangers ? » dit Candide. L'abbé péri-
gourdin prit alors la parole, et dit : « C'est parce qu'un
gueux du pays d'Atrébatie[126] a entendu dire des sot-
tises : cela seul lui a fait commettre un parricide, non
pas tel que celui de 1610 au mois de mai, mais tel que
celui de 1594 au mois de décembre, et tel que plu-
sieurs autres commis dans d'autres années et dans
d'autres mois par d'autres gueux qui avaient entendu
dire des sottises. »

 L'exempt alors expliqua de quoi il s'agissait. « Ah !
les monstres ! s'écria Candide ; quoi ! de telles hor-
reurs chez un peuple qui danse et qui chante ! Ne
pourrai-je sortir au plus vite de ce pays où des singes
agacent des tigres ? J'ai vu des ours dans mon pays ; je
n'ai vu des hommes que dans le Dorado. Au nom de
Dieu, monsieur l'exempt, menez-moi à Venise, où je
dois attendre mademoiselle Cunégonde. — Je ne peux
vous mener qu'en Basse-Normandie », dit le bari-
gel[127]. Aussitôt il lui fait ôter ses fers, dit qu'il s'est
mépris, renvoie ses gens, et emmène à Dieppe Can-
dide et Martin, et les laisse entre les mains de son
frère. Il y avait un petit vaisseau hollandais à la rade.
Le Normand, à l'aide de trois autres diamants devenu
le plus serviable des hommes, embarque Candide et
ses gens dans le vaisseau qui allait faire voile pour
Portsmouth en Angleterre. Ce n'était pas le chemin de
Venise ; mais Candide croyait être délivré de l'enfer ;
et il comptait bien reprendre la route de Venise à la
première occasion.

CHAPITRE VINGT-TROISIÈME

CANDIDE ET MARTIN VONT SUR LES CÔTES D'ANGLETERRE ; CE QU'ILS Y VOIENT

 « Ah ! Pangloss ! Pangloss ! Ah ! Martin ! Martin !
Ah ! ma chère Cunégonde ! qu'est-ce que ce monde-
ci ? disait Candide sur le vaisseau hollandais. — Quel-

que chose de bien fou et de bien abominable, répondait Martin. — Vous connaissez l'Angleterre ; y est-on aussi fou qu'en France ? — C'est une autre espèce de folie, dit Martin. Vous savez que ces deux nations sont en guerre pour quelques arpents de neige vers le Canada [128], et qu'elles dépensent pour cette belle guerre beaucoup plus que tout le Canada ne vaut. De vous dire précisément s'il y a plus de gens à lier dans un pays que dans un autre, c'est ce que mes faibles lumières ne me permettent pas. Je sais seulement qu'en général les gens que nous allons voir sont fort atrabilaires. »

En causant ainsi ils abordèrent à Portsmouth ; une multitude de peuple couvrait le rivage, et regardait attentivement un assez gros homme qui était à genoux, les yeux bandés, sur le tillac d'un des vaisseaux de la flotte ; quatre soldats, postés vis-à-vis de cet homme, lui tirèrent chacun trois balles dans le crâne, le plus paisiblement du monde, et toute l'assemblée s'en retourna extrêmement satisfaite. « Qu'est-ce donc que tout ceci ? dit Candide ; et quel démon exerce partout son empire ? » Il demanda qui était ce gros homme qu'on venait de tuer en cérémonie. « C'est un amiral, lui répondit-on [129]. — Et pourquoi tuer cet amiral ? — C'est, lui dit-on, parce qu'il n'a pas fait tuer assez de monde ; il a livré un combat à un amiral français, et on a trouvé qu'il n'était pas assez près de lui. — Mais, dit Candide, l'amiral français était aussi loin de l'amiral anglais que celui-ci l'était de l'autre ! — Cela est incontestable, lui répliqua-t-on ; mais dans ce pays-ci il est bon de tuer de temps en temps un amiral pour encourager les autres. »

Candide fut si étourdi et si choqué de ce qu'il voyait et de ce qu'il entendait qu'il ne voulut pas seulement mettre pied à terre, et qu'il fit son marché avec le patron hollandais (dût-il le voler comme celui de Surinam) pour le conduire sans délai à Venise.

Le patron fut prêt au bout de deux jours. On côtoya la France. On passa à la vue de Lisbonne, et Candide frémit. On entra dans le détroit et dans la Méditerra-

née. Enfin on aborda à Venise. « Dieu soit loué ! dit
Candide, en embrassant Martin ; c'est ici que je rever-
rai la belle Cunégonde. Je compte sur Cacambo
comme sur moi-même. Tout est bien, tout va bien,
tout va le mieux qu'il soit possible. »

CHAPITRE VINGT-QUATRIÈME

DE PAQUETTE, ET DE FRÈRE GIROFLÉE

Dès qu'il fut à Venise, il fit chercher Cacambo dans
tous les cabarets, dans tous les cafés, chez toutes les
filles de joie, et ne le trouva point. Il envoyait tous les
jours à la découverte de tous les vaisseaux et de toutes
les barques : nulles nouvelles de Cacambo. « Quoi !
disait-il à Martin, j'ai eu le temps de passer de Suri-
nam à Bordeaux, d'aller de Bordeaux à Paris, de Paris
à Dieppe, de Dieppe à Portsmouth, de côtoyer le
Portugal et l'Espagne, de traverser toute la Méditerra-
née, de passer quelques mois à Venise, et la belle
Cunégonde n'est point venue ! Je n'ai rencontré au
lieu d'elle qu'une drôlesse et un abbé périgourdin !
Cunégonde est morte, sans doute ; je n'ai plus qu'à
mourir. Ah ! il valait mieux rester dans le paradis du
Dorado que de revenir dans cette maudite Europe.
Que vous avez raison, mon cher Martin ! tout n'est
qu'illusion et calamité. »

Il tomba dans une mélancolie noire, et ne prit
aucune part à l'opéra *alla moda*, ni aux autres diver-
tissements du carnaval ; pas une dame ne lui donna la
moindre tentation. Martin lui dit : « Vous êtes bien
simple, en vérité, de vous figurer qu'un valet métis qui
a cinq ou six millions dans ses poches ira chercher
votre maîtresse au bout du monde et vous l'amènera à
Venise. Il la prendra pour lui, s'il la trouve. S'il ne la
trouve pas, il en prendra une autre. Je vous conseille
d'oublier votre valet Cacambo et votre maîtresse

Cunégonde. » Martin n'était pas consolant. La mélancolie de Candide augmenta, et Martin ne cessait de lui prouver qu'il y avait peu de vertu et peu de bonheur sur la terre ; excepté peut-être dans Eldorado, où personne ne pouvait aller.

En disputant sur cette matière importante, et en attendant Cunégonde, Candide aperçut un jeune théatin[130] dans la place Saint-Marc, qui tenait sous le bras une fille. Le théatin paraissait frais, potelé, vigoureux ; ses yeux étaient brillants, son air assuré, sa mine haute, sa démarche fière. La fille était très jolie, et chantait ; elle regardait amoureusement son théatin, et de temps en temps, lui pinçait ses grosses joues. « Vous m'avouerez du moins, dit Candide à Martin, que ces gens-ci sont heureux. Je n'ai trouvé jusqu'à présent dans toute la terre habitable, excepté dans Eldorado, que des infortunés ; mais pour cette fille et ce théatin, je gage que ce sont des créatures très heureuses. — Je gage que non, dit Martin. — Il n'y a qu'à les prier à dîner, dit Candide, et vous verrez si je me trompe. »

Aussitôt il les aborde, il leur fait son compliment, et les invite à venir à son hôtellerie manger des macaronis, des perdrix de Lombardie, des œufs d'esturgeon, et à boire du vin de Montepulciano, du lacryma-christi, du chypre, et du samos. La demoiselle rougit, le théatin accepta la partie, et la fille le suivit en regardant Candide avec des yeux de surprise et de confusion, qui furent obscurcis de quelques larmes. A peine fut-elle entrée dans la chambre de Candide, qu'elle lui dit : « Eh quoi ! monsieur Candide ne reconnaît plus Paquette ! » A ces mots, Candide, qui ne l'avait pas considérée jusque-là avec attention, parce qu'il n'était occupé que de Cunégonde, lui dit : « Hélas ! ma pauvre enfant, c'est donc vous qui avez mis le docteur Panglos dans le bel état où je l'ai vu ?

— Hélas ! monsieur, c'est moi-même, dit Paquette ; je vois que vous êtes instruit de tout. J'ai su les malheurs épouvantables arrivés à toute la maison de madame la baronne et à la belle Cunégonde. Je vous

jure que ma destinée n'a guère été moins triste. J'étais
fort innocente quand vous m'avez vue. Un cordelier[131]
qui était mon confesseur, me séduisit aisément. Les
suites en furent affreuses ; je fus obligée de sortir du
château quelque temps après que monsieur le baron vous
eut renvoyé à grands coups de pied dans le
derrière. Si un fameux médecin n'avait pas pris pitié
de moi, j'étais morte. Je fus quelque temps par
reconnaissance la maîtresse de ce médecin. Sa femme,
qui était jalouse à la rage, me battait tous les jours
impitoyablement ; c'était une furie. Ce médecin était
le plus laid de tous les hommes, et moi la plus mal-
heureuse de toutes les créatures d'être battue conti-
nuellement pour un homme que je n'aimais pas. Vous
savez, monsieur, combien il est dangereux pour une
femme acariâtre d'être l'épouse d'un médecin.
Celui-ci, outré des procédés de sa femme, lui donna
un jour, pour la guérir d'un petit rhume, une méde-
cine si efficace qu'elle en mourut en deux heures de
temps dans des convulsions horribles. Les parents de
madame intentèrent à monsieur un procès criminel ; il
prit la fuite, et moi je fus mise en prison. Mon inno-
cence ne m'aurait pas sauvée si je n'avais été un peu
jolie. Le juge m'élargit, à condition qu'il succéderait
au médecin. Je fus bientôt supplantée par une rivale,
chassée sans récompense, et obligée de continuer ce
métier abominable qui vous paraît si plaisant à vous
autres hommes, et qui n'est pour nous qu'un abîme de
misères. J'allai exercer la profession à Venise. Ah !
monsieur, si vous pouviez vous imaginer ce que c'est
que d'être obligée de caresser indifféremment un
vieux marchand, un avocat, un moine, un gondolier,
un abbé ; d'être exposée à toutes les insultes, à toutes
les avanies ; d'être souvent réduite à emprunter une
jupe pour aller se la faire lever par un homme dégoû-
tant ; d'être volée par l'un de ce qu'on a gagné avec
l'autre ; d'être rançonnée par les officiers de justice, et
de n'avoir en perspective qu'une vieillesse affreuse, un
hôpital, et un fumier[132], vous concluriez que je suis
une des plus malheureuses créatures du monde. »

Paquette ouvrait ainsi son cœur au bon Candide, dans un cabinet, en présence de Martin, qui disait à Candide : « Vous voyez que j'ai déjà gagné la moitié de la gageure. »

Frère Giroflée était resté dans la salle à manger, et buvait un coup en attendant le dîner. « Mais, dit Candide à Paquette, vous aviez l'air si gai, si content, quand je vous ai rencontrée ; vous chantiez, vous caressiez le théatin avec une complaisance naturelle ; vous m'avez paru aussi heureuse que vous prétendez être infortunée. — Ah ! monsieur, répondit Paquette, c'est encore là une des misères du métier. J'ai été hier volée et battue par un officier, et il faut aujourd'hui que je paraisse de bonne humeur pour plaire à un moine. »

Candide n'en voulut pas davantage ; il avoua que Martin avait raison. On se mit à table avec Paquette et le théatin ; le repas fut assez amusant, et sur la fin on se parla avec quelque confiance. « Mon père, dit Candide au moine, vous me paraissez jouir d'une destinée que tout le monde doit envier ; la fleur de la santé brille sur votre visage, votre physionomie annonce le bonheur ; vous avez une très jolie fille pour votre récréation, et vous paraissez très content de votre état de théatin.

— Ma foi, monsieur, dit frère Giroflée, je voudrais que tous les théatins fussent au fond de la mer. J'ai été tenté cent fois de mettre le feu au couvent, et d'aller me faire turc. Mes parents me forcèrent, à l'âge de quinze ans, d'endosser cette détestable robe, pour laisser plus de fortune à un maudit frère aîné que Dieu confonde ! La jalousie, la discorde, la rage habitent dans le couvent. Il est vrai que j'ai prêché quelques mauvais sermons qui m'ont valu un peu d'argent dont le prieur me vole la moitié : le reste me sert à entretenir des filles ; mais quand je rentre le soir dans le monastère, je suis prêt de me casser la tête contre les murs du dortoir ; et tous mes confrères sont dans le même cas. »

Martin se tournant vers Candide avec son sang-

froid ordinaire : « Eh bien ! lui dit-il, n'ai-je pas gagné la gageure tout entière ? » Candide donna deux mille piastres à Paquette et mille piastres à frère Giroflée. « Je vous réponds, dit-il, qu'avec cela ils seront heureux. — Je n'en crois rien du tout, dit Martin ; vous les rendrez peut-être avec ces piastres beaucoup plus malheureux encore. — Il en sera ce qui pourra, dit Candide ; mais une chose me console, je vois qu'on retrouve souvent les gens qu'on ne croyait jamais retrouver : il se pourra bien faire qu'ayant rencontré mon mouton rouge et Paquette, je rencontre aussi Cunégonde. — Je souhaite, dit Martin, qu'elle fasse un jour votre bonheur ; mais c'est de quoi je doute fort. — Vous êtes bien dur, dit Candide. — C'est que j'ai vécu, dit Martin.

— Mais regardez ces gondoliers, dit Candide ; ne chantent-ils pas sans cesse ? — Vous ne les voyez pas dans leur ménage, avec leurs femmes et leurs marmots d'enfants, dit Martin. Le doge a ses chagrins, les gondoliers ont les leurs. Il est vrai qu'à tout prendre le sort d'un gondolier est préférable à celui d'un doge ; mais je crois la différence si médiocre que cela ne vaut pas la peine d'être examiné.

— On parle, dit Candide, du sénateur Pococuranté, qui demeure dans ce beau palais sur la Brenta [133] et qui reçoit assez bien les étrangers. On prétend que c'est un homme qui n'a jamais eu de chagrin. — Je voudrais voir une espèce si rare », dit Martin. Candide aussitôt fit demander au seigneur Pococuranté la permission de venir le voir le lendemain.

CHAPITRE VINGT-CINQUIÈME

VISITE CHEZ LE SEIGNEUR POCOCURANTÉ, NOBLE VÉNITIEN

Candide et Martin allèrent en gondole sur la Brenta, et arrivèrent au palais du noble Pococuranté. Les jardins étaient bien entendus, et ornés de belles statues

de marbre ; le palais, d'une belle architecture. Le maître du logis, homme de soixante ans, fort riche, reçut très poliment les deux curieux, mais avec très peu d'empressement, ce qui déconcerta Candide et ne déplut point à Martin.

D'abord deux filles jolies et proprement mises servirent du chocolat, qu'elles firent très bien mousser. Candide ne put s'empêcher de les louer sur leur beauté, sur leur bonne grâce, et sur leur adresse. « Ce sont d'assez bonnes créatures, dit le sénateur Pococuranté ; je les fais quelquefois coucher dans mon lit, car je suis bien las des dames de la ville, de leurs coquetteries, de leurs jalousies, de leurs querelles, de leurs humeurs, de leurs petitesses, de leur orgueil, de leurs sottises, et des sonnets qu'il faut faire ou commander pour elles ; mais, après tout, ces deux filles commencent fort à m'ennuyer. »

Candide, après le déjeuner[134], se promenant dans une longue galerie, fut surpris de la beauté des tableaux. Il demanda de quel maître étaient les deux premiers. « Ils sont de Raphaël, dit le sénateur ; je les achetai fort cher par vanité, il y a quelques années ; on dit que c'est ce qu'il a de plus beau en Italie, mais ils ne me plaisent point du tout : la couleur en est très rembrunie, les figures ne sont pas assez arrondies, et ne sortent point assez ; les draperies ne ressemblent en rien à une étoffe : en un mot, quoi qu'on en dise, je ne trouve point là une imitation vraie de la nature. Je n'aimerai un tableau que quand je croirai voir la nature elle-même : il n'y en a point de cette espèce. J'ai beaucoup de tableaux, mais je ne les regarde plus. »

Pococuranté, en attendant le dîner, se fit donner un concerto. Candide trouva la musique délicieuse. « Ce bruit, dit Pococuranté, peut amuser une demi-heure ; mais s'il dure plus longtemps, il fatigue tout le monde, quoique personne n'ose l'avouer. La musique aujourd'hui n'est plus que l'art d'exécuter des choses difficiles, et ce qui n'est que difficile ne plaît point à la longue.

« J'aimerais peut-être mieux l'opéra, si on n'avait

pas trouvé le secret d'en faire un monstre qui me
révolte. Ira voir qui voudra de mauvaises tragédies en
musique, où les scènes ne sont faites que pour amener
très mal à propos deux ou trois chansons ridicules qui
font valoir le gosier d'une actrice. Se pâmera de plaisir
qui voudra ou qui pourra en voyant un châtré fredon-
ner le rôle de César et de Caton, et se promener d'un
air gauche sur des planches. Pour moi, il y a long-
temps que j'ai renoncé à ces pauvretés, qui font
aujourd'hui la gloire de l'Italie, et que des souverains
payent si chèrement. » Candide disputa un peu, mais
avec discrétion. Martin fut entièrement de l'avis du
sénateur.

On se mit à table ; et, après un excellent dîner, on
entra dans la bibliothèque. Candide, en voyant un
Homère magnifiquement relié, loua l'illustrissime sur
son bon goût. « Voilà, dit-il, un livre qui faisait les
délices du grand Pangloss, le meilleur philosophe de
l'Allemagne. — Il ne fait pas les miennes, dit froide-
ment Pococuranté ; on me fit accroire autrefois que
j'avais du plaisir en le lisant ; mais cette répétition
continuelle de combats qui se ressemblent tous, ces
dieux qui agissent toujours pour ne rien faire de déci-
sif, cette Hélène qui est le sujet de la guerre, et qui à
peine est une actrice de la pièce ; cette Troie qu'on
assiège, et qu'on ne prend point : tout cela me causait
le plus mortel ennui. J'ai demandé quelquefois à des
savants s'ils s'ennuyaient autant que moi à cette lec-
ture : tous les gens sincères m'ont avoué que le livre
leur tombait des mains, mais qu'il fallait toujours
l'avoir dans sa bibliothèque, comme un monument de
l'antiquité, et comme ces médailles rouillées qui ne
peuvent être de commerce.

— Votre Excellence ne pense pas ainsi de Virgile ?
dit Candide. — Je conviens, dit Pococuranté, que le
second, le quatrième et le sixième livre de son *Enéide*,
sont excellents ; mais pour son pieux Enée, et le fort
Cloanthe, et l'ami Achates, et le petit Ascanius, et
l'imbécile roi Latinus, et la bourgeoise Amata, et l'insi-
pide Lavinia, je ne crois pas qu'il y ait rien de si froid

et de plus désagréable. J'aime mieux le Tasse et les contes à dormir debout de l'Arioste.

— Oserais-je vous demander, monsieur, dit Candide, si vous n'avez pas un grand plaisir à lire Horace ? — Il y a des maximes, dit Pococuranté, dont un homme du monde peut faire son profit, et qui, étant resserrées dans de vers énergiques, se gravent plus aisément dans la mémoire. Mais je me soucie fort peu de son voyage à Brindes, et de sa description d'un mauvais dîner, et de la querelle de crocheteurs entre je ne sais quel Pupilus dont les paroles, dit-il, *étaient pleines de pus*, et un autre dont les paroles *étaient du vinaigre*. Je n'ai lu qu'avec un extrême dégoût ses vers grossiers contre des vieilles et contre des sorcières ; et je ne vois pas quel mérite il peut y avoir à dire à son ami Mecenas, que, s'il est mis par lui au rang des poètes lyriques, il frappera les astres de son front sublime[135]. Les sots admirent tout dans un auteur estimé. Je ne lis que pour moi ; je n'aime que ce qui est à mon usage. » Candide, qui avait été élevé à ne jamais juger de rien par lui-même, était fort étonné de ce qu'il entendait ; et Martin trouvait la façon de penser de Pococuranté assez raisonnable.

« Oh ! voici un Cicéron, dit Candide ; pour ce grand homme-là, je pense que vous ne vous lassez point de le lire ? — Je ne le lis jamais, répondit le Vénitien. Que m'importe qu'il ait plaidé pour Rabirius ou pour Cluentius ? J'ai bien assez des procès que je juge ; je me serais mieux accommodé de ses œuvres philosophiques ; mais quand j'ai vu qu'il doutait de tout, j'ai conclu que j'en savais autant que lui, et que je n'avais besoin de personne pour être ignorant.

— Ah ! voilà quatre-vingts volumes de recueils d'une académie des sciences, s'écria Martin ; il se peut qu'il y ait là du bon. — Il y en aurait, dit Pococuranté, si un seul des auteurs de ces fatras avait inventé seulement l'art de faire des épingles ; mais il n'y a dans tous ces livres que de vains systèmes, et pas une seule chose utile.

— Que de pièces de théâtre je vois là, dit Candide,

en italien, en espagnol, en français ! — Oui, dit le sénateur, il y en a trois mille, et pas trois douzaines de bonnes. Pour ces recueils de sermons, qui tous ensemble ne valent pas une page de Sénèque, et tous ces gros volumes de théologie, vous pensez bien que je ne les ouvre jamais, ni moi, ni personne. »

Martin aperçut des rayons chargés de livres anglais. « Je crois, dit-il, qu'un républicain doit se plaire à la plupart de ces ouvrages écrits si librement. — Oui, répondit Pococuranté ; il est beau d'écrire ce qu'on pense : c'est le privilège de l'homme. Dans toute notre Italie, on n'écrit que ce qu'on ne pense pas ; ceux qui habitent la patrie des Césars et des Antonins n'osent avoir une idée sans la permission d'un jacobin[136]. Je serais content de la liberté qui inspire les génies anglais si la passion et l'esprit de parti ne corrompaient pas tout ce que cette précieuse liberté a d'estimable. »

Candide, apercevant un Milton, lui demanda s'il ne regardait pas cet auteur comme un grand homme. « Qui ? dit Pococuranté, ce barbare qui fait un long commentaire du premier chapitre de la *Genèse* en dix livres de vers durs[137] ? ce grossier imitateur des Grecs, qui défigure la création, et qui, tandis que Moïse représente l'Etre éternel produisant le monde par la parole, fait prendre un grand compas par le Messiah dans une armoire du ciel pour tracer son ouvrage ? Moi, j'estimerais celui qui a gâté l'enfer et le diable du Tasse ; qui déguise Lucifer tantôt en crapaud, tantôt en pygmée ; qui lui fait rebattre cent fois les mêmes discours ; qui le fait disputer sur la théologie ; qui, en imitant sérieusement l'invention comique des armes à feu de l'Arioste, fait tirer le canon dans le ciel par les diables ? Ni moi, ni personne en Italie n'a pu se plaire à toutes ces tristes extravagances. Le mariage du péché et de la mort, et les couleuvres dont le péché accouche, font vomir tout homme qui a le goût un peu délicat ; et sa longue description d'un hôpital n'est bonne que pour un fossoyeur. Ce poème obscur,

bizarre et dégoûtant, fut méprisé à sa naissance ; je le traite aujourd'hui comme il fut traité dans sa patrie par les contemporains. Au reste, je dis ce que je pense, et je me soucie fort peu que les autres pensent comme moi. » Candide était affligé de ces discours ; il respectait Homère, il aimait un peu Milton. « Hélas ! dit-il tout bas à Martin, j'ai bien peur que cet homme-ci n'ait un souverain mépris pour nos poètes allemands. — Il n'y aurait pas grand mal à cela, dit Martin. — Oh ! quel homme supérieur ! disait encore Candide entre ses dents, quel grand génie que ce Pococuranté ! rien ne peut lui plaire[138]. »

Après avoir fait ainsi la revue de tous les livres, ils descendirent dans le jardin. Candide en loua toutes les beautés. « Je ne sais rien de si mauvais goût, dit le maître : nous n'avons ici que des colifichets, mais je vais dès demain en faire planter un d'un dessin plus noble. »

Quand les deux curieux eurent pris congé de Son Excellence : « Or ça, dit Candide à Martin, vous conviendrez que voilà le plus heureux de tous les hommes, car il est au-dessus de tout ce qu'il possède. — Ne voyez-vous pas, dit Martin, qu'il est dégoûté de tout ce qu'il possède ? Platon[139] a dit, il y a longtemps, que les meilleurs estomacs ne sont pas ceux qui rebutent tous les aliments. — Mais, dit Candide, n'y a-t-il pas du plaisir à tout critiquer, à sentir des défauts où les autres hommes croient voir des beautés ? — C'est-à-dire, reprit Martin, qu'il y a du plaisir à n'avoir pas de plaisir ? — Oh bien ! dit Candide, il n'y a donc d'heureux que moi, quand je reverrai mademoiselle Cunégonde. — C'est toujours bien fait d'espérer », dit Martin.

Cependant les jours, les semaines s'écoulaient ; Cacambo ne revenait point, et Candide était si abîmé dans sa douleur qu'il ne fit pas même réflexion que Paquette et frère Giroflée n'étaient pas venus seulement le remercier.

CHAPITRE VINGT-SIXIÈME

D'UN SOUPER QUE CANDIDE ET MARTIN
FIRENT AVEC SIX ETRANGERS,
ET QUI ILS ETAIENT

Un soir que Candide, suivi de Martin, allait se mettre à table avec les étrangers qui logeaient dans la même hôtellerie, un homme à visage couleur de suie l'aborda par-derrière, et, le prenant par le bras, lui dit : « Soyez prêt à partir avec nous, n'y manquez pas. » Il se retourne, et voit Cacambo. Il n'y avait que la vue de Cunégonde qui pût l'étonner et lui plaire davantage. Il fut sur le point de devenir fou de joie. Il embrasse son cher ami. « Cunégonde est ici, sans doute ? Où est-elle ? Mène-moi vers elle, que je meure de joie avec elle. — Cunégonde n'est point ici, dit Cacambo, elle est à Constantinople. — Ah ciel ! à Constantinople ! mais fût-elle à la Chine, j'y vole, partons. — Nous partirons après souper, reprit Cacambo ; je ne peux vous en dire davantage ; je suis esclave, mon maître m'attend ; il faut que j'aille le servir à table : ne dites mot ; soupez, et tenez-vous prêt. »

Candide, partagé entre la joie et la douleur, charmé d'avoir revu son agent fidèle, étonné de le voir esclave, plein de l'idée de retrouver sa maîtresse, le cœur agité, l'esprit bouleversé, se mit à table avec Martin, qui voyait de sang-froid toutes ces aventures, et avec six étrangers qui étaient venus passer le carnaval à Venise.

Cacambo, qui versait à boire à l'un de ces étrangers, s'approcha de l'oreille de son maître, sur la fin du repas, et lui dit : « Sire, Votre Majesté partira quand elle voudra, le vaisseau est prêt. » Ayant dit ces mots, il sortit. Les convives, étonnés, se regardaient sans proférer une seule parole, lorsqu'un autre domestique, s'approchant de son maître, lui dit : « Sire, la chaise de Votre Majesté est à Padoue, et la barque est prête. » Le maître fit un signe, et le domestique partit. Tous les convives se regardèrent encore, et la surprise

commune redoubla. Un troisième valet, s'approchant aussi d'un troisième étranger, lui dit : « Sire, croyez-moi, Votre Majesté ne doit pas rester ici plus longtemps : je vais tout préparer » ; et aussitôt il disparut.

Candide et Martin ne doutèrent pas alors que ce ne fût une mascarade du carnaval. Un quatrième domestique dit au quatrième maître : « Votre Majesté partira quand elle voudra », et sortit comme les autres. Le cinquième valet en dit autant au cinquième maître. Mais le sixième valet parla différemment au sixième étranger, qui était auprès de Candide ; il lui dit : « Ma foi, sire, on ne veut plus faire crédit à Votre Majesté ni à moi non plus, et nous pourrions bien être coffrés cette nuit, vous et moi ; je vais pourvoir à mes affaires, adieu. »

Tous les domestiques ayant disparu, les six étrangers, Candide et Martin, demeurèrent dans un profond silence. Enfin Candide le rompit : « Messieurs, dit-il, voilà une singulière plaisanterie. Pourquoi êtes-vous tous rois ? Pour moi, je vous avoue que ni moi ni Martin nous ne le sommes. »

Le maître de Cacambo prit alors gravement la parole, et dit en italien : « Je ne suis point plaisant, je m'appelle Achmet III [140] ; j'ai été grand sultan plusieurs années ; je détrônai mon frère ; mon neveu m'a détrôné ; on a coupé le cou à mes vizirs ; j'achève ma vie dans le vieux sérail ; mon neveu le grand sultan Mahmoud me permet de voyager quelquefois pour ma santé ; et je suis venu passer le carnaval à Venise. »

Un jeune homme qui était auprès d'Achmet parla après lui, et dit : « Je m'appelle Ivan [141] ; j'ai été empereur de toutes les Russies ; j'ai été détrôné au berceau ; mon père et ma mère ont été enfermés ; on m'a élevé en prison ; j'ai quelquefois la permission de voyager, accompagné de ceux qui me gardent ; et je suis venu passer le carnaval à Venise. »

Le troisième dit : « Je suis Charles-Edouard, roi d'Angleterre [142] ; mon père m'a cédé ses droits au royaume ; j'ai combattu pour les soutenir ; on a arraché le cœur à huit cents de mes partisans, et on leur en

a battu les joues. J'ai été mis en prison ; je vais à Rome
faire une visite au roi mon père, détrôné ainsi que moi
et mon grand-père ; et je suis venu passer le carnaval à
Venise. »

Le quatrième prit alors la parole et dit : « Je suis roi
des Polaques [143] ; le sort de la guerre m'a privé de mes
Etats héréditaires ; mon père a éprouvé les mêmes
revers ; je me résigne à la Providence comme le sultan
Achmet, l'empereur Ivan, et le roi Charles-Edouard, à
qui Dieu donne une longue vie ; et je suis venu passer
le carnaval à Venise. »

Le cinquième dit : « Je suis aussi roi des
Polaques [144] ; j'ai perdu mon royaume deux fois ; mais
la Providence m'a donné un autre Etat dans lequel j'ai
fait plus de bien que tous les rois des Sarmates
ensemble n'en ont jamais pu faire sur les bords de la
Vistule. Je me résigne aussi à la Providence ; et je suis
venu passer le carnaval à Venise. »

Il restait au sixième monarque à parler. « Messieurs,
dit-il, je ne suis pas si grand seigneur que vous ; mais
enfin j'ai été roi tout comme un autre ; je suis Théo-
dore [145] ; on m'a élu roi en Corse ; on m'a appelé *Votre
Majesté*, et à présent à peine m'appelle-t-on *Monsieur*.
J'ai fait frapper de la monnaie, et je ne possède pas un
denier ; j'ai eu deux secrétaires d'Etat, et j'ai à peine
un valet. Je me suis vu sur un trône, et j'ai longtemps
été à Londres en prison sur la paille. J'ai bien peur
d'être traité de même ici, quoique je sois venu, comme
Vos Majestés, passer le carnaval à Venise. »

Les cinq autres rois écoutèrent ce discours avec une
noble compassion. Chacun d'eux donna vingt
sequins [146] au roi Théodore pour avoir des habits et
des chemises ; Candide lui fit présent d'un diamant de
deux mille sequins. « Quel est donc, disaient les cinq
rois, ce simple particulier qui est en état de donner
cent fois autant que chacun de nous, et qui le
donne ? »

Dans l'instant qu'on sortait de table, il arriva dans la
même hôtellerie quatre altesses sérénissimes qui
avaient aussi perdu leurs Etats par le sort de la guerre,

et qui venaient passer le reste du carnaval à Venise.
Mais Candide ne prit pas seulement garde à ces nou-
veaux venus. Il n'était occupé que d'aller trouver sa
chère Cunégonde à Constantinople.

CHAPITRE VINGT-SEPTIÈME

VOYAGE DE CANDIDE A CONSTANTINOPLE

Le fidèle Cacambo avait déjà obtenu du patron turc
qui allait reconduire le sultan Achmet à Constanti-
nople qu'il recevrait Candide et Martin sur son bord.
L'un et l'autre s'y rendirent après s'être prosternés
devant Sa misérable Hautesse. Candide, chemin fai-
sant, disait à Martin : « Voilà pourtant six rois détrônés
avec qui nous avons soupé, et encore dans ces six rois
il y en a un à qui j'ai fait l'aumône. Peut-être y a-t-il
beaucoup d'autres princes plus infortunés. Pour moi,
je n'ai perdu que cent moutons, et je vole dans les bras
de Cunégonde. Mon cher Martin, encore une fois,
Pangloss avait raison, tout est bien. — Je le souhaite,
dit Martin. — Mais, dit Candide, voilà une aventure
bien peu vraisemblable que nous avons eue à Venise.
On n'avait jamais vu ni ouï conter que six rois détrô-
nés soupassent ensemble au cabaret. — Cela n'est pas
plus extraordinaire, dit Martin, que la plupart des
choses qui nous sont arrivées. Il est très commun que
des rois soient détrônés ; et à l'égard de l'honneur que
nous avons eu de souper avec eux, c'est une bagatelle
qui ne mérite pas notre attention. »

A peine Candide fut-il dans le vaisseau qu'il sauta
au cou de son ancien valet, de son ami Cacambo. « Eh
bien ! lui dit-il, que fait Cunégonde ? Est-elle toujours
un prodige de beauté ? M'aime-t-elle toujours ? Com-
ment se porte-t-elle ? Tu lui as sans doute acheté un
palais à Constantinople ?

— Mon cher maître, répondit Cacambo, Cuné-
gonde lave les écuelles sur le bord de la Propontide,

chez un prince qui a très peu d'écuelles ; elle est
esclave dans la maison d'un ancien souverain, nommé
Ragotski [147], à qui le Grand Turc donne trois écus par
jour dans son asile ; mais, ce qui est bien plus triste,
c'est qu'elle a perdu sa beauté, et qu'elle est devenue
horriblement laide. — Ah ! belle ou laide, dit Candide,
je suis honnête homme, et mon devoir est de l'aimer
toujours. Mais comment peut-elle être réduite à un
état si abject avec les cinq ou six millions que tu avais
apportés ? — Bon, dit Cacambo, ne m'en a-t-il pas
fallu donner deux millions au señor don Fernando
d'Ibaraa, y Figueora, y Mascarenes, y Lampourdos, y
Souza, gouverneur de Buenos-Ayres, pour avoir la
permission de reprendre mademoiselle Cunégonde ?
Et un pirate ne nous a-t-il pas bravement dépouillés
de tout le reste ? Ce pirate ne nous a-t-il pas menés au
cap de Matapan, à Milo, à Nicarie, à Samos, à Petra,
aux Dardanelles, à Marmora, à Scutari [148] ? Cuné-
gonde et la vieille servent chez ce prince dont je vous
ai parlé, et moi je suis esclave du sultan détrôné. —
Que d'épouvantables calamités enchaînées les unes
aux autres ! dit Candide. Mais, après tout, j'ai encore
quelques diamants ; je délivrerai aisément Cunégonde.
C'est bien dommage qu'elle soit devenue si laide. »

Ensuite, se tournant vers Martin : « Que pensez-
vous, dit-il, qui soit le plus à plaindre, de l'empereur
Achmet, de l'empereur Ivan, du roi Charles-Edouard,
ou de moi ? — Je n'en sais rien, dit Martin ; il faudrait
que je fusse dans vos cœurs pour le savoir. — Ah ! dit
Candide, si Pangloss était ici, il le saurait, et nous
l'apprendrait. — Je ne sais, dit Martin, avec quelles
balances votre Pangloss aurait pu peser les infortunes
des hommes, et apprécier leurs douleurs. Tout ce que
je présume, c'est qu'il y a des millions d'hommes sur
la terre cent fois plus à plaindre que le roi Charles-
Edouard, l'empereur Ivan, et le sultan Achmet. —
Cela pourrait bien être », dit Candide.

On arriva en peu de jours sur le canal de la mer
Noire. Candide commença par racheter Cacambo fort
cher ; et, sans perdre de temps, il se jeta dans une

galère, avec ses compagnons, pour aller sur le rivage de la Propontide chercher Cunégonde, quelque laide qu'elle pût être.

Il y avait dans la chiourme deux forçats qui ramaient fort mal, et à qui le levanti patron[149] appliquait de temps en temps quelques coups de nerf de bœuf sur leurs épaules nues ; Candide, par un mouvement naturel, les regarda plus attentivement que les autres galériens, et s'approcha d'eux avec pitié. Quelques traits de leurs visages défigurés lui parurent avoir un peu de ressemblance avec Pangloss et avec ce malheureux jésuite, ce baron, ce frère de mademoiselle Cunégonde. Cette idée l'émut et l'attrista. Il les considéra encore plus attentivement. « En vérité, dit-il à Cacambo, si je n'avais pas vu pendre maître Pangloss, et si je n'avais pas eu le malheur de tuer le baron, je croirais que ce sont eux qui rament dans cette galère. »

Au nom du baron et de Pangloss les deux forçats poussèrent un grand cri, s'arrêtèrent sur leur banc, et laissèrent tomber leurs rames. Le levanti patron accourait sur eux, et les coups de nerf de bœuf redoublaient. « Arrêtez ! arrêtez ! seigneur, s'écria Candide ; je vous donnerai tant d'argent que vous voudrez. — Quoi ! c'est Candide ! disait l'un des forçats. — Quoi ! c'est Candide ! disait l'autre. — Est-ce un songe ? dit Candide ; veillé-je ? suis-je dans cette galère ? Est-ce là monsieur le baron, que j'ai tué ? Est-ce là maître Pangloss, que j'ai vu pendre ? — C'est nous-mêmes, c'est nous-mêmes, répondaient-ils. — Quoi ! c'est là ce grand philosophe ? disait Martin. — Eh ! monsieur le levanti patron, dit Candide, combien voulez-vous d'argent pour la rançon de monsieur de Thunder-ten-tronckh, un des premiers barons de l'empire, et de monsieur Pangloss, le plus profond métaphysicien d'Allemagne ? — Chien de chrétien, répondit le levanti patron, puisque ces deux chiens de forçats chrétiens sont des barons et des métaphysiciens, ce qui est sans doute une grande dignité dans leur pays, tu m'en donneras cinquante mille sequins. — Vous les

aurez, monsieur ; remenez-moi comme un éclair à Constantinople, et vous serez payé sur-le-champ. Mais non, menez-moi chez mademoiselle Cunégonde. » Le levanti patron, sur la première offre de Candide, avait déjà tourné la proue vers la ville, et il faisait ramer plus vite qu'un oiseau ne fend les airs.

Candide embrassa cent fois le baron et Pangloss. « Et comment ne vous ai-je pas tué, mon cher baron ? et mon cher Pangloss, comment êtes-vous en vie après avoir été pendu ? et pourquoi êtes-vous tous deux aux galères en Turquie ? — Est-il bien vrai que ma chère sœur soit dans ce pays ? disait le baron. — Oui, répondait Cacambo. — Je revois donc mon cher Candide », s'écriait Pangloss. Candide leur présentait Martin et Cacambo. Ils s'embrassaient tous ; ils parlaient tous à la fois. La galère volait, ils étaient déjà dans le port. On fit venir un juif, à qui Candide vendit pour cinquante mille sequins un diamant de la valeur de cent mille, et qui lui jura par Abraham qu'il n'en pouvait donner davantage. Il paya incontinent la rançon du baron et de Pangloss. Celui-ci se jeta aux pieds de son libérateur, et les baigna de larmes ; l'autre le remercia par un signe de tête, et lui promit de lui rendre cet argent à la première occasion. « Mais est-il bien possible que ma sœur soit en Turquie ? disait-il. — Rien n'est si possible, reprit Cacambo, puisqu'elle écure la vaisselle chez un prince de Transylvanie. » On fit aussitôt venir deux juifs : Candide vendit encore des diamants ; et ils repartirent tous dans une autre galère pour aller délivrer Cunégonde.

CHAPITRE VINGT-HUITIÈME

CE QUI ARRIVA A CANDIDE, A CUNÉGONDE, A PANGLOSS, A MARTIN, ETC.

« Pardon, encore une fois, dit Candide au baron ; pardon, mon révérend père, de vous avoir donné un grand coup d'épée au travers du corps. — N'en par-

lons plus, dit le baron ; je fus un peu trop vif, je
l'avoue ; mais puisque vous voulez savoir par quel
hasard vous m'avez vu aux galères, je vous dirai
qu'après avoir été guéri de ma blessure par le frère
apothicaire du collège, je fus attaqué et enlevé par un
parti espagnol ; on me mit en prison à Buenos-Ayres
dans le temps que ma sœur venait d'en partir. Je
demandai à retourner à Rome auprès du père général.
Je fus nommé pour aller servir d'aumônier à Constan-
tinople auprès de monsieur l'ambassadeur de France.
Il n'y avait pas huit jours que j'étais entré en fonction,
quand je trouvai sur le soir un jeune icoglan[150] très
bien fait. Il faisait fort chaud : le jeune homme voulut
se baigner ; je pris cette occasion de me baigner
aussi[151]. Je ne savais pas que ce fût un crime capital
pour un chrétien d'être trouvé tout nu avec un jeune
musulman. Un cadi me fit donner cent coups de
bâton sous la plante des pieds, et me condamna aux
galères. Je ne crois pas qu'on ait fait une plus horrible
injustice. Mais je voudrais bien savoir pourquoi ma
sœur est dans la cuisine d'un souverain de Transylva-
nie réfugié chez les Turcs.

— Mais vous, mon cher Pangloss, dit Candide,
comment se peut-il que je vous revoie ? — Il est vrai,
dit Pangloss, que vous m'avez vu pendre ; je devais
naturellement être brûlé : mais vous vous souvenez
qu'il plut à verse lorsqu'on allait me cuire : l'orage fut
si violent qu'on désespéra d'allumer le feu ; je fus
pendu, parce qu'on ne put mieux faire : un chirurgien
acheta mon corps, m'emporta chez lui, et me dissé-
qua. Il me fit d'abord une incision cruciale depuis le
nombril jusqu'à la clavicule[152]. On ne pouvait pas
avoir été plus mal pendu que je l'avais été. L'exé-
cuteur des hautes œuvres de la sainte Inquisition,
lequel était sous-diacre, brûlait à la vérité les gens à
merveille, mais il n'était pas accoutumé à pendre : la
corde était mouillée et glissa mal, elle fut nouée ; enfin
je respirais encore : l'incision cruciale me fit jeter un si
grand cri que mon chirurgien tomba à la renverse ; et,
croyant qu'il disséquait le diable[153], il s'enfuit en mou-

rant de peur, et tomba encore sur l'escalier en fuyant. Sa femme accourut au bruit, d'un cabinet voisin : elle me vit sur la table étendu avec mon incision cruciale ; elle eut encore plus de peur que son mari, s'enfuit, et tomba sur lui. Quand ils furent un peu revenus à eux, j'entendis la chirurgienne qui disait au chirurgien : « Mon bon, de quoi vous avisez-vous aussi de disséquer un hérétique ? Ne savez-vous pas que le diable est toujours dans le corps de ces gens-là ? Je vais vite chercher un prêtre pour l'exorciser. » Je frémis à ce propos, et je ramassai le peu de forces qui me restaient pour crier : « Ayez pitié de moi ! » Enfin le barbier portugais s'enhardit : il recousit ma peau ; sa femme même eut soin de moi ; je fus sur pied au bout de quinze jours. Le barbier[154] me trouva une condition, et me fit laquais d'un chevalier de Malte qui allait à Venise ; mais mon maître n'ayant pas de quoi me payer, je me mis au service d'un marchand vénitien, et je le suivis à Constantinople.

« Un jour il me prit fantaisie d'entrer dans une mosquée ; il n'y avait qu'un vieux iman et une jeune dévote[155] très jolie qui disait ses patenôtres ; sa gorge était toute découverte : elle avait entre ses deux tétons un beau bouquet de tulipes, de rose, d'anémones, de renoncules, d'hyacinthes, et d'oreilles d'ours ; elle laissa tomber son bouquet ; je le ramassai, et je le lui remis avec un empressement très respectueux. Je fus si longtemps à le lui remettre que l'iman se mit en colère, et, voyant que j'étais chrétien, il cria à l'aide. On me mena chez le cadi, qui me fit donner cent coups de latte sur la plante des pieds, et m'envoya aux galères. Je fus enchaîné précisément dans la même galère et au même banc que monsieur le baron. Il y avait dans cette galère quatre jeunes gens de Marseille, cinq prêtres napolitains, et deux moines de Corfou, qui nous dirent que de pareilles aventures arrivaient tous les jours. Monsieur le baron prétendait qu'il avait essuyé une plus grande injustice que moi ; je prétendais, moi, qu'il était beaucoup plus permis de remettre un bouquet sur la gorge d'une femme que d'être tout

nu avec un icoglan. Nous disputions sans cesse, et nous recevions vingt coups de nerf de bœuf par jour, lorsque l'enchaînement des événements de cet univers vous a conduit dans notre galère, et que vous nous avez rachetés.

— Eh bien ! mon cher Pangloss, lui dit Candide, quand vous avez été pendu, disséqué, roué de coups, et que vous avez ramé aux galères, avez-vous toujours pensé que tout allait le mieux du monde ? — Je suis toujours de mon premier sentiment, répondit Pangloss ; car enfin je suis philosophe : il ne me convient pas de me dédire, Leibniz ne pouvant pas avoir tort, et l'harmonie préétablie étant d'ailleurs la plus belle chose du monde, aussi bien que le plein et la matière subtile [156]. »

CHAPITRE VINGT-NEUVIÈME

COMMENT CANDIDE RETROUVA CUNÉGONDE ET LA VIEILLE

Pendant que Candide, le baron, Pangloss, Martin, et Cacambo, contaient leurs aventures, qu'ils raisonnaient sur les événements contingents ou non contingents de cet univers, qu'ils disputaient sur les effets et les causes, sur le mal moral et sur le mal physique, sur la liberté et la nécessité, sur les consolations que l'on peut éprouver lorsqu'on est aux galères en Turquie, ils abordèrent sur le rivage de la Propontide, à la maison du prince de Transylvanie. Les premiers objets qui se présentèrent furent Cunégonde et la vieille, qui étendaient des serviettes sur des ficelles pour les faire sécher.

Le baron pâlit à cette vue. Le tendre amant Candide, en voyant sa belle Cunégonde rembrunie, les yeux éraillés, la gorge sèche, les joues ridées, les bras rouges et écaillés, recula trois pas, saisi d'horreur, et

avança ensuite par bon procédé. Elle embrassa Candide et son frère ; on embrassa la vieille : Candide les racheta toutes deux.

Il y avait une petite métairie[157] dans le voisinage ; la vieille proposa à Candide de s'en accommoder, en attendant que toute la troupe eût une meilleure destinée. Cunégonde ne savait pas qu'elle était enlaidie, personne ne l'en avait avertie : elle fit souvenir Candide de ses promesses avec un ton si absolu que le bon Candide n'osa pas la refuser. Il signifia donc au baron qu'il allait se marier avec sa sœur. « Je ne souffrirai jamais, dit le baron, une telle bassesse de sa part, et une telle insolence de la vôtre ; cette infamie ne me sera jamais reprochée : les enfants de ma sœur ne pourraient entrer dans les chapitres d'Allemagne[158]. Non, jamais ma sœur n'épousera qu'un baron de l'empire. » Cunégonde se jeta à ses pieds, et les baigna de larmes ; il fut inflexible. « Maître fou, lui dit Candide, je t'ai réchappé des galères, j'ai payé ta rançon, j'ai payé celle de ta sœur ; elle lavait ici des écuelles, elle est laide, j'ai la bonté d'en faire ma femme ; et tu prétends encore t'y opposer ! Je te retuerais si j'en croyais ma colère. — Tu peux me tuer encore, dit le baron, mais tu n'épouseras pas ma sœur de mon vivant. »

CHAPITRE TRENTIÈME

CONCLUSION

Candide, dans le fond de son cœur, n'avait aucune envie d'épouser Cunégonde. Mais l'impertinence extrême du baron le déterminait à conclure le mariage, et Cunégonde le pressait si vivement qu'il ne pouvait s'en dédire. Il consulta Pangloss, Martin, et le fidèle Cacambo. Pangloss fit un beau mémoire par lequel il prouvait que le baron n'avait nul droit sur sa sœur, et

qu'elle pouvait, selon toutes les lois de l'empire, épouser Candide de la main gauche[159]. Martin conclut à jeter le baron dans la mer ; Cacambo décida qu'il fallait le rendre au levanti patron, et le remettre aux galères, après quoi on l'enverrait à Rome au père général par le premier vaisseau. L'avis fut trouvé fort bon ; la vieille l'approuva ; on n'en dit rien à sa sœur ; la chose fut exécutée pour quelque argent, et on eut le plaisir d'attraper un jésuite, et de punir l'orgueil d'un baron allemand.

Il était tout naturel d'imaginer qu'après tant de désastres Candide, marié avec sa maîtresse et vivant avec le philosophe Pangloss, le philosophe Martin, le prudent Cacambo, et la vieille, ayant d'ailleurs rapporté tant de diamants de la patrie des anciens Incas, mènerait la vie du monde la plus agréable ; mais il fut tant friponné par les juifs qu'il ne lui resta plus rien que sa petite métairie ; sa femme, devenant tous les jours plus laide, devint acariâtre et insupportable ; la vieille était infirme, et fut encore de plus mauvaise humeur que Cunégonde. Cacambo, qui travaillait au jardin, et qui allait vendre des légumes à Constantinople, était excédé de travail, et maudissait sa destinée. Pangloss était au désespoir de ne pas briller dans quelque université d'Allemagne. Pour Martin, il était fermement persuadé qu'on est également mal partout ; il prenait les choses en patience. Candide, Martin, et Pangloss disputaient quelquefois de métaphysique et de morale. On voyait souvent passer sous les fenêtres de la métairie des bateaux chargés d'effendis, de bachas, de cadis, qu'on envoyait en exil à Lemnos, à Mytilène, à Erzeroum ; on voyait venir d'autres cadis, d'autres bachas, d'autres effendis[160], qui prenaient la place des expulsés, et qui étaient expulsés à leur tour. On voyait des têtes proprement empaillées qu'on allait présenter à la Sublime-Porte[161]. Ces spectacles faisaient redoubler les dissertations ; et quand on ne disputait pas, l'ennui était si excessif que la vieille osa un jour leur dire : « Je voudrais savoir lequel est le pire, ou d'être violée cent fois par des pirates

nègres, d'avoir une fesse coupée, de passer par les baguettes chez les Bulgares, d'être fouetté et pendu dans un auto-da-fé, d'être disséqué, de ramer en galère, d'éprouver enfin toutes les misères par lesquelles nous avons tous passé, ou bien de rester ici à ne rien faire ? — C'est une grande question », dit Candide.

Ce discours fit naître de nouvelles réflexions, et Martin surtout conclut que l'homme était né pour vivre dans les convulsions de l'inquiétude, ou dans la léthargie de l'ennui. Candide n'en convenait pas, mais il n'assurait rien. Pangloss avouait qu'il avait toujours horriblement souffert ; mais ayant soutenu une fois que tout allait à merveille, il le soutenait toujours, et n'en croyait rien.

Une chose acheva de confirmer Martin dans ses détestables principes, de faire hésiter plus que jamais Candide, et d'embarrasser Pangloss. C'est qu'ils virent un jour aborder dans leur métairie Paquette et le frère Giroflée, qui étaient dans la plus extrême misère ; ils avaient bien vite mangé leurs trois mille piastres, s'étaient quittés, s'étaient raccommodés, s'étaient brouillés, avaient été mis en prison, s'étaient enfuis, et enfin frère Giroflée s'était fait turc. Paquette continuait son métier partout, et n'y gagnait plus rien. « Je l'avais bien prévu, dit Martin à Candide, que vos présents seraient bientôt dissipés et ne les rendraient que plus misérables. Vous avez regorgé de millions de piastres, vous et Cacambo, et vous n'êtes pas plus heureux que frère Giroflée et Paquette. — Ah ! ah ! dit Pangloss à Paquette, le Ciel vous ramène donc ici parmi nous, ma pauvre enfant ! savez-vous bien que vous m'avez coûté le bout du nez, un œil, et une oreille ? Comme vous voilà faite ! eh ! qu'est-ce que ce monde ! » Cette nouvelle aventure les engagea à philosopher plus que jamais.

Il y avait dans le voisinage un derviche très fameux qui passait pour le meilleur philosophe de la Turquie ; ils allèrent le consulter ; Pangloss porta la parole, et lui dit : « Maître, nous venons vous prier de nous dire

pourquoi un aussi étrange animal que l'homme a été formé. — De quoi te mêles-tu ? lui dit le derviche ; est-ce là ton affaire ? — Mais, mon révérend père, dit Candide, il y a horriblement de mal sur la terre. — Qu'importe, dit le derviche, qu'il y ait du mal ou du bien ? Quand Sa Hautesse envoie un vaisseau en Egypte, s'embarrasse-t-elle si les souris qui sont dans le vaisseau sont à leur aise ou non ? — Que faut-il donc faire ? dit Pangloss. — Te taire, dit le derviche. — Je me flattais, dit Pangloss, de raisonner un peu avec vous des effets et des causes, du meilleur des mondes possibles, de l'origine du mal, de la nature de l'âme, et de l'harmonie préétablie. » Le derviche, à ces mots, leur ferma la porte au nez.

Pendant cette conversation, la nouvelle s'était répandue qu'on venait d'étrangler à Constantinople deux vizirs du banc et le muphti[162], et qu'on avait empalé plusieurs de leurs amis. Cette catastrophe faisait partout un grand bruit pendant quelques heures. Pangloss, Candide, et Martin, en retournant à la petite métairie, rencontrèrent un bon vieillard qui prenait le frais à sa porte sous un berceau d'orangers. Pangloss, qui était aussi curieux que raisonneur, lui demanda comment se nommait le muphti qu'on venait d'étrangler. « Je n'en sais rien, répondit le bonhomme ; et je n'ai jamais su le nom d'aucun muphti ni d'aucun vizir. J'ignore absolument l'aventure dont vous me parlez ; je présume qu'en général ceux qui se mêlent des affaires publiques périssent quelquefois misérablement, et qu'ils le méritent ; mais je ne m'informe jamais de ce qu'on fait à Constantinople ; je me contente d'y envoyer vendre les fruits du jardin que je cultive. » Ayant dit ces mots, il fit entrer les étrangers dans sa maison ; ses deux filles[163] et ses deux fils leur présentèrent plusieurs sortes de sorbets qu'ils faisaient eux-mêmes, du kaïmak[164] piqué d'écorces de cédrat confit, des oranges, des citrons, des limons, des ananas, des pistaches, du café de Moka qui n'était point mêlé avec le mauvais café de Batavia et des îles. Après quoi les deux filles de ce bon musulman parfumèrent les barbes de Candide, de Pangloss, et de Martin[165].

« Vous devez avoir, dit Candide au Turc, une vaste et magnifique terre ? — Je n'ai que vingt arpents, répondit le Turc ; je les cultive avec mes enfants ; le travail éloigne de nous trois grands maux, l'ennui, le vice, et le besoin. »

Candide, en retournant dans sa métairie, fit de profondes réflexions sur le discours du Turc. Il dit à Pangloss et à Martin : « Ce bon vieillard me paraît s'être fait un sort bien préférable à celui des six rois avec qui nous avons eu l'honneur de souper. — Les grandeurs, dit Pangloss, sont fort dangereuses, selon le rapport de tous les philosophes : car enfin Eglon, roi des Moabites, fut assassiné par Aod ; Absalon fut pendu par les cheveux et percé de trois dards ; le roi Nadab, fils de Jéroboam, fut tué par Baasa ; le roi Ela, par Zambri ; Ochosias, par Jéhu ; Attalia, par Joïada ; les rois Joakim, Jéchonias, Sédécias, furent esclaves. Vous savez comment périrent Crésus, Astyage, Darius, Denys de Syracuse, Pyrrhus, Persée, Annibal, Jugurtha, Arioviste, César, Pompée, Néron, Othon, Vitellius, Domitien, Richard II d'Angleterre, Edouard II, Henri VI, Richard III, Marie Stuart, Charles Ier, les trois Henri de France, l'empereur Henri IV ? Vous savez [166]... — Je sais aussi, dit Candide, qu'il faut cultiver notre jardin. — Vous avez raison, dit Pangloss ; car quand l'homme fut mis dans le jardin d'Eden, il y fut mis *ut operaretur eum* [167], pour qu'il travaillât : ce qui prouve que l'homme n'est pas né pour le repos. — Travaillons sans raisonner, dit Martin ; c'est le seul moyen de rendre la vie supportable. »

Toute la petite société entra dans ce louable dessein ; chacun se mit à exercer ses talents. La petite terre rapporta beaucoup. Cunégonde était, à la vérité, bien laide ; mais elle devint une excellente pâtissière ; Paquette broda ; la vieille eut soin du linge. Il n'y eut pas jusqu'à frère Giroflée qui ne rendît service ; il fut un très bon menuisier, et même devint honnête homme [168] ; et Pangloss disait quelquefois à Candide : « Tous les événements sont enchaînés dans le meilleur

des mondes possibles : car enfin si vous n'aviez pas été chassé d'un beau château à grands coups de pied dans le derrière pour l'amour de mademoiselle Cunégonde, si vous n'aviez pas été mis à l'Inquisition, si vous n'aviez pas couru l'Amérique à pied, si vous n'aviez pas donné un bon coup d'épée au baron, si vous n'aviez pas perdu tous vos moutons du bon pays d'Eldorado, vous ne mangeriez pas ici des cédrats confits et des pistaches. — Cela est bien dit, répondit Candide, mais il faut cultiver notre jardin. »

APPENDICES

Comme on sait, le manuscrit La Vallière donne une première version du chapitre parisien remplacé à la suite dans le manuscrit par une autre. Nous donnons ici cette version supprimée, en modernisant l'orthographe et la ponctuation.

CHAPITRE VINGT-DEUXIÈME

CE QUI ARRIVA EN FRANCE A CANDIDE ET A MARTIN

Candide ne s'arrêta dans Bordeaux qu'autant de temps qu'il en fallait pour s'accommoder d'une bonne chaise à deux places pour son philosophe Martin et pour lui. Il fut seulement très fâché de se séparer de son mouton, qu'il laissa à l'Académie des sciences de Bordeaux. Tous les voyageurs qu'il rencontra dans les cabarets de la route lui disaient : « Nous allons à Paris. » Cet empressement général lui donna enfin l'envie de voir cette capitale. Ce n'était pas beaucoup se détourner du chemin de Venise.

Il entra par le faubourg Saint-Marceau, et crut être dans le plus vilain village de la Vestphalie. Un moment après, il passa près d'un cimetière [169]. C'étaient des cris, des hurlements horribles ; on eût dit que tous les morts étaient ressuscités pour faire cet épouvantable sabbat. Il vit des petites filles, des abbés, des colpor-

teurs, des sacristains, des vieilles, qui aboyaient, qui
grinçaient les dents, qui se roulaient par terre, qui
sautaient, qui chantaient des psaumes, qui trem-
blaient, et qui bavaient[170] en criant : « Miracle !
miracle ! »

« Ah ! bon Dieu ! dit Candide à Martin, est-ce ainsi
que la capitale d'un grand royaume est faite ! Quelle
différence de ce cloaque à la ville d'Eldorado ! »

Ils n'eurent pas fait cent pas qu'ils furent arrêtés par
une foule de peuple qui criait encore plus fort que la
première bande, autour d'une douzaine de bières cou-
vertes d'un drap noir, avec chacune un bénitier au
pied. Candide et Martin s'informèrent du sujet de ce
tumulte. Un bonhomme du quartier leur dit : « Mes-
sieurs, est-ce que vous ne savez pas quel impôt on a
mis depuis peu sur les morts ? » Candide lui jura qu'il
ne savait rien de ce qui concernait les morts et les
vivants de cette pauvre ville ; qu'il était étranger, qu'il
arrivait, et qu'il comptait en partir incessamment.

« Hélas ! Monsieur, dit le bonhomme, on présente
aux mourants depuis quelques mois des billets
payables au porteur pour l'autre monde, que tout
homme à l'agonie doit signer, et s'il ne signe pas il
n'est point enterré[171]. En voici douze à qui on refuse la
sépulture ; cela mettra la peste dans la ville. »

Le postillon qui conduisait les deux voyageurs eut
beaucoup de peine à passer. A peine fut-il arrivé à un
carrefour voisin plus puant mille fois que tous les
morts du quartier, qu'ils virent tout en tumulte. On
courait de tous côtés sans savoir où. On criait « A
l'assassin ! » Chacun sortait de sa maison. On hurlait.
Mille voix demandaient à Candide et à Martin :
« Venez-vous de la cour ? Est-il pris ? A-t-il révélé ses
complices ? » Candide et Martin apprirent enfin avec
bien de la peine qu'il venait de se commettre un
attentat épouvantable, un crime inouï chez vingt
autres nations, un assassinat qui faisait frémir et verser
des larmes[172]. Il se passa une heure entière avant qu'ils
pussent gagner une hôtellerie un peu honnête. On leur
servit à souper.

Ils eurent pour compagnie un petit abbé périgour-
din. C'était un de ces hommes qui guettent les étran-
gers à leur passage, leur servent de guides et leur font
offre de services. Celui-ci leur apprit toutes les nou-
velles. Il leur conseilla de rester longtemps à Paris ; il
leur conta l'histoire scandaleuse de la ville, et finit par
promettre à Candide la première femme sur laquelle il
jetterait les yeux aux spectacles.

Candide fut sensible comme il le devait à ses poli-
tesses ; mais il lui avoua qu'il ne pouvait les accepter,
parce qu'il avait un rendez-vous à Venise avec Made-
moiselle Cunégonde. L'insinuant Périgourdin l'enga-
gea insensiblement à conter ses aventures avec cette
illustre Vestphalienne. « Je crois, dit l'abbé [173] »[...]

« LETTRE AU SUJET DE *CANDIDE* »

Peu après la publication du roman, le *Journal encyclopédique* en avait donné un compte rendu plutôt réticent (15 mars 1759). Le journaliste écrivait : « Ce roman dont nous ne croyons nullement que l'original allemand existe est attribué à M. de V... » Il faisait des réserves sur l'épisode des jésuites du Paraguai : « Nous ne suivrons pas l'auteur qui a calqué ici les folies qu'on a débitées au sujet de la royauté qu'on prétend que les jésuites possèdent au Paraguai [...] Nous désirerions que l'auteur eût parlé avec plus de respect de tout ce qui regarde la religion et ses ministres ; qu'il n'eût point adopté la misérable fable du Paraguai qui n'a rien ici de neuf ni de piquant, etc., etc. » Voltaire répondit en envoyant au *Journal encyclopédique*, le 1ᵉʳ avril 1759, une lettre signée d'un pseudonyme : facétie visant principalement les jésuites et faisant écho au succès, en 1759, des attaques contre ceux-ci (« mangeons du jésuite »...) Le *Journal encyclopédique* ne publie pas alors la lettre de Voltaire. Il l'insère trois ans plus tard (15 juillet 1762), lorsque la campagne contre la Compagnie de Jésus prend un tour décisif : le parlement de Paris vient d'ordonner la fermeture de ses collèges (août 1761) et décidera bientôt sa suppression (août 1762). La « Lettre sur *Candide* » redevenait d'actualité.

Messieurs,

Vous dites dans votre journal du mois de mars qu'une espèce de petit roman intitulé *De l'Optimisme*

ou *Candide* est attribué à un *nommé* M. de V... Je ne
sais de quel M. de V... vous voulez parler mais je vous
déclare que ce petit livre est de mon frère M. Démad,
actuellement capitaine dans le régiment de Bruns-
wick ; et à l'égard de la prétendue royauté des jésuites
dans le Paraguai, que vous appelez une misérable
fable, je vous déclare à la face de l'Europe que rien
n'est plus certain ; que j'ai servi sur un des vaisseaux
espagnols envoyés à Buenos-Aires en 1756, pour
mettre à la raison la colonie voisine du Saint-Sacre-
ment ; que j'ai passé trois mois à l'Assomption ; que
les jésuites ont, de ma connaissance, vingt-neuf pro-
vinces qu'ils appellent leurs Réductions, et qu'ils y
sont les maîtres absolus au moyen de huit réales par
tête qu'ils payent au gouverneur de Buenos-Aires
pour chaque père de famille, et encore ne payent-ils
que pour le tiers de leurs cantons. Ils ne souffrent pas
qu'aucun Espagnol reste plus de trois jours dans leurs
Réductions. Ils n'ont jamais voulu que leurs sujets
apprissent la langue castillane. Ce sont eux seuls qui
font faire l'exercice des armes aux Paraguains ; ce sont
eux seuls qui les conduisent. Le jésuite Tomas Verle,
natif de Bavière, fut tué à l'attaque de la ville du
Saint-Sacrement, en montant à l'assaut à la tête des
Paraguains, en 1737 et non pas en 1735, comme le dit
le jésuite Charlevoix, auteur aussi insipide que mal
instruit[174]. On sait comment ils soutinrent la guerre
contre Don Antequera ; on sait ce qu'ils ont tramé en
dernier lieu contre la couronne du Portugal, et com-
ment ils ont bravé les ordres du Conseil de Madrid[175].

Ils sont si puissants qu'ils obtinrent de Philippe V,
en 1743, une confirmation de leur puissance qu'on ne
pouvait leur ôter. Je sais bien, Messieurs, qu'ils n'ont
pas le titre de roi, et par là on peut excuser ce que
vous dites de la misérable fable de la royauté du
Paraguai. Mais le dey d'Alger n'est pas roi, et n'en est
pas moins maître. Je ne conseillerais pas à mon frère le
capitaine de faire le voyage du Paraguai sans être le
plus fort.

Au reste, Messieurs, j'ai l'honneur de vous informer que mon frère le capitaine, qui est le *Loustik*★[176] du régiment, est un très bon chrétien, qui en s'amusant à composer le roman de *Candide* dans son quartier d'hiver a eu principalement en vue de convertir les sociniens. Ces hérétiques ne se contentent pas de nier hautement la Trinité et les peines éternelles, ils disent que Dieu a nécessairement fait de notre monde le meilleur des mondes possibles, et que tout est bien. Cette idée est manifestement contraire à la doctrine du péché originel. Ces novateurs oublient que le serpent, qui était le plus subtil des animaux, séduisit la femme tirée de la côte d'Adam ; qu'Adam mangea de la pomme défendue[177] ; que Dieu maudit la terre qu'il avait bénite : *Maledicta terra in opere tuo ; in laboribus comedes*[178]. Ignorent-ils que tous les Pères sans en excepter un seul ont fondé la religion chrétienne sur cette malédiction prononcée par Dieu même, dont nous ressentons continuellement les effets ? Les sociniens affectent d'exalter la Providence, et ils ne voient pas que nous sommes des coupables tourmentés, qui devons avouer nos fautes et notre punition. Que ces hérétiques se gardent de paraître devant mon frère le capitaine : il leur ferait voir si tout est bien.

Je suis, Messieurs, votre très humble et très obéissant serviteur DEMAD.

A Zastrou[179], le 1er avril 1759.

P.S.- Mon frère le capitaine est l'intime ami de M. Ralph, professeur assez connu dans l'Académie de Francfort-sur-l'Oder, qui l'a beaucoup aidé à faire ce profond ouvrage de philosophie, et mon frère a eu la modestie de ne l'intituler que traduction de M. Ralph, modestie bien rare chez les auteurs.

N.B.- Cette lettre a été égarée pendant longtemps ; et lorsqu'elle nous est parvenue, nous avons fait des recherches inutiles pour découvrir l'existence de M. Démad, capitaine dans le régiment de Brunswick.

★ Mot allemand qui signifie joyeux.

NOTES

MICROMÉGAS

1. La lieue, mesure ancienne de longueur, variait selon les pays. Aussi Voltaire précise-t-il. La taille de Micromégas, d'après ses indications, atteint près de trente-neuf kilomètres.

2. Les premières éditions (1752, 1753) ajoutaient ici les dimensions du nez : « Son nez étant le tiers de son visage, et son beau visage étant la septième partie de la hauteur de son beau corps, il faut avouer que le nez du Sirien a six mille trois cent trente-trois pieds de roi plus une fraction, ce qui était à démontrer. » Le nez de Micromégas mesure donc plus de deux kilomètres.

3. Effectivement Marguerite Périer, dans sa *Vie de M. Pascal*, écrit que son frère, passionné de géométrie, n'ayant encore que douze ans « poussa sa recherche si avant qu'il en vint jusqu'à la trente-deuxième proposition du premier livre d'Euclide ».

4. Allusion aux recherches de Réaumur, et à ses *Mémoires pour l'histoire des insectes* (1734-1742).

5. Le « muphti du pays » désigne un chef religieux, intervenant dans un domaine scientifique qui n'est pas de sa compétence, ainsi que le faisaient parfois au XVIII[e] siècle des prélats ou des théologiens, qui sont ici visés.

6. La « forme substantielle » des animaux : obscure notion métaphysique, issue d'Aristote. Voltaire s'en est moqué dans le *Traité de métaphysique* (éd. Patterson, Manchester, 1937, p. 34) : « Les uns me répondent, ce chien est une forme substantielle ; les autres me disent, n'en croyez rien, les formes substantielles sont des chimères. »

7. Le trait renvoie au sous-titre du *Traité des études* de Rollin (1728) : *De la manière d'étudier et d'enseigner les belles-lettres par rapport à l'esprit et au cœur.*

8. Voltaire possédait dans sa bibliothèque deux traductions françaises (1729 et 1730) de l'ouvrage de William Derham, chanoine de

Windsor et membre de la Royal Society de Londres : *Théologie astronomique, ou Démonstration de l'existence et des attributs de Dieu, par l'examen et la description des cieux enrichie des figures.* L'un et l'autre exemplaires portent des traces de lecture.

9. La toise mesurait près de deux mètres. Les « nains de Saturne » ont donc une taille de deux kilomètres, ou environ.

10. On opposait à la musique française de Lulli et Rameau, accusée de froideur, celle des Italiens, pathétique, émouvante. Ce qui aboutit en 1752 avec les représentations à Paris de la *Serva padrona* de Pergolèse à la querelle dite des Bouffons (du nom de la troupe italienne).

11. Le lecteur reconnaissait Fontenelle qui fut longtemps à Paris secrétaire de l'Académie des sciences.

12. Ces blondes et ces brunes comparées à la nature ouvraient le « Premier soir » des *Entretiens* de Fontenelle *sur la pluralité des mondes.* Fontenelle et sa marquise contemplent les étoiles « toutes d'un or pur et éclatant », se détachant sur « le fond bleu » du ciel. La marquise : « La beauté du jour est comme une beauté blonde qui a plus de brillant ; mais la beauté de la nuit est une beauté brune qui est plus touchante. — Vous êtes bien généreuse [...] de donner cet avantage aux brunes, vous qui ne l'êtes pas. » (*Entretiens sur la pluralité des mondes,* éd. Calame, Paris, 1966, p. 13-14.)

13. Selon son secrétaire Wagnière, Voltaire avait prévu ici une correction : « Pour vous montrer que j'ai de l'esprit, répondit le secrétaire. Le voyageur repartit : N'ayez de l'esprit que pour m'instruire. » (« Notes et remarques de Wagnière », publiées par Andrew Brown, *Studies on Voltaire,* t. 77, 1970, p. 67.)

14. Environ un kilomètre trois cents, à comparer aux deux kilomètres de son amant le Saturnien.

15. Les éditions antérieures à l'édition « encadrée » : « deux cents ans ».

16. Huygens (1629-1695), auteur d'un *Systema saturnium* (1659).

17. Les premières éditions ajoutent : « Aussi je lui promets un long article dans la première édition qu'on fera de Moreri, et je n'oublierai pas surtout messieurs ses enfants qui donnent une si grande espérance de perpétuer la race de leur illustre père. » Le *Grand Dictionnaire historique* de l'érudit Moreri eut au XVIII[e] siècle de nombreuses rééditions, avec des additions.

18. Le P. Castel, jésuite ingénieux (1688-1757), est surtout connu pour son invention du « clavecin oculaire ». Mais il écrivit aussi un *Traité de la pesanteur universelle* (1724) et un autre sur *L'Optique des couleurs.* Il avait attaqué Voltaire et ses *Eléments de la philosophie de Newton,* dans le journal de son ordre, les *Mémoires de Trévoux* (juin 1738).

19. Le 5 juillet 1737 correspond à peu près au naufrage de l'expédition scientifique dont nous parlerons plus loin. « Nouveau style » selon la datation de la réforme grégorienne du calendrier. Plusieurs pays d'Europe, dont la Russie, ne l'avaient pas encore adoptée.

20. On a remarqué que ces montagnes, ici dégustées à déjeuner, sont décrites plus loin comme des « petits grains pointus » qui ont « écorché les pieds » des voyageurs, donc apparemment peu comestibles. La contradiction s'explique : le déjeuner de montagnes est une addition introduite à partir de 1754.

21. Comme le remarque P.-G. Castex, Voltaire et les savants de son temps ne soupçonnaient pas que certaines profondeurs océaniques atteignent dix mille mètres.

22. L'expédition scientifique en Laponie, dont il va être question, avait précisément pour objet de vérifier, par des mesures du méridien, l'aplatissement du globe terrestre aux pôles, nié par les adversaires de Newton.

23. Une expédition conduite par Maupertuis, dont faisaient partie Clairaut, Camus, Le Monnier, Outhier et Celsus, avait quitté Dunkerque le 2 mai 1736, à destination de Tornea en Laponie. Parvenus sur les lieux au début de 1737, les savants mesurèrent un degré du méridien. Simultanément, une expédition au Pérou, sous la direction de La Condamine, allait faire la même opération sous les tropiques. La comparaison des résultats permit de démontrer un léger aplatissement du globe terrestre aux pôles. L'entreprise suscita à Cirey un vif enthousiasme. Voltaire composa à ce sujet une ode : « A Messieurs de l'Académie des sciences ». Sur le chemin du retour, le navire de Maupertuis fut endommagé par une tempête. Il ne put être réparé que le 18 juillet 1737. Le conte prétend révéler « le dessous des cartes » sur cet incident.

24. Maupertuis ramenait en effet de Laponie deux jeunes filles. Elles firent sensation à Paris.

25. Cinq pieds : 1,62 m. Un pouce, en France : 27 millimètres.

26. Les deux naturalistes hollandais Leuwenhoek (1632-1723) et Hartsoeker (1656-1725) avaient, grâce au microscope, découvert des protozoaires, les globules rouges, les spermatozoïdes. Voltaire avait écrit, dans la XVII^e *Lettre philosophique*, qu'ils s'étaient « contesté l'honneur d'avoir vu le premier les petits vermisseaux dont nous sommes faits ».

27. Ce mot aurait été prononcé par Bolingbroke, en apprenant que La Fresnais avait surpris Mme de Tencin en compagnie de Fontenelle dans une attitude compromettante.

28. Une « trompette » grâce à laquelle celui qui parle peut se faire entendre.

29. Le quart de cercle, ou quadrant, sert à prendre les élévations sur terre ou sur mer. Les pinnules sont des pièces de cuivre minces placées sur le quart de cercle, en vue de l'observation.

30. La station, dans une opération de nivellement ou de trigonométrie, est le lieu où l'on se place pour mesurer convenablement.

31. Sur Virgile, *Géorgiques* IV, Voltaire écrivait le 30 octobre 1738, D1643 : « La physique d'aujourd'hui est un peu contraire aux fables des *Géorgiques*, à la renaissance des abeilles, aux influences de la lune »... Swammerdam (1637-1680) était un entomologiste hollandais. Une édition de sa *Biblia naturae sive Historia insectorum* a paru à Leyde en 1737-1738. Réaumur, après avoir établi l'échelle

thermométrique qui porte son nom, se consacra à l'étude des insectes. Ses *Mémoires pour servir à l'histoire des insectes* parurent, comme on l'a dit (n. 4), de 1734 à 1742.

32. Une guerre opposa, de 1736 à 1739, les Turcs (les « turbans ») aux Russes alliés aux Autrichiens (les « chapeaux »).

33. Le « péripatéticien », ou disciple d'Aristote, donne la forme grecque du mot entéléchie, mais omet de définir cette notion, qui désignerait l'être parvenu à l'état de perfection. La référence de Voltaire a été vérifiée : elle renvoie effectivement à la page 633 du tome I des *Œuvres* d'Aristote, édition de 1619.

34. Présentation comique de la théorie cartésienne des idées innées.

35. Sous ces formulations, on reconnaît la « vision en Dieu » de Malebranche, et « l'harmonie préétablie » de Leibniz.

36. Ces propos raisonnables du modeste partisan de Locke font écho à la XIIIe *Lettre philosophique* de Voltaire, « Sur M. Locke ».

37. « L'animalcule », portant le « bonnet carré » des docteurs en théologie de la Sorbonne, soutient la thèse anthropocentriste de la *Somme théologique* de saint Thomas d'Aquin (l'homme est le centre de l'univers), rendue caduque depuis longtemps par le progrès des sciences.

38. Homère, *Iliade*, chant I, vers 599-600.

39. « Le vieux secrétaire », dans les premières éditions : l'adjectif rendait encore plus évidente l'allusion à Fontenelle, qui resta « secrétaire perpétuel » de l'Académie des sciences pendant quarante ans jusqu'à l'âge de quatre-vingt-trois ans (1699-1740).

ZADIG

1. Parodie du rapport qu'un censeur, à la demande du lieutenant-général de police, rédigeait en vue d'accorder ou de refuser l'autorisation de publier un ouvrage. Le cadi-lesquier était dans l'empire ottoman un haut dignitaire chargé de la religion et des lois.

2. En cette sultane Sheraa, on reconnaît Mme de Pompadour. L'éloge, en forme de dédicace, a soin de mettre en valeur chez la favorite « un petit fonds de philosophie » et le goût de « parler raison ».

3. Le musulman Sadi date normalement sa lettre selon le calendrier dont le point de départ est l'hégire, c'est-à-dire l'émigration du prophète Mahomet à Médine (16 juillet 622 de notre ère, selon la tradition). La date correspondant à « l'an 837 » dans le calendrier grégorien serait 1433, sans signification particulière, semble-t-il. En revanche, il existe bien un mois de « schewal » dans le calendrier musulman (Montesquieu dans les *Lettres persanes* transcrivait le mot sous la forme « Chalval »).

4. Ouloug-beg, petit-fils de Tamerlan, règne à Samarcande de 1416 à 1449.

5. Après l'adaptation par Galland (à partir de 1704) des *Mille et Une Nuits*, son contemporain Pétis de La Croix traduisit les *Mille et Un Jours*, et des imitations suivirent (les *Mille et Un Quarts d'Heures*, prétendus « contes tartares » de Gueulette...).

6. Scander, Soleiman : transcriptions arabes d'Alexandre et de Salomon. Selon Quinte-Curce (V, 5), Thalestris reine des Amazones vint demander à Alexandre de lui faire un enfant. L'histoire de la reine de Saba (ici Sabée) rendant visite à Salomon, roi des juifs, est racontée dans l'Ancien Testament (*Rois*, X, 4-13, II *Chroniques*, IX, 1-12).

7. Le poète persan Sadi, ou Saadi, auteur du *Gulistan*, a vécu en réalité environ deux siècles avant 837, date à laquelle il est censé écrire à la sultane Sheraa.

8. Zadig vient de l'arabe Saddyk « le véridique », ou de l'hébreu Zadik « le juste ».

9. Zoroastre (dont le nom sera plus tard transcrit sous la forme Zarathoustra) fut, au VIIe siècle avant J.-C., un réformateur religieux iranien. Voltaire le connaît par le livre de Hyde, *Historia religionis veterum Persarum*. C'est dans cet ouvrage qu'il a lu des extraits du *Sadder* (le « livre de Zoroastre »). Mais il s'amuse à lui attribuer soit des lieux communs, soit des sentences personnelles, telles que celle-ci. En revanche, plus loin, il transpose un précepte du *Sadder* cité par Hyde : « Quand tu manges, mets de côté trois bouchées pour les chiens. »

10. Le « mont Imaüs » est l'Himalaya.

11. Memphis, capitale de l'Égypte, patrie, selon Voltaire, du grand médecin Hermès Trismégiste.

12. Au dix-huitième siècle, le dîner est le repas du milieu de la journée. Le repas du soir est le souper.

13. En 1747 et 1748, un droguiste parisien nommé Arnoult faisait passer dans le *Mercure de France* des avis publicitaires vantant les vertus anti-apoplectiques des sachets qu'il confectionnait.

14. Selon Hyde, le pont Tchinavar permet aux âmes des justes de passer dans le séjour des bienheureux. L'ange qui en surveille l'entrée se nomme, d'après Hyde, Mohr Izad. Voltaire préfère celui, plus prononçable, d'Asraël, l'ange qui chez les musulmans sépare les âmes des corps.

15. Le *Zend* est comme le *Sadder* un livre saint du zoroastrisme, que Voltaire connaît par Hyde.

16. Voltaire fait allusion, sur un ton dédaigneux, à certaines recherches de son temps : sur la mesure de la vitesse des eaux courantes (Pitot), sur la pluviométrie (La Hire et autres), sur la fabrication de la soie avec des toiles d'araignée (Bon de Saint-Hilaire), sur la fabrication de la porcelaine (Réaumur). « Le mois de la souris », « le mois du mouton » : le zodiaque chinois comporte douze années dont chacune porte le nom d'un animal. Voltaire transfère ici cette désignation de l'année au mois.

17. Voltaire avait d'abord orthographié ce mot Desturham. Il s'agit en réalité du Defterdar, selon Herbelot, *Bibliothèque orientale*, « celui qui tient les rôles de la milice et des finances chez les Persans

et chez les Turcs ». Le knout, la Sibérie : châtiments rigoureux en usage dans la Russie des dix-septième et dix-huitième siècles. En ce mélange plaisant, se manifeste le sans-gêne du conteur.

18. Dans la religion dualiste de Zoroastre et des mages, Ormuzd ou Ormazd est le principe du bien. Le nom a été transcrit par les Grecs en Oromasdes, d'où Voltaire tire la forme, plus euphonique, Orosmade.

19. L'interdit est formulé non par « une loi de Zoroastre » mais par l'Ancien Testament, *Deutéronome*, XIV, 12-3 : les Hébreux ne doivent pas consommer, comme « impur », « l'aigle, le griffon, l'aigle de mer ».

20. Boyer, religieux de l'ordre des Théatins, avait été nommé évêque de Mirepoix et, ce qui est plus important, détenteur de la « feuille des bénéfices » (il attribuait ces sources de revenus qu'étaient les abbayes « commendataires »). Ce personnage usait de son autorité à la cour pour contrecarrer les ambitions de Voltaire.

21. Encore une allusion au *Deutéronome*, XIV, 6-7 : cette loi hébraïque interdit comme « immondes » les animaux qui ne ruminent pas et n'ont pas le pied fendu. Le lapin est prohibé également, parce que, quoiqu'il « rumine », il n'a pas « le pied fendu ».

22. Les « filles d'honneur » étaient, à la cour de France, des jeunes filles attachées au service de la reine et fort exposées aux entreprises galantes des courtisans.

23. Voltaire donne à ce personnage le nom qui est, dans la religion des mages, celui du principe du Mal, antithétique d'« Orosmade », principe du Bien.

24. Selon Herbelot, l'Hyrcanie était une région de la mer Caspienne habitée par un peuple belliqueux.

25. Le divan : dans l'empire ottoman, le conseil réuni autour du sultan.

26. Les deux derniers termes, ajoutés en 1752, renvoient à la philosophie de Leibniz.

27. Le « bon style oriental », opposé à celui de la raison, est le style biblique. *Psaumes*, CXIII, 4-6 : « Les monts sautaient comme des béliers, et les collines comme les agneaux des brebis. » *Ibid.*, CXIII, 3-5 : « La mer le vit et s'enfuit. » *Isaïe*, XIV, 12 : « Comment es-tu tombé du ciel, Lucifer, lorsque tu paraissais si brillant au point du jour ? » « Le soleil se fondre » semble se référer, mais avec un contresens, à *Exode*, XVI, 21.

28. Allusion à la vogue, vers 1740, de la « comédie larmoyante », peu comique en effet, de Nivelle de La Chaussée et d'autres. Quant aux tragédies où l'on pleure, la *Zaïre* de Voltaire (1732) en fournit un éclatant exemple.

29. Manifestement Voltaire prend ce Zenda-Vesta pour une divinité. L'*Avesta* était un livre sacré, attribué à Zoroastre. Le *Zend* en est le commentaire.

30. D'après le contexte, Canope est, non le port de l'Egypte portant ce nom, mais une étoile en direction du pôle sud.

31. Chameau qui, plus haut (fin du chapitre « La jalousie »), était

un dromadaire : Voltaire commet la confusion fréquente entre le chameau à deux bosses et le dromadaire qui n'en a qu'une.

32. Le mont Horeb, dans l'Arabie Pétrée, fait partie de la même chaîne que le Sinaï. C'est un lieu remarquable, d'après la Bible, *Exode* III, 1, XVII, 5 : à Horeb Dieu apparut à Moïse dans le buisson ardent ; au pied de cette même montagne, Moïse frappa le rocher et en fit jaillir une source.

33. Voltaire a noté une histoire analogue dans un de ses carnets, *Œuvres complètes*, Genève, 1968, t. 81, p. 378.

34. Cette religion, le sabéisme, était pratiquée en Arabie avant Mahomet.

35. Le pays des Gangarides, dans la partie orientale du Gange, sera évoqué dans un épisode du conte de Voltaire, *La Princesse de Babylone*.

36. Cette coutume horrible était attestée par les voyageurs aux Indes tel que Bernier.

37. Bassorah, sur le Tigre, près du Golfe. Voltaire ne tient pas compte du fait que, comme le lui indiquait Herbelot, la ville et la foire de Bassorah ne furent créées qu'au VII^e siècle après J.-C.

38. Dans l'hindouisme, Brama ou Brahma est le dieu prééminent d'une trinité qu'il constitue avec Vishnou et Shiva. Le bramin ou brahmane est un membre de la première des sectes hindoues. Le marchand auquel Voltaire applique ici ce nom est peut-être seulement un partisan de Brama.

39. Voltaire n'a pas inventé ce dieu-poisson. Il l'a trouvé dans le premier des huit tomes de l'abbé Banier, *La Mythologie et les fables expliquées par l'histoire*. Paris, 1739. Il n'ajoute guère aux détails de Banier que la prédication quotidienne de trois heures sur la terre ferme.

40. Li ou Tien signifient-ils Dieu ? Les partisans de l'athéisme des Chinois, au XVIII^e siècle, soutenaient que ces termes désignent seulement la nature matérielle. Voltaire ne mentionne pas ici l'autre nom chinois, que pourtant il connaît, Chang-ti, et qui traduit mieux le concept de Dieu.

41. Banier, au tome IV de son ouvrage, parlait aussi du dieu gaulois Theutatès et, au tome V, de « la cérémonie du gui du chêne ».

42. « L'armée céleste », désignant « le soleil, la lune et les étoiles », a déjà été mentionnée au début du chapitre « Le bûcher ».

43. Allusion ironique au *Cantique des cantiques*, VII, 4 : « Votre nez est comme la tour du Liban qui regarde vers Damas. »

44. L'étoile Sheat et plus loin l'étoile Algénib appartiennent à la constellation de Pégase. De tels rendez-vous conviennent bien à des « prêtres des étoiles ».

45. Deux villes de l'archipel des Moluques.

46. Nom inventé par Voltaire.

47. Animal fabuleux, dont le regard était mortel, sauf pour les femmes. Mais le texte suggère ici quelque allusion grivoise.

48. Voltaire s'amuse à attribuer à ce livre sacré un lieu commun.

49. Le nom « outre » est au XVIII^e siècle du genre masculin.

50. La « pierre philosophale », selon les alchimistes, avait le pouvoir de transmuter les métaux en or. L'astrologie judiciaire correspondait à peu près à ce que nous appelons aujourd'hui l'horoscope. La théologie est mise sur le même plan que ces sciences chimériques.

51. L'attribution de cette maxime galante au « grand Zoroastre » est bien entendu fictive.

52. Le mot « énigme » hésite au XVIIIᵉ siècle entre le masculin et le féminin. Les premières éditions de *Zadig* le mettaient au masculin.

53. La devise — un emblème commenté par une brève sentence — permettra, à l'issue des épreuves, d'identifier les concurrents anonymes. C'est ainsi qu'on en usait dans les concours académiques au XVIIIᵉ siècle.

54. « Des passes et des voltes » : en escrime et dans les joutes, aller vers l'adversaire et l'éviter par un mouvement.

55. Voltaire dans cet épisode s'inspire d'une très ancienne légende, d'origine hébraïque, qu'il connaît surtout par le poème de Parnell, *The Hermit* (1722).

56. Jesrad : forme plus euphonique de Jez-Dad, selon Herbelot nom d'un ange bienfaisant, ou du principe du Bien, dans la religion de Zoroastre.

57. Selon le système astronomique de Ptolémée, la terre, centre du monde, est entourée de neuf sphères, plus une dixième, l'Empyrée, séjour des bienheureux.

58. Le fort de l'épée se situe vers la poignée, le faible près de la pointe.

59. Le « défaut de la cuirasse » est la partie où deux pièces de celle-ci se rejoignent.

60. Les deux chapitres qui suivent ont été publiés pour la première fois par l'édition posthume de Kehl. Aucune indication n'est donnée sur leur provenance. Les éditeurs de Kehl les inséraient après le chapitre « Les rendez-vous » : à cette fin, ils retranchaient les dernières lignes du chapitre rejetées en note.

61. Serendib : Ceylan, ou peut-être Sumatra.

62. Un entrechat : un saut avec un battement de pieds.

63. Voir ci-dessus, note 16.

64. Voir *Micromégas*, note 7.

65. Voltaire, qui sait mal le grec, confond *boopis*, au regard de vache, avec *glaucopis*, aux yeux pers.

66. Allusion à la situation française, où l'Eglise qui possédait de grands biens ne payait pas d'impôts, mais versait un « don gratuit » très inférieur à ce qu'elle aurait dû payer.

67. Ce texte a été publié, comme les deux chapitres de l'appendice, par les éditeurs de Kehl. A la suite d'une erreur que ceux-ci reconnurent, ils les placèrent à la fin du roman (p. 137 ci-dessus). Selon toute apparence, la note est bien de Voltaire lui-même : elle

maintient le texte « ouvert », à la manière par exemple de la note qui termine un autre conte de Voltaire, *Le Blanc et le noir*.

CANDIDE

Sigles :
 Ms : manuscrit La Vallière.
 59 : édition originale, Cramer, Genève, janvier 1759.
 61 : *Candide* dans la *Seconde suite des Mélanges*, Cramer, Genève, 1761.

1. Le mot « optimisme » est récent. Le copiste Wagnière, qui ne le connaît pas, l'écrit sur Ms « optismime ». Le terme ne désigne pas encore la tendance morale à voir de préférence le bon côté des choses. Il s'applique seulement à la doctrine philosophique du « tout est bien », de Leibniz et de Pope.

2. Cette deuxième partie du sous-titre apparaît dans 61, avec les « additions ».

3. Près de Minden, en Westphalie, se livra le 1er août 1759 une sanglante bataille, où les troupes françaises furent sévèrement défaites.

4. Archaïsme qui contribue à donner à ce début du conte une allure traditionnelle (« Il y avait »...).

5. Nous conservons cette orthographe de Voltaire, qui avait pour principe de transcrire en V le W germanique.

6. Soixante et onze quartiers ne signifient pas soixante et onze générations. Chaque ascendant noble constitue un quartier de noblesse : ainsi un enfant dont les deux parents et les quatre grands-parents étaient tous nobles possède déjà six quartiers de noblesse.

7. Une meute pour la chasse à courre, divertissement aristocratique. Pour cette circonstance, les palefreniers, simples valets d'écurie, sont promus piqueurs : ils dirigent la meute à la poursuite du gibier. Le vicaire du village bénéficie d'une promotion comparable en « grand aumônier », comme s'il était un prêtre spécialement affecté au service du château.

8. Le terme de cosmologie vient d'être lancé par le métaphysicien Wolff, que Voltaire juge obscur et ennuyeux (voir Introduction, p. 14).

9. Les chausses : anciennement, culotte et pantalon.

10. La « raison suffisante » était un principe de la métaphysique de Wolff : rien n'existe sans avoir une cause suffisante de son existence.

11. Le dîner est, rappelons-le, au XVIIIe siècle le repas du milieu de la journée. Candide, chassé du château, va errer « longtemps », jusqu'au soir où il se couchera « sans souper », en plein champ.

12. L'uniforme prussien était bleu. Le lecteur comprend ce qui échappe à Candide : les deux hommes sont des sergents recruteurs de l'armée prussienne.

13. 1,80 m : la « taille requise ».

14. Frédéric II, roi de Prusse, comme on le verra plus loin.

15. Au XVIII^e siècle, les fusils se chargent, non par la culasse, mais par le canon. La baguette sert à enfoncer la poudre et le projectile. Par un entraînement intensif et brutal, comme celui auquel Candide est ici soumis, les soldats prussiens réalisaient l'opération avec une rapidité qui leur assurait une puissance de feu supérieure à celle des autres armées européennes.

16. A de tels traits, on reconnaît Frédéric II.

17. Dioscoride, médecin grec du I^{er} siècle après J.-C., restait connu par les nombreuses mentions qu'en fait Rabelais dans le *Gargantua*.

18. Tel est le schéma d'une bataille au XVIII^e siècle : duel d'artillerie, tirs de l'infanterie, charge à la baïonnette. Il faudrait ajouter l'intervention de la cavalerie.

19. *Te Deum laudamus*, cérémonie d'action de grâce, pour remercier Dieu d'une victoire. La bataille entre Bulgares et Abares est restée indécise. Chaque roi s'attribue ridiculement la victoire, et il est choquant de célébrer religieusement ce qui ne fut qu'un massacre : 15 000 tués de chaque côté.

20. Un juriste tel que Pufendorf avait intitulé l'un de ses chapitres : « Du droit de ravager et de piller ce qui appartient à l'ennemi. »

21. Un pasteur de la religion réformée, dominante en Hollande, qui vient de prononcer un sermon au temple.

22. Les anabaptistes repoussaient le baptême jusqu'à l'âge adulte, en le soumettant à certaines conditions. La secte, après avoir provoqué des troubles révolutionnaires au XVI^e siècle, s'était assagie et était composée principalement de fidèles s'occupant de manufactures et de négoce.

23. Ms : « en lui donnant un gobelet d'urine de vache », barré et remplacé par « avec un peu de mauvais vinaigre qui se trouva par hasard dans l'étable ». Jacques exploite une entreprise de textile. On s'étonne qu'il possède aussi une étable et apparemment un élevage de vaches.

24. Paquette est le nom d'une « chambrière » dans la fable de La Fontaine, VII, xi, « Le Curé et le mort ».

25. Les participes au féminin s'accordent avec l'idée implicite désignée par le masculin « ce présent » : la maladie.

26. Les jésuites avaient une réputation d'homosexualité que semblaient confirmer les scandales survenant quelquefois dans leurs collèges.

27. La syphilis passait pour provenir des Caraïbes.

28. La cochenille, insecte importé du Mexique, servait à la fabrication d'une teinture.

29. Canons tirant des projectiles de vingt-quatre livres, donc de gros calibre pour l'époque.

30. Sur le tillac : sur le pont du navire. Même emploi du mot dans les chapitres 20 et 23 de *Candide*.

31. Quelques lignes plus haut, il a été dit déjà que le vaisseau était « entr'ouvert ».

32. Le tremblement de terre du 1er novembre 1755 fut suivi effectivement d'un raz de marée.

33. Sur cet incendie, voir notre Introduction, p. 30.

34. Ce matelot est né dans la capitale de Java (aujourd'hui Djakarta), colonie hollandaise. Le Japon s'était fermé à toute relation avec l'extérieur. Une seule exception : un navire hollandais était de temps à autre autorisé à commercer à Nagasaki. Mais l'équipage devait au préalable marcher sur l'image du Christ.

35. Le « familier » de l'Inquisition occupe une fonction officielle : il procède à l'arrestation des suspects.

36. Le mot, d'origine italienne, désigne un domestique armé.

37. Auto-da-fé : en français acte de foi. Dans le *Précis du siècle de Louis XV*, chapitre 31, Voltaire écrit que l'autodafé eut lieu le 20 juin 1756. Selon les historiens portugais, qui donnent des dates différentes, les trois autodafés ayant suivi le tremblement de terre étaient sans rapport avec le séisme et ne comportèrent aucun sacrifice humain.

38. Le Biscayen, ou Basque, parrain d'un enfant, avait épousé la marraine de ce même enfant : le fait d'avoir tenu ensemble un enfant sur les fonts baptismaux aurait créé entre eux une parenté spirituelle et les empêchait de se marier. Les Portugais qui avaient arraché la barde de lard de leur poulet étaient des juifs apparemment convertis, mais restés secrètement fidèles au judaïsme : ils se conformaient à l'interdiction de consommer du porc.

39. Voltaire décrit ce déguisement d'après quatre illustrations de C. Dellon, *Relation de l'Inquisition de Goa* (1688). L'une représente un homme coiffé d'une mitre de papier ; c'est un repenti : sur son surplis (que Voltaire nomme improprement *san-benito*), des flammes renversées et des diables sans griffes ni queues. Sur la deuxième, l'homme en même équipage pleure : ses flammes sont droites, ses diables portent griffes et queues : il va être brûlé. La troisième et la quatrième sont de vastes compositions : sur une grande place, le défilé des coupables escortés de policiers et précédés de moines ; à l'intérieur d'une église, les mêmes écoutent le sermon d'un ecclésiastique en chaire.

40. D'après le chapitre 8, ci-dessous, il s'agit du chant du *miserere*.

41. En effet, il y eut un second séisme à Lisbonne, le 21 décembre 1755.

42. Notre-Dame d'Atocha n'est autre que la Vierge enceinte. La reine d'Espagne, en cas de grossesse, devait faire un pèlerinage à sa statue de bois. Saint Antoine de Padoue, malgré son nom, est portugais et l'un des patrons du Portugal.

43. Voltaire avait donné d'abord à ce juif le nom d'Ourdos. Il le corrigea sur Ms en don Issachar.

44. La vieille dira pourtant, chapitre 13, que le juif et le grand inquisiteur ont eu tous deux « ses bonnes grâces ».

45. Voltaire écrit « prêt de » et non « près de », parce que selon lui « près de » doit être suivi d'un substantif.

46. Moyador : monnaie portugaise.

47. La Sainte Hermandad (la « Sainte Fraternité ») était une milice religieuse, mais instituée en Espagne, non au Portugal.

48. On ne connaît pas de localité portant ce nom.

49. Le maravédis : pièce espagnole en cuivre, de peu de valeur.

50. Ces villes existent, mais l'itinéraire est fantaisiste.

51. Cadix était un port important pour les relations avec l'Amérique du Sud. Voltaire y avait placé une partie de ses capitaux.

52. Les missionnaires jésuites avaient organisé les indigènes du Paraguai en une communauté politique, strictement asservie à leur autorité, mais soustraite aux entreprises des chasseurs d'esclaves. Dans l'*Essai sur les mœurs* (ch. 154), Voltaire voit là « à quelques égards le triomphe de l'humanité ». En 1750, l'Espagne avait cédé au Portugal une ville du Paraguai, Saint-Sacrement. Les Guaranis, soutenus par les jésuites, s'étaient soulevés pour s'opposer au transfert. En 1755, l'Espagne envoie une expédition pour réprimer la guérilla. Voltaire se trouve participer à l'armement d'un navire se nommant par un singulier hasard le *Pascal* : le philosophe s'amuse à écrire qu'il va, au Paraguai, « combattre la morale relâchée », imputée aux jésuites par Blaise Pascal et les jansénistes (D6676).

53. Cette note fut communiquée aux éditeurs de Kehl par l'ancien secrétaire de Voltaire, Wagnière. En réalité « l'auteur » avait d'abord donné pour père naturel à la vieille un pape « connu », et contemporain : au lieu d'Urbain X, Ms. nommait Clément XII, qui régna de 1730 à 1740.

54. Statue grecque antique, acquise par les Médicis à Florence.

55. Petit duché au sud de la Toscane.

56. Le port de Salé, sur la côte marocaine en face de Rabat, était au XVIII^e siècle un repaire de pirates barbaresques.

57. Absolution « à l'article de la mort », demandée à des musulmans.

58. Les « nations policées » qui entretiennent ou laissent opérer des corsaires et des pirates.

59. Muley-Ismaïl, sultan guerrier, régna sur le Maroc jusqu'en 1727.

60. Ms et 59 : *coglioni !*

61. Ce fut le cas à la cour d'Espagne, sous Philippe V et Ferdinand VI, du castrat napolitain Farinelli.

62. Voltaire dans le *Siècle de Louis XIV*, ch. 18, a rapporté une telle négociation en 1703, au début de la guerre de Succession d'Espagne.

63. Province de l'empire ottoman, dont dépend en principe le dey d'Alger.

64. Pierre le Grand, de 1695 à 1697, assiégea Azof, qui commande le débouché du Don sur la mer d'Azof.

65. Nom latin de la mer d'Azof.

66. La recherche des sources a établi que Voltaire n'a pas inventé cet étrange épisode. Un auteur qui n'est autre que saint Jérôme raconte une histoire analogue.

67. Un personnage de ce nom se donna effectivement la mort en Suède, en 1739.

68. La remarque, ajoutée dans 61, sur le « mensonge officieux », « autrefois très à la mode chez les anciens », vise trois épisodes de la *Genèse* : Abraham, devant le pharaon, fait passer sa femme Sara pour sa sœur (XII, 11-16). Il fait le même mensonge devant Abimélech, roi de Gérar (XX, 2). Son fils Isaac, devant le même Abimélech, prétend aussi que sa femme Rébecca est sa sœur (XXVI, 7).

69. En Espagne, un chef de la police et ses hommes.

70. Sur ses quatre grands-parents, un seul, du côté de son père, est espagnol, sa mère étant une Indienne. Grâce à son ascendance, Cacambo connaît bien le pays et les langues indigènes. Le Tucuman était au XVIIIᵉ siècle une province au pied des Andes.

71. Agent d'une factorerie (comptoir de commerce dans une colonie).

72. Le bruit avait couru qu'un jésuite avait été proclamé roi du Paraguai (Voltaire, *Essai sur les mœurs*, ch. 154).

73. La barrette des jésuites était surmontée de trois « cornes », et non de quatre, comme celle des autres prêtres.

74. Courte pique, insigne du grade d'officier.

75. Saint Ignace de Loyola, fondateur de la Société de Jésus.

76. Ms et les premières éditions nomment ici un « père Didrie », inconnu dans la Société de Jésus ; 61 le remplace par le « père Croust » : Voltaire, pendant un séjour à Colmar en 1754, était entré en conflit avec le père Kroust, recteur du collège.

77. L'expression, d'origine évangélique, est fréquemment employée dans la langue ecclésiastique du XVIIIᵉ siècle pour désigner l'apostolat missionnaire.

78. La barrette à trois cornes, mentionnée au chapitre 14.

79. Le périodique de la Société de Jésus, imprimé à Trévoux, s'était acquis de la réputation dans le monde intellectuel. Il participait à la campagne contre l'*Encyclopédie* et les philosophes.

80. L'abbé Banier, *La Mythologie et les fables expliquées par l'histoire* (1740), avait consacré un chapitre aux « satyres, faunes et égipans », et énumérait les « grands personnages de l'antiquité » qui en avaient « vu » : saint Jérôme, saint Antoine, Pausanias, Plutarque... Voltaire lui-même a noté dans l'un de ses carnets que « les singes [...] s'accouplent avec les femmes, et il n'est pas impossible qu'il n'y en ait de la race ».

81. Une carte, dans l'ouvrage de Garcilasso de La Vega, *Histoire des Incas* (1744), qu'utilise Voltaire, situe au nord du Paraguai les « Orejones ou Indiens à grandes oreilles ».

82. Des lamas, que des voyageurs décrivaient comme étant de couleur rougeâtre.

83. S'accorde mal avec ce qui a été dit plus haut : Candide et Cacambo durent « se traîner de rocher en rocher pendant une lieue entière ».

84. Un condor.

85. Selon Garcilasso de La Vega, les Incas avaient installé sur les routes des auberges gratuites.

86. Sir Walter Raleigh explora en effet les Guyanes à la fin du XVIᵉ siècle.

87. Environ 70 m de haut sur 30 de large.

88. Le parlement : au sens français du mot, au XVIIIᵉ siècle. Sous l'Ancien Régime, les parlements de Paris et des provinces étaient des institutions en principe purement judiciaires, à la différence du Parlement anglais.

89. Environ un kilomètre et demi.

90. Dans le temps qui s'écoule entre le repas de la mi-journée, ou dîner, et le souper.

91. Plus de 3 000 mètres.

92. Hisser au moyen d'une machine.

93. Candide et Cacambo voulaient aller dans la colonie française de Cayenne (chapitres 17 et 18). Le récit n'explique pas pourquoi ils arrivent à Surinam.

94. L'épisode de l'esclave est absent de Ms., qui enchaîne ici : « Ils entrent dans Surinam. La première chose dont ils s'informent », etc.

95. Le nom — qui s'entend comme Van-der-dent-dure — fait penser au libraire hollandais Van Duren, avec lequel Voltaire fut en conflit.

96. L'esclave touche deux habits de toile par an ; s'il tente de s'évader, on lui coupe le jarret : telles étaient les prescriptions du Code noir édité par Louis XIV — pour les colonies françaises. La meule à eau pour broyer les cannes à sucre avait un mouvement si rapide qu'on amputait immédiatement le bras de l'esclave qui s'y laissait prendre.

97. Les fétiches : les divinités des cultes animistes d'Afrique noire. Plus loin, les « fétiches hollandais » sont les pasteurs protestants de la colonie hollandaise.

98. Après le sous-titre de *Candide*, c'est ici le seul emploi du mot dans le conte.

99. Dans Ms., manque l'intervention du patron espagnol. Candide fait de lui-même la réflexion qu'il risque d'être arrêté à Buenos-Ayres pour le meurtre de l'inquisiteur. Il décide d'envoyer Cacambo.

100. Le bateau est mouillé au milieu du port (« à la rade »). Vanderdendur choisit le moment favorable (« prend son temps ») et, ayant mis les voiles, quitte l'ancrage (« démarre »).

101. Socin, réformateur du seizième siècle, avait fondé une secte qui niait la divinité de Jésus-Christ et refusait le dogme de la Trinité.

102. Le manichéisme, hérésie de Manès (IIIᵉ siècle après J.-C.), dérive de la doctrine des deux principes, le mal et le bien, de Zoroastre. Si l'on admet que le mal règne sans partage dans notre monde, le manichéisme devient un pessimisme absolu : c'est ce que pense Martin.

103. Sur un terrain cédé par l'abbaye de Saint-Germain (dans le

VIᵉ arrondissement du Paris actuel), chaque année se tenait, entre le début de février et le dimanche des Rameaux, une foire qui attirait un nombreux public par ses spectacles et attractions diverses.

104. Sur ces convulsionnaires jansénistes, voir l'Appendice I, p. 247-248.

105. Peut-être le volume in-4⁰ du président de Brosses, *Histoire des navigations aux terres australes* (1756).

106. Sur les remaniements de ce chapitre, voir notre introduction, p. 38. On lira en appendice, p. 247-249, une première version que Ms. nous a conservée.

107. Une chaise de poste, plus rapide que les lourdes voitures des messageries publiques.

108. L'Académie de Bordeaux, dont Voltaire était membre associé, proposait habituellement pour ses prix des sujets de sciences physiques ou naturelles. Ses lauréats étaient souvent des « savants du Nord ». La clavelée : une sorte de variole qui frappe l'espèce ovine.

109. Sur ce quartier, au dix-huitième siècle le plus misérable de Paris, voir l'Appendice I, p. 247.

110. L'« habitué », prêtre en surnombre affecté à une paroisse, propose à Candide le billet de confession, signé d'un prêtre non janséniste, qu'avait exigé en 1750 l'archevêque de Paris. Voir Appendice I.

111. Sur Ms., Voltaire avait d'abord écrit : *L'Orphelin de la Chine*, qui fut barré.

112. Barré : « l'auteur ne sait pas un mot de chinois ».

113. Barré : « c'est un homme qui estime Locke et qui ne croit pas aux idées innées ».

114. A partir d'ici, jusqu'à « avec cette illustre Vestphalienne », le texte est celui de l'addition de 1761.

115. *Le Comte d'Essex* de Thomas Corneille.

116. Allusion à la grande comédienne Adrienne Lecouvreur, qui débuta en 1717 dans le rôle de Monime de *Mithridate*. Elle mourut presque subitement en 1730, sans avoir le temps de se mettre en règle avec l'Eglise. Le curé de Saint-Sulpice lui refusa la sépulture. Elle fut enterrée dans un terrain vague. Au moment de *Candide*, l'excommunication continue à frapper comme « infâmes » les acteurs de la Comédie-Française (mais non ceux du Théâtre-Italien...). En 1761, Mlle Clairon prit la tête d'une campagne de protestation contre une telle mesure.

117. L'abbé doit expliquer « folliculaire », qui est alors un mot nouveau. Fréron, journaliste de l'*Année littéraire*, fut l'un des adversaires les plus acharnés et les plus brillants des philosophes. Il s'en prenait de préférence à Voltaire.

118. Hommage de Voltaire (dans 61) à Mlle Clairon, qui vient de triompher en 1760 dans sa tragédie de *Tancrède*.

119. Le pharaon est un jeu de cartes, ainsi nommé parce que l'une des cartes représente le pharaon d'Egypte. Les joueurs, ou « pontes », jouent contre le banquier qui distribue les cartes. Par le paroli, le joueur double son enjeu, par le sept-et-le-va, il le triple, en

cornant une carte : l'un et l'autre sont dits « de campagne » lorsqu'ils sont irréguliers.

120. L'abbé Gabriel Gauchat avait entrepris contre les philosophes la publication de douze volumes de *Lettres critiques ou analyse et réfutation de divers écrits modernes contre la religion*.

121. L'abbé Trublet, auteur d'*Essais de littérature et de morale*, autre ennemi des philosophes.

122. Ici prend fin l'addition de 61.

123. Une pistole vaut dix livres. On estime qu'une livre du XVIIIe siècle équivaut au moins à cent de nos francs. Chaque « petit diamant » vaudrait donc 300 000 francs des années 1990.

124. Insigne de la fonction d'exempt.

125. On procéda à ces arrestations après l'attentat de Damiens contre Louis XV, qui était évoqué dans le début du chapitre, en sa première version (voir Appendice I, p. 248), et qui est rappelé ici, en réponse à Candide.

126. Damiens était originaire de l'Artois. Allusion ensuite à l'assassinat d'Henri IV par Ravaillac (14 mai 1610), et à l'attentat manqué de Jean Châtel (27 décembre 1594) contre le même Henri IV.

127. Dieppe est en réalité en Haute-Normandie. Le barigel : nom d'origine italienne, désignant un chef de police.

128. Dans cette formule souvent citée, « vers » se rapporte à la zone frontalière entre les terres colonisées les unes par les Français, les autres par les Anglais. Mais il s'agissait de contrôler l'embouchure du Saint-Laurent, enjeu décisif. Sa perte entraîna la conquête par l'Angleterre de tout le Canada, consacrée par le traité de Paris (1763).

129. Au début de la guerre de Sept Ans (mai 1756), l'amiral Byng avait tenté de libérer Port-Mahon, dans l'île de Minorque, assiégé par un corps expéditionnaire français. Après un engagement avec les vaisseaux de La Galissonnière, Byng dut se replier sur Gibraltar, et Port-Mahon fut pris. Pour satisfaire l'opinion anglaise ulcérée, il fut jugé et condamné à mort. Voltaire était en vain intervenu en sa faveur.

130. L'ordre des Théatins avait été fondé en Italie au XVIe siècle. Son objet était d'épurer les mœurs ecclésiastiques, ce que frère Giroflée semble avoir oublié.

131. Pangloss a déjà fait mention de ce cordelier au ch. 4, p. 155.

132. La décharge publique, où sera jeté son corps après sa mort.

133. Pococuranté : « qui se soucie de peu de choses ». La Brenta se jette dans la lagune de Venise.

134. Dans la matinée, qui sera suivi d'un « excellent dîner », au milieu de la journée.

135. Pococuranté fait allusion aux textes suivants d'Horace. *Satires*, I. v, II. viii, I. vii (avec une erreur, Pupilus pour Rutilius), *Epodes*, V. viii. xii, *Odes*, I. i.

136. C'est en France seulement que les dominicains sont nommés jacobins, parce que leur couvent parisien est situé rue Saint-Jacques.

137. Le *Paradis perdu* de Milton compte douze chants.

138. Le passage « Candide était affligé [...] rien ne peut lui plaire » manque dans Ms. Il a été ajouté, puis retranché, puis définitivement rétabli dans 61. L'allusion à « nos poètes allemands » semble viser le Suisse Albrecht von Haller, auteur de *Die Alpen*.

139. Dans la *République* (475c), passage noté par Voltaire dans un de ses carnets.

140. Achmet III devint sultan en 1703, en renversant son frère Mustapha II. Il est renversé par son neveu Mahmoud en 1730 et relégué dans le « vieux sérail ».

141. La tsarine Anna Ivanovna avait proclamé tsar le nouveau-né Ivan (1740). L'année suivante, Elisabeth Petrovna renverse Anna Ivanovna et fait enfermer Ivan dans une forteresse. Catherine II le fera assassiner.

142. Charles-Edouard, de la dynastie des Stuarts, petit-fils de Jacques II, détrôné par Guillaume d'Orange (1688), avait tenté en 1745 de reconquérir le trône d'Angleterre, par une romanesque équipée en Ecosse : Voltaire l'a racontée dans le *Précis du siècle de Louis XV*, ch. 24-25.

143. Auguste III, électeur de Saxe, élu roi de Pologne (1733). En 1756, une offensive des armées prussiennes de Frédéric II l'oblige à quitter ses « Etats héréditaires » de Saxe. Son père Auguste II avait été chassé de Pologne et de Saxe par le roi de Suède Charles XII.

144. Stanislas Leszczynski, élu roi de Pologne grâce à Charles XII, expulsé après la défaite de celui-ci. Louis XV, ayant épousé sa fille Marie Leszczynska, le fit rétablir sur le trône de Pologne pour quelques mois. Stanislas ayant été chassé une deuxième fois, Louis XV lui fit attribuer à titre viager le duché de Lorraine (1738), où il vécut jusqu'à sa mort (1766), se consacrant à embellir Nancy et Lunéville.

145. L'aventurier allemand Théodore de Neuhoff avait réussi à se faire élire roi de Corse (1736). Rapidement à bout de ressources, il se réfugia à Londres, où il fut emprisonné pour dettes.

146. Monnaie d'or vénitienne.

147. François Ragotzki (1671-1735), prince de Transylvanie, avait soulevé les Hongrois contre l'Autriche. Vaincu, il avait trouvé asile sur la mer de Marmara (la « Propontide »).

148. Itinéraire dans l'archipel grec, qui aboutit à l'île de Marmara, entre les Dardanelles et le Bosphore, et à Scutari, faubourg de Constantinople (aujourd'hui Istanbul), sur la rive orientale du Bosphore.

149. Le patron des *Levantis*, galériens en général d'origine levantine.

150. Un page dans le sérail du sultan.

151. Dans un établissement de bains.

152. L'os en haut du thorax.

153. Le chirurgien et plus loin sa femme s'imaginent que la croix de l'incision a provoqué chez ce « diable » une réaction furieuse.

154. Au XVIII⁺ siècle, ordinairement le même homme exerce les fonctions de chirurgien et de barbier. Voir le Figaro de Beaumarchais.

155. Outre que le Coran interdit tout décolleté, la présence de femmes en compagnie d'hommes dans une mosquée est contraire aux mœurs musulmanes.

156. Leibniz n'est nommé qu'en ce seul passage dans *Candide*. « L'harmonie préétablie » : théorie leibnizienne, évoquée dans *Micromégas*, p. 65. « Le plein et la matière subtile » : notions de la physique de Descartes réduites à néant par Newton.

157. C'est-à-dire un domaine de peu d'étendue. Candide n'est pas métayer, au sens actuel du mot, mais propriétaire.

158. Les assemblées des ordres royaux et militaires.

159. Une sorte particulière de mariage subsistait en Allemagne : en cas de mésalliance, le conjoint offrait sa main gauche ; ainsi il n'engageait ni ses biens, ni ses titres, ni même sa parole.

160. La métairie est donc située sur la rive même du Bosphore. Des effendis, des pachas, des cadis : des seigneurs, des gouverneurs de province, des juges. L'instabilité du pouvoir caractérise le gouvernement despotique du sultan.

161. Lorsqu'un gouverneur de province était condamné à mort, sa tête empaillée était portée au sultan, afin de prouver la réalité de l'exécution.

162. Un vizir du banc était un ministre de haut rang, et le muphti le chef suprême de l'Islam. Mais, en 1759, l'allusion visait des disgrâces récentes à Versailles, corsées ici par des supplices orientaux : strangulation, pal. Les déboires de la guerre de Sept Ans avaient entraîné le renvoi en peu de temps de Machault, du comte d'Argenson, de Bernis.

163. La présence de celles-ci est incompatible avec les mœurs musulmanes. En pays d'Islam, quand un chef de famille reçoit des visiteurs, les femmes ne paraissent pas.

164. Une sorte de yaourt.

165. C'est donc à tort que ces personnages, notamment Candide, sont généralement représentés imberbes.

166. L'érudition de Pangloss est méthodiquement présentée. D'abord l'Ancien Testament : Eglon (*Juges*, III, 15-22), Absalon (II *Samuel*, XVII, 9-15), Nadab (I *Rois*, XV, 26-29), Ela (I *Rois*, XVI, 9-10), Okosias (II *Rois*, IX, 27), Attalia et Joïada qui sont le sujet de l'*Athalie* de Racine (II *Rois*, XI, 15-16), Joakim (II *Rois*, XXIV, 1), Jéconias (II *Rois*, XXIV, 6-15), Sédécias (II *Rois*, XXIV, 17, XXV, 7). Puis vient l'histoire grecque et romaine, de Crésus à Domitien. Ensuite, l'histoire d'Angleterre, et l'histoire de la France. Le dernier nommé est l'empereur d'Allemagne Henri IV, qui mourut en exil excommunié (1106).

167. *Genèse*, II, 15.

168. Au sens classique : un homme de bonne compagnie.

169. Le cimetière de l'église Saint-Médard. Le voyageur entrant par le faubourg Saint-Marceau passait devant cette sorte de lieu saint du jansénisme parisien. En 1727, François Pâris, diacre de cette paroisse, mort à l'âge de trente-six ans des suites de ses privations volontaires, y était enterré. Le peuple très misérable de ce quartier le vénérait comme un saint. Sa tombe devint un centre

d'agitation janséniste. Les dévots s'entassaient sur la pierre tombale, en proie à l'hystérie (les « convulsions »). Les guérisons miraculeuses se multipliaient. Le lieutenant de police dut interdire l'accès du cimetière en 1732.

170. Faute évidente du copiste qui a écrit « buvaient ».

171. En 1750, le clergé, menacé de payer des impôts en proportion de ses ressources ranime la querelle de la bulle *Unigenitus* (1713) qui avait condamné le jansénisme. On exige des mourants un billet de confession signé par un prêtre adhérant à la bulle. Faute de quoi le moribond n'obtenait pas l'extrême-onction, ni la sépulture dans un cimetière.

172. L'« attentat épouvantable » dont le bruit se répand, avant que Candide ait pu gagner son hôtellerie, est celui de Damiens contre Louis XV (5 janvier 1757). La première version du chapitre réunissait donc en une seule journée des événements qui s'étaient échelonnés sur une trentaine d'années.

173. La suite comme dans le texte, p. 214.

174. Voltaire en le dénigrant utilise Charlevoix, *Histoire du Paraguai*, Paris, 1756. Charlevoix rapporte que « le P. Thomas Werle, jésuite bavarois, un de ceux qui accompagnaient les néophytes, fut tué d'un coup de fusil en s'acquittant des fonctions de son ministère fort près de la place ». C'est Charlevoix aussi qui raconte comment les jésuites affrontèrent Don Antequera y Castro.

175. Allusion à l'attentat du 3 septembre 1758 contre le roi du Portugal, imputé au P. Malagrida et à deux autres jésuites. Les jésuites du Paraguai, d'autre part, s'opposèrent au transfert au Portugal de territoires du Paraguai, prévu par un traité avec l'Espagne.

176. C'est le premier emploi du mot loustic en français. Selon Littré, le nom s'appliquait à un « bouffon qui existait dans les régiments suisses au service de la France ».

177. *Genèse*, III, 1-6.

178. *Genèse*, III, 17. Dieu s'adresse à Adam : « La terre est maudite à cause de ce que tu as fait, et tu devras travailler pour manger. »

179. Deux localités proches de Stettin portent ce nom.

BIBLIOGRAPHIE

Pour *Micromégas* et *Candide*, nous reproduisons le texte de l'édition des *Œuvres complètes*, dite « encadrée », par Cramer et Burdin, 1775, la dernière parue sous le contrôle de Voltaire. En revanche, le texte de *Zadig* dans cette édition semble peu soigneusement établi. Nous préférons donc reproduire celui de 1756, *Collection complète des Œuvres de M. de Voltaire*, t. V (Genève, Cramer), édition après laquelle Voltaire ne modifia plus son texte, exception faite de deux chapitres, ajoutés dans l'édition posthume de Kehl.

ÉDITIONS CRITIQUES

WADE IRA O., *Voltaire's « Micromégas », a Study in the Fusion of Science, Myth and Art*, Princeton University Press, 1950, éd. critique avec commentaire ; à compléter par Martin FONTIUS, *Voltaire in Berlin*, Berlin, Rütten & Loening, 1966.
Zadig ou la Destinée, histoire orientale, éd. critique avec une introduction et un commentaire par Georges ASCOLI, Hachette, 1929 ; deuxième tirage revu et complété par Jean FABRE, Paris, Marcel Didier, 1962. Nouvelle éd. : Paris, Société des textes français modernes, 1967.
Zadig ou la Destinée, éd. critique par Haydn T. MASON, *Œuvres complètes de Voltaire*, vol. 30B, Oxford, The Voltaire Foundation, 2004.
Candide ou l'Optimisme, éd. critique par René POMEAU, *Œuvres complètes de Voltaire*, vol. 48, Oxford, The Voltaire Foundation, 1980.

ÉDITIONS DES ROMANS ET CONTES

Romans et contes, chronologie, préface et notes par René POMEAU, GF-Flammarion, 1966.
Romans et contes, Gallimard, « Bibliothèque de la Pléiade », 1979, introduction générale, établissement des textes par Frédéric DELOFFRE. *Micromégas*, *Zadig* et *Candide* sont présentés et annotés par Jacques VAN DEN HEUVEL ; 2e éd. mise à jour en 2001.
Romans et contes, éd. de Frédéric DELOFFRE, avec la collaboration de Jacques VAN DEN HEUVEL ; postface de Roland

BARTHES, Gallimard, « Folio Classique », 1992, 2 vol. : vol. 1, *« Zadig » et autres contes* ; vol. 2, *« Candide » et autres contes.*

Contes en vers et en prose, Paris, Classiques Garnier, 1992-1993, 2 vol. Introduction et chronologie, établissement du texte, notices, bibliographie et notes par Sylvain MENANT.

ÉTUDES GÉNÉRALES SUR VOLTAIRE

LANSON G., *Voltaire*, Hachette, 1906 ; rééd. par R. POMEAU, Hachette, 1960.

NAVES R., *Le Goût de Voltaire*, Garnier, 1938 ; rééd. Genève, Slatkine Reprints, 1967.

POMEAU R., *Voltaire*, Seuil, « Écrivains de toujours », 1955 et « Points », 1989 ; nouvelle éd. revue, comportant une bibliographie mise à jour : « Écrivains de toujours », 1994.

POMEAU R., *La Religion de Voltaire*, Nizet, 1956 ; nouvelle éd. revue et mise à jour : Nizet, 1965, 1969, 1974 et 1986.

MERVAUD Chr., *Voltaire en toutes lettres*, Bordas, 1991.

Voltaire en son temps, sous la dir. de René POMEAU, Oxford, The Voltaire Foundation, et Paris, Universitas, 5 vol. : POMEAU R., *D'Arouet à Voltaire (1694-1734)*, 1985 ; VAILLOT R., *Avec Mme du Châtelet (1734-1749)*, 1988 ; POMEAU R., MERVAUD Chr. et *al.*, *De la cour au jardin (1750-1759)*, 1991 ; POMEAU R. et *al.*, *« Écraser l'infâme » (1759-1770)*, 1994 ; POMEAU R. et *al.*, *On a voulu l'enterrer (1770-1791)*, 1994. Nouvelle éd. intégrale, revue et corrigée, en 2 vol. : Oxford, The Voltaire Foundation et Paris, Fayard, 1995 : vol. 1, *1694-1759* ; vol. 2, *1759-1791*. [La narration biographique met en valeur la création des œuvres, en évoquant le contexte historique.]

GOLDZINK J., *Voltaire*, Hachette, « Portraits littéraires », 1994.

Inventaire Voltaire, sous la dir. de Jean GOULEMOT, André MAGNAN, Didier MASSEAU, révision générale par André MAGNAN, Gallimard, « Quarto », 1995.

MENANT S., *L'Esthétique de Voltaire*, Sedes, « Esthétique », 1995.

MARTIN-HAAG E., *Voltaire : du cartésianisme aux Lumières*, Vrin, « Bibliothèque des philosophes », 2002.

Dictionnaire général de Voltaire, sous la dir. de Raymond TROUSSON et Jeroom VERCRUYSSE, Champion, « Dictionnaires & Références », 2003.

On pourra consulter aisément la *Correspondance* de Voltaire soit dans l'édition définitive, en 13 vol., de Theodore BESTERMAN, Gallimard, « Bibliothèque de la Pléiade », 1977-1992, soit dans le volume *Correspondance choisie*, éd. Jacqueline HELLEGOUARC'H, Librairie Générale Française, « Le Livre de Poche Classique », 1990 et « La Pochothèque », 1997.

Nous renvoyons aussi aux sites Internet de la Fondation Voltaire (The Voltaire Foundation, University of Oxford) : http://www.voltaire.ox.ac.uk/ ; de l'Institut et Musée Voltaire de Genève : http://www.ville-ge.ch/imv/ ; et de l'Association « Voltaire intégral » : http://www.voltaire-integral.com/, qui donne accès à une partie des *Œuvres complètes* et de la *Correspondance* de Voltaire (disponibles intégralement sur le CDROM édité par les soins de l'Association, qui contient aussi des études sur Voltaire et de nombreux ouvrages d'autres auteurs du XVIII\u1d49 siècle).

ÉTUDES PARTICULIÈRES SUR *MICROMÉGAS*, *ZADIG* ET *CANDIDE*

VAN DEN HEUVEL J., *Voltaire dans ses contes, de « Micromégas » à « L'Ingénu »*, A. Colin, 1967 ; rééd. A. Colin, 1970 et 1982 ; Genève, Slatkine Reprints, 1998 [Ouvrage fondamental sur le rapport entre, d'une part, les contes et, d'autre part, la vie de Voltaire et l'évolution de sa pensée.]

CASTEX P.G., *Voltaire : « Micromégas », « Candide », « L'Ingénu »*, Sedes, « Littérature », 1982 [Analyses pénétrantes, mettant en évidence la philosophie de Voltaire, telle qu'elle s'exprime à travers la fiction.]

FAUDEMAY A., *Voltaire allégoriste : essai sur les rapports entre conte et philosophie chez Voltaire*, Fribourg, 1987.

HOWELLS R., *Disabled Powers. A Reading of Voltaire's « Contes »*, Amsterdam-Atlanta, Rodopi, 1993.

PEARSON R., *The Fables of Reason. A Study of Voltaire's « Contes philosophiques »*, Oxford, Clarendon Press, 1993.

MASON H.T., « Voltaire et le conte philosophique », *Revue internationale de philosophie*, vol. 48, n° 187, mars 1994, p. 55-64.

CAMBOU P., *Le Traitement voltairien du conte*, préface de Jean Dagen, Champion, 2000.

Sur *Micromégas*

BARBER W.H., « The Genesis of Voltaire's *Micromégas* », *French Studies*, 1957, p. 1-15 [Souligne ce qui dans le texte se rapporte aux environs de 1750.]

NACHTERGAELE V., « *Micromégas* ou le dysfonctionnement des procédés de narration », *Studies on Voltaire*, vol. 199, Oxford, 1981, p. 73-86.

SMITH D.W., « The Publication of *Micromégas* », *Studies on Voltaire*, vol. 219, Oxford, 1983, p. 63-91.

DOLISI G., « Quelques paradoxes de l'empirisme voltairien dans le conte *Micromégas* », *L'Information littéraire*, XLIV, 3, mai-juin 1992, p. 13-16.

VAN MEERKERK E. et BRAUN Th. E.D., « From the *Voyage du baron de Gangan* to *Micromégas* : New Documentary Evidence linking Voltaire's Space Odysseys », *Studies on Voltaire*, Oxford, 2002 : 06, p. 371-384.

Sur *Zadig*

SENIOR N., « The Structure of *Zadig* », *Studies on Voltaire*, vol. 135, Oxford, 1974, p. 135-141.

HOWELLS R.J., « *Télémaque* et *Zadig* : apports et rapports », *Studies on Voltaire*, vol. 215, Oxford, 1982, p. 63-75.

BIANCO J., « *Zadig* et l'origine du conte philosophique. Aux antipodes de l'unité », *Poétique*, n° 68, novembre 1986, p. 443-461.

VAN DEN HEUVEL J., « Zadig, Zoroastre et les *Voyages de Cyrus* du chevalier de Ramsey », *Le Siècle de Voltaire. Hommage à René Pomeau*, Oxford, 1987, t. II, p. 917-926.

BADIR M.G., « Rhétorique voltairienne de l'ironie dans *Zadig* », *French Literature Studies*, t. XIV, 1987, p. 37-44.

BADIR M.G., « Mode de narration de *Zadig* de Voltaire et de *Ganem* des *Mille et Une Nuits* », *Studies on Voltaire*, vol. 264, Oxford, 1989, p. 1092-1097.

SAINT-AMAND P., « Destin de l'histoire : *Zadig* et *Candide* », *Studies on Voltaire*, vol. 260, Oxford, 1989, p. 183-193.

VARTANIAN A., « *Zadig,* Theme and Counter-Theme », *Dilemmes du roman. Essays in Honor of Georges May*, Saratoga, Anma, 1989.

MASON H.T., « Voltaire, le président de Maisons et Zadig », *Revue d'histoire littéraire de la France*, 1990, p. 953-958.

TRAPNELL W. H., « Destiny in Voltaire's *Zadig* and the *Arabian Nights* », *Studies on Voltaire*, vol. 278, Oxford, 1990, p. 147-171.

MASON H.T., « *Zadig* and the Birth of the Voltaire's *conte* », *Rousseau and the Eighteenth Century. Essays in Memory of R.A. Leigh*, Oxford, 1992, p. 283-294.

COLESANTI M., « Voltaire "romancier" et la destinée de *Zadig* », *Micromégas*, Rome, XXII, 1-2, décembre-janvier 1995, p. 5-13.

BRAUN Th. E.D., « Voltaire's *Zadig*, *Candide* and Chaos », *Studies on Voltaire*, vol. 358, Oxford, 1997, p. 1-20.

SHEU L.-L., « Le conte du "Nez" dans *Zadig* de Voltaire, ou de l'imitation à l'originalité », *Anecdotes, faits divers, contes, nouvelles (1700-1820)*, Actes du colloque d'Exeter (septembre 1998), Berne, Peter Lang, 2000, p. 41-51.

Sur *Candide*

La bibliographie sur *Candide* est considérable. Nous renvoyons, pour les études sur des aspects particuliers, à la biblio-

graphie de l'édition critique par René POMEAU, Oxford, 1980, p. 269-275, et à HOWELLS R., « Voltaire's *Contes*. A Review of Studies 1969-1993 », « *Pour encourager les autres* ». *Studies for the Tercentenary of Voltaire's Birth (1694-1994)*, éd. Haydn T. MASON, Oxford, The Voltaire Foundation, 1994, p. 229-281. Nous nous contentons de mentionner les études générales suivantes :

BOTTIGLIA W.F., *Voltaire's « Candide » : Analysis of a Classic*, *Studies on Voltaire*, vol. 7, Genève, 1959 ; 2e éd. révisée, *Studies on Voltaire*, vol. 7A, Genève, 1964.

FORSTER M.P., *Voltaire's « Candide » and the Critics*, Belmont, California, 1962.

SAREIL J., *Essai sur « Candide »*, Genève, 1967.

BARBER W.H., *Voltaire : « Candide »*, Londres, Arnold, 1968 [en anglais] ; rééd. 1977.

STAROBINSKI J., « Sur le style philosophique de *Candide* », *Comparative Literature*, 28, 1976, p. 193-200 ; repris dans *Le Remède dans le mal*, Gallimard, 1988, p. 123-144.

GOLDZINK J., *Roman et idéologie dans « Candide »*, Magnard, 1982.

Approaches to teaching Voltaire's « Candide », éd. Renée WALDINGER, New York, 1987.

MAGNAN A., *Voltaire, « Candide ou l'Optimisme »*, PUF, « Études littéraires », 1987.

MASON H.T., *Candide. Optimism demolished*, New York, Twayn Publishers, 1993.

Readings on Candide, éd. Thomas WALSH, San Diego, Greenhaven Press, 2001.

Voir aussi, sur la genèse de *Candide* :

WADE Ira O., *Voltaire and « Candide », a Study in the Fusion of History, Art and Philosophy. With the text of the La Vallière manuscript of « Candide »*, Princeton University Press, 1959. [S'est efforcé de démontrer l'existence, en 1758, d'une édition antérieure à celle de Cramer, janvier 1759. N'a pas paru convaincant : voir GAGNEBIN B., « L'édition originale de *Candide*. Réponse au Professeur Wade », *Bulletin du bibliophile*, 1960, p. 22-31.]

MAGNAN A., « Une lettre oubliée de Beaumarchais sur l'édition de Kehl et sur la genèse de *Candide* », *Voltaire en Europe. Hommage à Christiane Mervaud*, Oxford, The Voltaire Foundation, 2000, p. 307-319.

DELOFFRE F., « Un nouveau regard sur *Candide* », postface à *Candide ou l'Optimisme*, éd. présentée, établie et annotée par F. DELOFFRE, Gallimard, « Folio Classique », 2003.

CHRONOLOGIE

1694 : Voltaire, de son nom de famille François-Marie Arouet, naît à Paris.

1704 : Défaite des armées françaises à Hoechstaedt. Voltaire entre au collège des jésuites de Louis-le-Grand.

1713 : Paix d'Utrecht. Voltaire à La Haye comme secrétaire de l'ambassadeur de France.

1715 : Mort de Louis XIV.

1717 : Voltaire est enfermé pour onze mois à la Bastille.

1718 : Il remporte son premier grand succès avec *Œdipe*, tragédie.

1723 : Il publie la première édition de *La Henriade*, poème épique sur les guerres de religion et Henri IV.

1726 : Bâtonné par ordre du chevalier de Rohan, il est emprisonné à la Bastille, puis exilé en Angleterre.

1728 : Il rentre en France.

1731 : Publie l'*Histoire de Charles XII*.

1732 : Succès triomphal de *Zaïre*, tragédie.

1734 : Publie les *Lettres philosophiques*. Menacé d'arrestation, se réfugie à Cirey, en Champagne, chez son amie Mme du Châtelet.

1736 : Début de la correspondance avec Frédéric, qui deviendra roi de Prusse en 1740.

1737 : *Les Eléments de la philosophie de Newton*.

1739 : Envoie à Frédéric *Le Voyage du baron de Gangan*.

1741 : Guerre de Succession d'Autriche.

1743 : Entrée des frères d'Argenson, amis de Voltaire, au ministère. Il accomplit une mission secrète à Berlin.

1745 : Fontenoy. Mme de Pompadour favorite. Voltaire historiographe du roi : écrit l'*Histoire de la guerre de 1741*. Publication dans le *Mercure de France* des chapitres de l'*Essai sur les mœurs* traitant de l'Orient.

1746 : Elu à l'Académie française.

1747 : Juin : *Memnon*, première version de *Zadig*. Octobre : incident du jeu de la reine. Voltaire réfugié à Sceaux lit à la duchesse du Maine des contes dont *Zadig*.

1748 : *Sémiramis*, tragédie. A la cour de Stanislas, à Nancy. Paix d'Aix-la-Chapelle. Montesquieu : *L'Esprit des lois*.

1749 : Mort de Mme du Châtelet.

1750 : Nommé chambellan de Frédéric II, Voltaire part pour Berlin. Rousseau : *Discours sur les sciences et les arts*.

1751 : *Le Siècle de Louis XIV*. Publication du tome I de l'*Encyclopédie*.

1752 : *Micromégas*. Octobre-novembre : querelle avec Maupertuis, brouille avec Frédéric II.

1753 : Mars : Voltaire quitte la Prusse. Mai : séjour à Gotha chez le duc et la duchesse. Juin : Voltaire retenu de force à Francfort par le résident du roi de Prusse. Août : en Alsace.

1755 : Voltaire aux Délices, près de Genève. Rousseau : *Discours sur l'origine de l'inégalité*. Novembre : tremblement de terre de Lisbonne.

1756 : Début de la guerre de Sept Ans. Intervention de Voltaire en faveur de l'amiral anglais Byng. *Essai sur les mœurs et l'esprit des nations*.

1757 : Désastre français à Rossbach. Scandale de l'article *Genève* de l'*Encyclopédie*. Campagne contre les philosophes.

1758 : Voltaire à Schwetzingen chez l'électeur palatin ; lui lit *Candide*. Octobre-décembre : achète Ferney et Tourney, en territoire français près de Genève. Rousseau : *Lettre sur les spectacles*.

1759 : Janvier-février : publication de *Candide*. Campagne de pamphlets contre les ennemis des philosophes.

1760 : Voltaire recueille Mlle Corneille.

1761 : Rousseau : *La Nouvelle Héloïse*. Début du procès des jésuites au parlement de Paris.

1762 : Début de l'affaire Calas. Rousseau : *Emile* et le *Contrat social*. Catherine II prend le pouvoir en Russie.

1763 : Fin de la guerre de Sept Ans : la France perd le Canada et l'Inde. Voltaire publie le *Traité sur la tolérance*.

1764 : Publication des *Contes de Guillaume Vadé (le Blanc et le Noir, Jeannot et Colin)*, du *Dictionnaire philosophique*.

1765 : Réhabilitation de Calas. *Pot-pourri*.

1766 : *Le Philosophe ignorant*. Supplice du chevalier de La Barre, accusé d'impiété.

1767 : *L'Ingénu*. Affaire Sirven.

1768 : *La Princesse de Babylone*.

1770 : Voltaire commence à publier les *Questions sur l'Encyclopédie* (9 volumes). D'Holbach : *Le Système de la Nature*.

1771 : Suppression des anciens parlements, création des « parlements Maupeou » : approbation de Voltaire. Acquittement définitif de Sirven.

1773 : Février-mars : Voltaire gravement malade.

1774 : Publication du *Taureau blanc*. 10 mai : avènement de Louis XVI ; ministère de Turgot : Voltaire appuie par une campagne de presse les réformes entreprises. Tente, mais en vain, d'obtenir la réhabilitation du jeune d'Etallonde, condamné pour impiété en même temps que le chevalier de La Barre.

1775 : L'éditeur Cramer publie les *Œuvres complètes* : édition dite « encadrée », la dernière parue du vivant de Voltaire et sous son contrôle.

1776 : *La Bible enfin expliquée*.

1778 : Retour de Voltaire à Paris : apothéose et mort (30 mai 1778).

TABLE

GF Flammarion

08/07/139142-VII-2008 – Impr. MAURY Imprimeur, 45330 Malesherbes.
N° d'édition L01EHPNFG1293C002. – Mai 1994. – Printed in France.